VÉRITÉ HISTORIQUE
ET ESPRIT HISTORIEN

Pierre GIBERT

VÉRITÉ HISTORIQUE ET ESPRIT HISTORIEN

L'historien biblique de Gédéon
face à Hérodote

Essai sur le principe historiographique
Préface de M. André CAQUOT, *de l'Institut*

« Initiations »

LES ÉDITIONS DU CERF
29, bd Latour-Maubourg, Paris
1990

© *Les Éditions du Cerf*, 1990
ISBN 2-204-04029-0
ISSN 0297-7052

Une théorie de la légende, Hermann Gunkel (1862-1932) et les légendes de la Bible, préface de Marc Soriano, Paris, Flammarion, coll. « Bibliothèque d'ethnologie historique », 1979.

La Bible à la naissance de l'histoire. Au temps de Saül, David et Salomon, Paris, Fayard, 1979.

Bible, mythes et récits de commencement, Paris, Le Seuil, coll. « Parole de Dieu », 1986.

*

Tocqueville, égalité sociale et liberté politique, préface de René Rémond, Paris, Aubier-Montaigne, coll. « Bibliothèque sociale », 1977.

Correspondance d'Alexis de Tocqueville et de Francisque de Corcelle; Correspondance d'Alexis de Tocqueville et de Mme Swetchine; Œuvres complètes d'Alexis de Tocqueville, Paris, Gallimard, 1983, 2 vol.

PRÉFACE

La Bible a été longtemps tenue pour le registre des archives de l'humanité dans un Occident dont la culture a été pour une bonne part modelée par les religions qu'elle a produites. Il allait donc de soi qu'elle fût regardée comme la préface et la référence obligatoire de toute histoire profane. Qu'on pense aux chroniques diverses du monde chrétien médiéval ou à l'Historia scholastica de Pierre Le Mangeur qui eut tant d'influence. L'avènement de l'humanisme a imposé d'autres modèles, pris chez les Romains, puis chez les Grecs auxquels on en est venu à demander, parfois contre toute vraisemblance, des leçons d'exactitude autant que de vertu. De livre d'histoire, la Bible est devenue un livre d'histoires plus ou moins édifiantes, parfois enfantines, et au mieux une prédication mettant la vision idéale du passé d'une nation au service d'une intuition religieuse sur le devenir du monde. La Bible était ainsi ramenée à l'exact opposé de l'histoire telle que l'a conçue un Ibn Khaldoun, disant qu'elle ne fait point partie des arts de la persuasion.

Déchue de sa qualité de mémoire du monde, la Bible a-t-elle gardé sa valeur comme source de l'histoire d'Israël ? À côté de son statut d'« histoire sainte » dans les classes de catéchisme, un enseignement laïque lui reconnaît encore valeur de document sur le passé d'une nation très mineure de l'Orient antique. Faute de témoignages extérieurs en nombre suffisant, celui qui entend écrire une « histoire d'Israël » n'est pas seulement enclin à paraphraser la Bible, il est aussi contraint d'agir ainsi, quitte à multiplier les points d'interrogation. Le scepticisme est d'autant plus recommandé qu'on a bien perdu aujourd'hui l'optimisme des années 1950 où l'on voyait la Bible « confirmée » par l'archéologie. Cette discipline qui prétend détenir les clefs de l'objectivité propose aujourd'hui des aperçus sur le passé qui sont loin de toujours s'accorder avec les informations bibliques.

Revenir dans ces conditions à l'idée que la Bible puisse présenter le premier projet historiographique digne de ce nom dans la littérature mondiale tient du paradoxe. Paradoxe également que de tant demander à un « corpus » littéraire qui risque de n'être qu'une anthologie, lacunaire, surtout dans ses parties concernant l'histoire ancienne du peuple, et représentant des genres littéraires disparates à l'excès. Les meilleures sources de l'histoire biblique n'auraient-elles pas été perdues avec ces annales ou chroniques auxquelles plusieurs passages font allusion et sur lesquelles on se prend à rêver, un peu comme les vieux auteurs de « pseudépigraphes » avides d'informations supplémentaires sur les gestes et les desseins de Dieu ?

Pourtant, on n'a pas manqué de faire remarquer que la conscience collective d'Israël qui se révèle dans la Bible favorisait l'éclosion de l'historiographie. Le sens de l'honneur national allant jusqu'à attribuer à Dieu même les revers les plus humiliants, la conscience longtemps vivace d'avoir constitué une nation en un moment donné du temps des hommes — les débuts de l'âge du fer — et d'avoir été doté dans ce temps concret d'institutions que d'autres ont rapportées au temps mythique des dieux, la modestie même de la nation qui l'a préservée de s'exalter elle-même par-dessus l'humanité ont favorisé la remémoration constante d'un passé tout en mettant en garde contre une transfiguration excessive de celui-ci. La Bible apparaît bien comme la doyenne des œuvres historiques se préservant de l'emphase mythologique et de la sécheresse annalistique.

*Voilà à quoi nous invite à réfléchir l'œuvre du R.P. Pierre Gibert. Dans sa revendication, finement argumentée et sérieusement nourrie, de la dignité « historienne » de la Bible, le présent livre est en quelque sorte un faîte. Le R.P. Gibert a jusqu'ici abordé par ses deux bouts le problème de l'historiographie biblique. En initiant un large public à l'œuvre de Hermann Gunkel, il a abordé ce champ d'étude dans ce qu'il a de plus proche du folklore ; l'exigence historico-critique que le maître allemand a su si bien allier à l'*Einfühlung *herderienne aboutit en effet à dégager beaucoup plus de légende que d'information sur la réalité des faits. À l'autre extrémité, le récit direct, vivant et réfléchi que l'on rencontre dans les livres de Samuel sur certains moments de la vie du roi David fait entrevoir une historiographie qu'un connaisseur aussi sûr qu'Eduard Meyer avait quelque raison d'égaler à celle de l'*Enquête *d'Hérodote qui semble être d'un demi-millénaire postérieure.*

Dans la Bible telle que nous la lisons, le livre des Juges fait le pont entre les brumes de la Genèse et les pages lumineuses de Samuel. Ses récits ont encore l'allure de nouvelles exemplaires ou de contes merveilleux, mais ils se trouvent insérés dans la trame d'une histoire continue et consciente de ses fins. L'exigence historico-critique permet de faire la part entre les éléments et la synthèse, peut-être même les synthèses successives, où ils ont été recueillis, et d'entrevoir une certaine variété de projets historiens, dont le plus récent est, en tout état de cause, plus ancien que les écrits du « père de l'histoire ». Si l'on fait crédit à ce dernier d'une véracité, sans doute plus subjective qu'objective, il importe aussi de se rappeler qu'aux divers moments où ils ont écrit, les historiens de l'antique Israël ont voulu dire la vérité et qu'ils ont ainsi témoigné non seulement de leurs états de conscience, mais aussi de la réalité de ce qui fut.

André CAQUOT
Membre de l'Institut
Professeur au Collège de France

INTRODUCTION

UNE HISTORIOGRAPHIE
AVANT HÉRODOTE ?

> « ...L'histoire existe... La réalité d'un tel donné ne peut
> faire de doute : il est bien certain que le corps des
> historiens est en possession d'une tradition méthodologi-
> que vigoureuse qui, pour nous Occidentaux, commence
> avec Hérodote et Thucydide... »

H.-I. MARROU. [1]

Qu'est-ce que l'histoire ?

Depuis quand écrit-on de l'histoire ? ou encore : qui a inventé
l'histoire ?

A ces questions banales à force d'être posées et traitées, on
pourrait en joindre beaucoup d'autres qui manifesteraient sans
doute qu'on n'y a jamais répondu de façon satisfaisante ou
définitive, parce que c'est peut-être impossible.

L'histoire comme écriture existe certes. La tradition universitaire française notamment lui reconnaît des fondateurs en Hérodote et Thucydide. Pourtant, dans les premières pages d'un
précédent ouvrage, *La Bible à la naissance de l'histoire,* nous avions
osé dénoncer le lieu commun qui dénie à toute culture antérieure
à l'hellénisme du vᵉ siècle av. J.-C., l'« invention » ou la pratique
d'une historiographie précisément révélée en Hérodote [2]. A l'appui de ce propos iconoclaste nous voudrions apporter un nouveau
dossier, à la fois plus documenté et plus rigoureux.

Ce dossier pourra d'abord paraître limité dans son objet :
l'étude d'un cycle largement légendaire d'un livre de la Bible. Le
cycle de Gédéon, en effet, au chapitre 6 du livre des Juges,
n'appartient pas à ce qu'il est parfois convenu de reconnaître

---

1. *De la connaissance historique,* Paris, Le Seuil, 1954, p. 28-29.
2. *La Bible à la naissance de l'histoire,* Paris, Fayard, 1959, p. 7-8, à propos de
l'article « Histoire » de l'*Encyclopaedia Universalis,* vol. VIII, p. 430.

comme la grande historiographie israélite. Qui plus est, mettre la
Bible en position de rivalité avec l'historiographie hellénistique
risquera de confirmer le caractère prétentieux de notre entreprise.
Aussi devons-nous dès maintenant nous expliquer sur notre
démarche et sur l'état d'esprit qui l'a guidée.

Comme notre précédent ouvrage, celui-ci est issu d'une recherche sur la légende. Gunkel, puisque c'est de sa théorie qu'il
s'agissait, nous avait montré qu'il y avait dans les premiers livres
bibliques, la Genèse en particulier, mais aussi, dans l'ensemble du
Pentateuque et jusque dans le livre des Juges, un jeu complexe de
légendes *(Sagen)* évoluant vers la nouvelle *(Novelle)*, ancêtre du
roman [3]. Dans un premier temps tout au moins, il serait donc
difficile de découvrir dans la Bible une historiographie digne de ce
nom, antérieure *a fortiori* au siècle de Périclès ! Si déjà la Bible
n'avait su produire son Homère comme le déplorait Gunkel,
comment penser qu'elle aurait produit, avant même la Grèce, son
Hérodote ou son Thucydide !

Mais nous avions dû nous rendre compte que ces diverses
collections de légendes prenaient place dans des ensembles particuliers et surtout dans un ensemble général dont l'intentionnalité
était manifestement historienne. Autrement dit, quelle que fût la
nature exacte des récits que nous rencontrions, de la Genèse au
livre des Juges, voire dans les évangiles, quelle que fût même la
constitution de cycles ou même de « livres », le projet final dans
lequel ces récits et ces livres s'intégraient était bien historique.

L'autre donnée auquel nous étions obligé de nous soumettre
malgré son extériorité tenait au statut de la Bible dans la culture
occidentale, qui précisément revendique en Hérodote et Thucydide les fondateurs de son historiographie.

Si depuis deux siècles au moins la Bible apparaît comme le
« grand refoulé » de la culture universitaire française, oublier la
confrontation à laquelle la Bible a contraint la culture gréco-latine
aux premiers siècles du christianisme avant de fournir à la civilisation médiévale jusqu'au seuil du XVIᵉ siècle les grands repères de

---

3. Cf. P. GIBERT, *Une théorie de la légende,* Paris, Flammarion, 1979, et l'introduction à *Genesis* (1910), d'H. GUNKEL, trad. fr. dans P. GIBERT, *Une théorie de la
légende,* Paris, Flammarion, 1979. Rappelons que Gunkel avait perçu ce jeu
légendaire dans la Genèse principalement, mais ne l'excluait ni de l'ensemble du
Pentateuque ni d'un livre comme le livre des Juges (cf. ci-dessous, p. 233), ni
même des évangiles (cf. son *Zum religionsgeschichtlichen Verständnis des N.T.,*
1903).

son histoire et les modes de son historiographie, relève de la malhonnêteté intellectuelle la plus pure.

Car nous ne pensons pas qu'il s'agisse simplement de substituer un « ancêtre » plus convenable ou plus exact à un autre qui aurait été illusoire : l'historiographie occidentale, moderne ou contemporaine, ne peut simplement se reconnaître avec plus d'objectivité ou de vérité dans ses ancêtres hellénistiques au prix de la négation et de l'oubli d'un corpus dont elle a historiographiquement vécu pendant des siècles, même si elle a dû, légitimement, prendre ses distances avec lui. Inviter à prendre à nouveau en compte cet héritage, les orientations qu'il a pu donner, l'esprit qu'il a pu insuffler, telle est l'une de nos prétentions. Mais nous ne voudrions pas nous en tenir là. Autrement dit, notre travail ne se veut pas seulement une contribution à l'histoire de l'histoire.

Qu'est-ce qu'écrire l'histoire ? Qu'est-ce que penser en historien ou avoir une pensée historique ? Sans prétendre répondre totalement ou définitivement à ces questions, trop heureux si nous pouvions déjà leur apporter de substantiels éléments de réponse, nous voudrions amener à réfléchir sur le principe historiographique lui-même. Pour cela, atténuer la certitude acquise quant à la référence hellénistique et prendre prétexte de l'autre ancêtre, l'ancêtre biblique, nous a paru une voie féconde de questionnement et aussi, espérons-le, de réponse.

Le travail que nous présentons aujourd'hui voudrait donc relever un défi : dire et démontrer le projet historiographique de la Bible, l'intentionnalité historienne d'une œuvre à partir d'un exemple limité certes, mais à notre avis particulièrement significatif de ce qu'est une rédaction historienne, de ses conditions de production, de ses intentions, en bref de ce qui la rend irréductible à d'autres genres de rédaction et de production. Le cycle de Gédéon, qui occupe trois chapitres dans le livre des Juges, conservant l'écho de la période immédiatement pré-royale d'Israël, autour du XIe siècle avant notre ère, devrait confirmer ce projet comme tel.

*
* *

Mais qu'est-ce que l'histoire conçue comme née avec Hérodote ? On connaît le prologue des *Histoires* :

En présentant au public ses recherches, Hérodote d'Halicarnasse veut préserver de l'oubli ce qu'ont fait les hommes, célébrer les grandes et merveilleuses actions des Grecs et des Barbares, et, en particulier, développer les motifs qui les portèrent à se faire la guerre. Les Perses les plus savants dans l'histoire de leur pays attribuent aux Phéniciens la cause de cette inimitié... *(Trad. P.-H. Larcher.)*

Produit de « recherches » avec projet de conserver le souvenir, célébration quasi à égalité des actions de ses propres nationaux comme de celles des ennemis, et surtout *explication* et non simple relation des faits, tels apparaissent les traits fondamentaux et donc fondateurs de l'histoire d'après ce « prologue » d'un Hérodote proclamé « père de l'histoire ». Ajoutons : le rejet de l'intervention directe et habituelle des dieux dans le commerce humain [4].

A contrario, on peut induire ce à quoi l'histoire s'arrachait : confiance aveugle et immédiate en ce qui était transmis, partialité en faveur de son propre camp, simple relation des faits au bénéfice de héros toujours positifs et toujours gagnants. Hérodote créait bien l'anti-légende en opposition à ce que Gunkel allait décrire et abondamment repérer dans le champ biblique.

On a beaucoup écrit sur Hérodote [5], sur son projet, sur la confiance qu'on pouvait lui accorder, et l'on n'a pas manqué de le suspecter, voire de le taxer, de « mensonge » et tout au moins de naïveté [6]. Et l'on ne peut non plus négliger le fait que « notre

---

4. Cela n'exclura pas, et pour longtemps encore, le recours à leurs interventions exceptionnelles, ni surtout aux modes de consultation d'augures de toutes sortes. On sera alors dans un autre ordre de sacré et de culture que celui qui voit, ainsi que Gunkel lui-même le distinguera dans le corpus biblique, le divin en complète symbiose avec l'humain (cf. *Genesis,* 1910, I, § 6, trad. fr. dans *Une théorie de la légende,* p. 259-260). Ainsi Hérodote, mais aussi Xénophon, Tacite, Suétone, etc., rapporteront-ils de véritables récits de miracles ou d'interventions divines sans que leur principe ou leur volonté historiographique ne puisse être mis en doute. Mais Hérodote et surtout Thucydide, dans leurs introductions, excluent par le silence la possibilité de l'intervention divine directe et commune.

5. Cf. L. BERGSON, « Herodot 1937-1960 », in *Lustrum* 11, 1966, p. 71-138, avec bibliographies antérieures ; et aussi, G.T. GRIFFITH, « The Greek Historians », in *Fifty Years (and Twelve) of Classical Scholarship,* Oxford, 1968, p. 182-241.

6. « Si élémentaire et, en un sens, encore si naïve que puisse nous apparaître la tentative d'Hérodote, nous sommes très frappés de l'effort d'interprétation scientifique qui s'y manifeste : même chez ce délicieux conteur, au premier abord si ingénu, l'histoire apparaît comme une tentative de compréhension, d'explication... » (H.-I. MARROU, « Qu'est-ce que l'histoire ? » in *L'Histoire et ses méthodes,* Paris, Gallimard, coll. « La Pléiade », 1961, p. 8.) Cf. F. HARTOG, *Le Miroir d'Hérodote,* Essai sur la représentation de l'autre, Paris, Gallimard, 1980 : « Pendant longtemps, il s'est agi de convaincre Hérodote de culpabilité, de faire

tradition méthodologique n'a cessé de se transformer [si bien qu'il] nous apparaît moins comme "le Père de l'histoire" que comme un aïeul un peu retombé en enfance ; [aussi] la vénération que nous professons pour son exemple n'est pas exempte de quelque sourire protecteur... » [7]. Mais l'intention demeurait insoupçonnable, et notre cher Hérodote restera sans doute, pour les siècles des siècles, le père fondateur de l'histoire, du moins dans une certaine perspective ou dans certaines limites.

Hérodote... est déjà bien un historien, au sens professionnel du mot, par son désir de reconstituer et d'atteindre la vérité des événements passés dans leur réalité vécue, par son effort pour détecter la source d'information valide, par la méfiance que cette préoccupation entraîne et un certain pessimisme sur la nature humaine [8]...

Car « l'initiative d'Hérodote a consisté à abandonner le domaine incertain, et peut-être illusoire, du temps des dieux et des héros pour se tourner résolument vers le temps le plus proche et donc le plus réel, celui de l'histoire vécue par ses prédécesseurs immédiats » [9].

Une initiative dépend naturellement de ce qui la précède et par rapport à quoi elle se situe. Dans le contexte grec, même si on lui reconnaît des aînés en Hécate de Milet, Anconsilas d'Argos ou Phérécyde d'Athènes, il ne fait aucun doute qu'Hérodote marque une rupture, mais à l'intérieur d'un contexte dans lequel l'Occident continue de se reconnaître en continuité quasi directe. Or, le

---

la preuve de ses mensonges ; puis le procès a changé... » (p. 12). Signalons que l'ouvrage de F. Hartog propose entre autres choses une « histoire des interprétations » des *Histoires* d'HÉRODOTE (cf. en particulier, p. 14-18). D'autre part, THUCYDIDE, dans son *Histoire de la guerre du Péloponnèse*, a plusieurs fois l'occasion de critiquer son devancier (cf. par ex. I, II, XXII, etc.).
7. H.-I. MARROU, *De la connaissance historique*, Paris, Le Seuil, 1954, p. 28-29.
8. H.-I. MARROU, « Qu'est-ce que l'histoire ? » *op. cit.*, p. 9. Cependant, en ce domaine comme en tout autre, il ne faut jamais oublier que le commencement comme tel demeure insaisissable. Désigner Hérodote comme le « père de l'histoire » relève d'une conscience particulière, posthume, de l'histoire, qui va trancher dans un tissu aux franges incertaines que constituent ses inévitables prédécesseurs. De le même façon, les discussions et contestations dont il est l'objet suffisent à manifester ce qu'il y a d'artificiel et donc précisément de discutable dans cette désignation. Dans cette perspective, nous pensons que Thucydide marque un commencement plus sûr tout en étant aussi « désigné » ou « décidé » en fonction d'idées particulières de l'histoire ; cf. H.-I. MARROU : « Thucydide, moins d'une génération plus tard, nous montre l'histoire devenue adulte... » (« Qu'est-ce que l'histoire ? », *op. cit.*, p. 9.)
9. H.-I. MARROU, « Qu'est-ce que l'histoire », *op. cit.*, p. 7.

projet de notre travail, dans l'examen du corpus biblique, est justement d'invoquer un autre contexte, une autre tradition dont ce même Occident peut se réclamer.

*

*   *

A qui veut explorer l'historiographie biblique, à moins de faire de la Bible « un fatras de mythes et de contes » [10], la généralisation du propos hérodotien, telle qu'on la pratique depuis deux siècles, en France en particulier, ne peut que laisser perplexe.

Et si l'histoire n'était pas exactement (ou exclusivement) ce que la tradition ou l'habitude occidentale moderne entend ? Des nombreuses et judicieuses définitions qui en sont régulièrement données, constatons que nous oscillons entre l'évidence d'une histoire conçue, par exemple, comme « la reconstitution, par et pour les vivants, de la vie des morts » [11], et le doute : « l'histoire n'est pas une science et n'a pas beaucoup à attendre des sciences ; [et si] les historiens racontent des événements vrais qui ont l'homme pour acteur, l'histoire est un roman vrai... » [12].

Certes l'Occident connaît l'histoire de sa propre histoire qui révèle, depuis Grégoire de Tours jusqu'à Voltaire, en passant par la considérable historiographie médiévale et les renversements effectués par un Pasquier ou un Bodin [13], bien des conceptions et

---

10. « L'affaire, aux yeux des historiens, se réduisait comme on le voit à un dilemme : ou *la Bible* est ce qu'elle prétend être, et alors c'est une source de valeur unique, irremplaçable, presque infaillible, pour reconstituer le devenir ancien d'Israël, voire de l'homme ; ou bien elle n'est pas le témoignage authentique de ce qu'elle raconte, et dans ce cas elle ne constitue qu'un fatras de mythes et de contes, inutilisables pour un véritable historien. En réalité, comme beaucoup de dilemmes, celui-là aussi était faux. Mais il a fallu des générations de chercheurs pour l'établir et pour replacer les choses dans leur exacte perspective. » (J. Bottéro, « Essor de la recherche historique », *L'Histoire et ses méthodes, op. cit.,* p. 165.)

11. R. Aron, *Dimensions de la conscience historique,* Paris, Plon, coll. « Agora », 1964, p. 12.

12. P. Veyne, *Comment on écrit l'histoire,* Paris, Le Seuil, coll. « Points », 1971, p. 10.

13. Rappelons que la rupture instaurée par ces deux humanistes a principalement consisté à arracher l'histoire de France à ses « attaches » bibliques, à cette ligne continue qui conduisait de l'Ancien Testament aux rois de France... Ainsi devons-nous à Pasquier l'« invention » des Gaulois comme ancêtres des Français. La découverte de continents et de mondes nouveaux, mais aussi les guerres de religion ont joué un rôle non négligeable dans cette rupture qui correspondait à

bien des ruptures. Dans ces conditions, le saut culturel qui nous ramène à Hérodote ou à Thucydide par-dessus plus de deux millénaires ne s'avère-t-il pas, pour une part, illégitime ?
Il faut naturellement s'entendre sur des mots et des catégories. Mais si, en fin de compte, l'histoire « n'est pas celle que font les historiens : tout au plus celle qu'ils croient faire ou celle qu'on leur a persuadé qu'ils devaient regretter de ne pas faire »[14], le débat ne reste-t-il pas ouvert ? Il ne saurait en tout cas se contenir entre des limites finalement induites d'un espace culturel particulier qui se désignerait origines et ancêtres et en exclurait d'autres en fonction d'une expérience trop précise ou, pire, d'une idéologie à peine avouée sinon consciente.
Certes, il ne s'agit pas de tomber dans une autre naïveté sous prétexte d'établir ou d'examiner d'autres sources. Le sens de l'universel, si typique de l'Occident moderne, n'est sûrement pas à remettre en cause[15] : il a assuré trop d'ouvertures, trop d'intelligence des civilisations et des événements dans leurs différences et jusque dans leurs plus humbles détails pour être récusé[16]. Il n'empêche que dans la désignation de ses ancêtres, de ses inévitables marques d'influence, il s'est par trop lié à une ligne d'héritage au détriment d'une autre ligne, aussi modeste soit-elle.
Or, pour arriver à Voltaire, voire à Guizot, *a fortiori* à l'École des Annales, l'Occident n'a pas pu ne pas passer par des stades historiographiques d'héritage biblique, lequel a inévitablement marqué ses représentations. Allons plus loin : si l'Occident a pu très tôt déployer une conscience historienne, ce n'est pas d'abord

---

une sorte de laïcisation, voire de sécularisation, du principe historiographique hérité du Moyen Âge et des Pères de l'Église. Cf. G. Huppert, *L'Idée d'histoire parfaite*, trad. de l'américain, Paris, Flammarion, 1973, p. 31-92.

14. P. Veyne, *Comment on écrit l'histoire, op. cit.,* p. 9.

15. Avant d'évoquer Toynbee et son principe universel ou universaliste d'histoire, on peut déjà citer Guizot, qui écrivait dans l'édition de son cours de 1828 : « Pour mon compte, je suis convaincu qu'il y a, en effet, une destinée générale de l'humanité, une transmission du dépôt de la civilisation, et, par conséquent, une histoire universelle de la civilisation à écrire. Mais, sans élever des questions si grandes, si difficiles à résoudre, il est évident que, lorsqu'on se renferme dans un espace de temps et de lieu déterminé, quand on se borne à l'histoire d'un certain nombre de siècles ou de certains peuples, dans ces limites, la civilisation est un fait qui peut être décrit, raconté, qui a son histoire. Je me hâte d'ajouter que cette histoire est la plus grande de toutes, qu'elle comprend toutes les autres. » (*Histoire de la civilisation en Europe*, Paris, Hachette, coll. « Pluriel », 1985, p. 58.)

16. Même s'il est raisonnable de faire de temps à autre le point sur ces acquis et sur certaines évolutions ; cf. par ex. F. Dosse, *L'Histoire en miettes. Des « Annales » à la « nouvelle histoire »*, Paris, La Découverte, 1987.

aux influences platoniciennes et néo-platoniciennes qui marquè-
rent pourtant son premier christianisme qu'il le doit, ni même à
l'aristotélisme médiéval, mais au modèle biblique et plus encore
sans doute à la conscience et à la vision bibliques que le christianisme lui apportait [17].

Sans doute l'héritage biblique est-il difficile à appréhender étant
donné sa complexité, tant dans sa réalité immédiate que dans les
intermédiaires par lesquels il a été transmis. Sa prise en considération est, en effet, celle d'une bibliothèque, non seulement étalée
dans le temps sur une douzaine de siècles, mais composée d'ouvrages extrêmement divers. Pour ce qui nous concerne, disons
qu'on y trouve un ensemble de livres à prétentions apparemment
ou explicitement historiques et historiennes à côté de livres qui les
excluent, comme les codes législatifs, les traités sapientiels ou les
recueils poétiques. Qui plus est, le corpus désignable comme
historique révèle des types différents d'historiographie qui empê-
chent de confondre le « projet » des livres de Samuel avec celui des
livres des Rois, *a fortiori* avec celui des livres des Maccabées, tous
relevant d'époques et de stades culturels très différents.

Mais à l'intérieur de ce corpus historique, qui va de la Genèse
aux livres des Maccabées, à moins de deux siècles de notre ère,
il est trop clair qu'un certain nombre d'entre eux, c'est-à-dire la
plupart, se sont arrachés « au temps des dieux et des héros pour
se tourner résolument vers le temps le plus proche et donc le plus
réel » et ce, osons le proposer dès maintenant, très vraisemblablement avant Hérodote, en tout cas indépendamment de lui.

Nous ne pouvons, certes, totalement prétendre retrouver une
similitude absolue de projet entre l'auteur d'Halicarnasse et les
rédacteurs bibliques, ne serait-ce qu'en raison de l'absence chez
ces derniers de tout discours en forme quant à leurs intentions.
Mais afin de ne pas tomber dans une erreur analogue à celle dans
laquelle devait tomber Gunkel regrettant l'absence d'un Homère
biblique, nous n'avons pas à regretter *a priori* l'absence d'un
Hérodote biblique sous prétexte que celui-ci ne se serait pas

---

17. C'est en tout cas ce qui ressort de la lecture de l'ouvrage de B. GUENÉE,
Histoire et culture historique dans l'Occident médiéval, Paris, Aubier, 1980. Grégoire
de Tours et Eusèbe de Césarée avaient conscience de se situer dans le prolongement des « informations » fournies par la Bible, Ancien et Nouveau Testament.
Citons aussi la rédaction monastique des sagas islandaises entre la fin du XIIe siècle
et le milieu du XIVe, pour lesquelles on ne peut exclure l'influence ni peut-être le
modèle des premières traductions des livres historiques bibliques ; cf. R. BOYER,
Les Sagas islandaises, Paris, Payot, 1978.

présenté ou expliqué. C'est l'analyse des données, en l'occurrence celles du cycle de Gédéon, qui seule nous permettra de confirmer ou d'infirmer notre hypothèse de départ : l'existence d'un authentique projet historiographique avant et, en tout cas, en dehors de l'influence d'Hérodote.

Il n'est pas de médiocre intérêt, en effet, de voir si la Bible et Israël ont ou non créé une histoire recevable comme telle par des époques et cultures différentes, et pas seulement comme un document ou des témoignages de différentes sortes ou de différentes qualités seulement susceptibles d'être *utilisés* pour l'histoire. Autrement dit, *y a-t-il ou non dans la Bible un projet historiographique témoignant d'une élaboration spécifique et dépassant toute forme antérieure de « mémoire », de type mythique ou légendaire ?*

L'enjeu de notre recherche se voudrait bien au-delà de la simple réaction apparemment iconoclaste qui viserait à « rendre » à la Bible ce qu'une culture lui aurait indûment arraché ou aurait en tout cas « oublié ». C'est le projet historien comme activité culturelle universelle qui se trouve là mis en jeu. Autrement dit, par-delà le conflit qui a abouti à partir du début du xixe siècle, en France surtout, à l'exclusion de la composante biblique de la culture universitaire, notre recherche voudrait se situer à l'intérieur de la question générale de la « naissance de l'histoire » dans un peuple. Car s'il est aujourd'hui reçu comme une « vérité d'évidence » qu'Hérodote a fondé l'histoire et s'il faut se demander pourquoi lui et à cette époque, il est peut-être plus urgent encore de se demander pourquoi cette bibliothèque de l'Israël ancien qu'est la Bible ne serait pas parvenue à nous laisser une historiographie digne de ce nom.

C'est à cette aire relativement étroite que nous consacrerons nos efforts, rendue plus étroite encore par notre attention au cycle de Gédéon. Mais nous n'oublierons jamais, au cours de notre recherche, cette mise en perspective plus large qui implique cette question générale et toujours pertinente à notre sens : *l'histoire est-elle l'« invention » tardive d'une culture particulière, ou sous différentes formes et à des degrés divers, n'est-elle pas un besoin ou une exigence de toute culture et par conséquent de l'esprit humain ?*

*
* *

Notre recherche se situe d'abord au point de convergence d'une double tradition, celle d'une conscience historienne qui se lit en origine chez Hérodote et Thucydide, et celle d'une perspective plus ethnographique qui, avec Gunkel, nous a révélé l'univers de la tradition orale et de la littérature populaire que cette tradition orale a plus ou moins directement et immédiatement engendré.

A cette double tradition, nous allons en quelque sorte soumettre le cycle de Gédéon. Texte reçu *aujourd'hui,* lisible par conséquent dans un contexte particulier qui le provoque autant qu'il est provoqué par lui, ce cycle ne peut être abstrait non seulement des acquis méthodologiques modernes et contemporains en matière d'histoire, mais pas davantage des acquis conceptuels avec lesquels ou par rapport auxquels, plus ou moins consciemment, on lit ce cycle comme on lit la Bible et tout ouvrage de culture ancienne.

Pour cela, nous nous inscrivons évidemment en faux contre une conception des textes qui en récuserait toute possibilité d'intelligence vraie en dehors de leur contexte propre ou proche, considéré par ailleurs comme inatteignable. Corrélativement, sans prétendre à une exhaustivité qui ne pourrait avoir que les caractères d'un mauvais indéfini, il nous faudra tenir compte des grandes évolutions qui permettent une lecture particulière de la Bible après l'avoir laissée aux marches de l'impossible sinon du mépris. Car le cycle de Gédéon, comme un certain nombre d'autres textes, de l'Ancien et du Nouveau Testament, pouvait un moment paraître irrecevable et continue de le paraître auprès de certains. La grande crise européenne des xviie et xviiie siècles explique à la fois cette rupture dans la continuité de la lecture et la confiance qu'on faisait spontanément à sa vérité et par conséquent à son historicité. En même temps cette crise ouvrait une autre possibilité de lecture, une intelligence nouvelle de la réalité même du texte que notre travail voudrait dire, dans la perspective précise de l'écriture de l'histoire.

Qu'est-ce que l'histoire ? À cette question toujours posée, notre travail ne prétend pas apporter immédiatement une réponse nouvelle, surtout après les éminentes réflexions sur lesquelles nous devrons nous appuyer. Mais : *avec quoi* fait-on l'histoire et l'écrit-on ? Même s'il y a là une question également traitée depuis longtemps, ce sera davantage la nôtre. Inévitablement et corrélativement s'imposera aussi celle-ci : pourquoi fait-on et exige-t-on de l'histoire ? Dans sa particularité, nous n'en doutons pas, le cycle de Gédéon nous apportera, là encore, sa part de réponse qui contribuera, espérons-le, à éclairer un peu plus le débat plus général de l'histoire.

L'intention qui préside à notre ouvrage justifie sa division en deux grandes parties. Cherchant à fonder une thèse sur un sol aussi ferme que possible, nous étudierons, dans la première partie, le cycle de Gédéon pour lui-même, c'est-à-dire selon les lois d'une exégèse critique qui essaie de ressaisir à la fois la nature du texte, ses composantes et son histoire. Pour cela nous nous référerons largement à nos prédécesseurs lointains et immédiats, de la fin du XIXe siècle à ces dernières années. Une telle exégèse, que nous avons voulue aussi rigoureuse et complète que possible, sera *ordonnée à l'objet même de notre travail tel que nous venons de le définir :* montrer en quoi il a une véritable élaboration historiographique dans ce cycle, et faire par conséquent ressortir le projet historien biblique.

La deuxième partie de notre travail consistera donc à évaluer les apports de l'exégèse du cycle de Gédéon et du cycle lui-même de façon à vérifier s'il y a bien projet historien et si oui, dans quelle mesure.

Selon ces perspectives, nous n'excluons pas une dimension polémique de notre travail, sans pour autant livrer bataille contre qui que ce soit. Il s'agit avant tout de tenter de faire reculer quelques lieux communs et fausses évidences qui n'ont que faire dans les domaines où nous avons la prétention et le plaisir de nous situer — l'histoire, son écriture, l'épistémologie et l'exégèse biblique —, même si pour cela il faut briser avec quelques siècles et habitudes aussi institutionnels les uns que les autres.

*
* *

Avant d'entamer cette exégèse avec la situation, au prochain chapitre, du cycle de Gédéon, disons un mot des conditions de ce travail.

Fruit d'une recherche entamée il y a une vingtaine d'années sur le récit biblique à partir des théories de Gunkel sur la légende, le récit populaire et l'histoire, comme nous l'avons rappelé, il a d'abord fait l'objet d'une thèse en vue de l'obtention du doctorat d'État à l'Université Paris-Sorbonne, Paris IV. Commencé sous la direction du regretté professeur V. Nikiprowetzki qui inspira le choix du cycle de Gédéon, il fut poursuivi sous celle de M. le Professeur A. Caquot, du Collège de France, membre de l'Institut. Qu'il me soit permis de lui redire ici toute ma reconnaissance, étant donné les circonstances dans lesquelles il accepta cette direction de travail après la disparition prématurée du professeur Nikiprowetzki et l'amabilité avec laquelle il ne cessa de me prodiguer ses conseils. Le meilleur de ce travail lui est dû.

Le présent ouvrage n'est évidemment pas la reproduction telle quelle de la thèse soutenue en Sorbonne. Il est le produit d'un remaniement dans le but de le rendre accessible au plus grand nombre. De ce fait, ont disparu un certain nombre de notes ainsi qu'une large part de l'apparat critique, principalement hébraïque, grec, anglais et allemand. Ceux qui voudront y avoir recours pourront toujours se reporter à l'original de la thèse. Cependant, par respect pour l'exégète et l'historien qui attendent de cet ouvrage bien autre chose qu'une simple vulgarisation, autant que par respect pour le lecteur non initié qui est en droit de profiter d'un travail sérieux et d'en juger, nous avons conservé l'essentiel de notre travail, de ses implications et de ses références.

Il me reste à remercier tous ceux et toutes celles qui, à des titres divers et toujours indispensables, m'ont permis de mener ce travail à bien, spécialement aujourd'hui les éditions du Cerf qui ont accepté de le publier, ce pour quoi Mme Dominique Barrios-Auscher mérite une mention toute particulière.

PREMIÈRE PARTIE

ANALYSE

CHAPITRE PREMIER

LE CYCLE DE GÉDÉON
DANS LE LIVRE DES JUGES

La délimitation de notre champ d'étude au cycle de Gédéon exige naturellement une certaine justification. Si un cycle de récits se repère en fonction de la présence et de l'action d'un héros, si, de ce point de vue, le cycle de Gédéon est parfaitement déterminable, il n'en pose pas moins quelques questions qui tiennent aussi bien à l'ensemble dans lequel nous le recevons qu'à ses propres délimitations externes.

En principe, le seul nom de Gédéon devrait suffire à déterminer son cycle, comme les noms d'Abraham, d'Isaac, d'Ésaü et de Jacob, malgré d'inévitables chevauchements ou tuilages, permettaient de déterminer les leurs. Mais ce serait sans compter avec « le caractère complexe des traditions sur Gédéon » qui « apparaît immédiatement même aux yeux du non-spécialiste quand bien même il ne voudrait tenir compte que des éléments suivants ; d'abord le double nom du protagoniste : apparaissent en alternance *Gid'ôn* (onze fois au chapitre 6, treize fois au chapitre 7, deux fois au chapitre 8) et *Yerubba'al* (une fois au chapitre 6, une fois au chapitre 7, deux fois au chapitre 8) ; ce deuxième nom apparaît du reste aussi en dehors du cycle de Gédéon à proprement parler : huit fois au chapitre 9, une fois en 1 S 12, 11 et une fois en 2 S 11, 21 (comme *Yerubbêset!*) » [1]. Par conséquent, même si « la personne de Gédéon et le motif de l'invasion madianite constituent par ailleurs des éléments unificateurs entre ces épisodes » [2], les choses n'apparaissent pas aussi clairement qu'on serait en mesure de l'attendre au vu d'autres cycles. Ce qui conduit à la

1. J.A. Soggin, *Le Livre des Juges,* Genève, Labor et Fides, 1987, p. 94.
2. J.A. Soggin, *op. cit.,* p. 94. En fait, la détermination d'un cycle, même si elle est principalement commandée par le nom d'un héros « porteur », est le produit d'un certain nombre de phénomènes ; cf. *Une théorie de la légende, op. cit.,* p. 112-113.

particularité même du livre des Juges auquel appartient le cycle de Gédéon.

Ce livre se situe dans la continuité immédiate du livre de Josué dont il entend explicitement poursuivre l'histoire. Le « Il advint après la mort de Josué... » qui ouvre le livre ne peut en ce sens être plus clair. L'ennui est que les « Juges » auxquels on s'attend n'apparaissent qu'après une assez longue introduction qui prolonge l'histoire de la conquête typique du livre précédent (1, 1-2, 5) et que l'annonce même de ces Juges se fait dans un discours de type judiciaire (2, 16-19) qui tire en quelque sorte la morale de l'histoire avant sa relation.

D'autre part, à la différence de livres comme ceux de la Genèse ou même de Samuel, la détermination de cycles en fonction de noms de héros, de juges en l'occurrence, n'appartient qu'à une partie du livre et se fait en fonction d'un jeu de formules stéréotypées, annoncées dans cette introduction et répétées à propos de chacun des héros. Autrement dit, nous avons affaire ici à une sorte de *surdétermination* des cycles qui se trouvent en même temps débordés par le livre qui les regroupe. À quoi s'ajoute la question de la qualité de ces différents héros auxquels le terme de « juge » n'est pas systématiquement applicable.

Le nom *sôfet* (au pluriel *sôfetîm*) habituellement traduit par « juge » et le verbe *safat* par « juger » « apparaissent pour deux types de personnages : ceux qu'on appelle les "grands" juges ou ceux qui leur sont assimilés (...) et ceux qu'on appelle les "petits" juges » sur lesquels « nous n'avons pas d'informations sur les fonctions qu'ils exerçaient ». En fait, « la racine *safat* et ses dérivés peuvent avoir essentiellement deux significations différentes, bien que non sans lien entre elles (le droit et l'ordre constituent en effet l'un des éléments fondamentaux d'un bon gouvernement) : la première, plus connue et plus fréquente, est celle d'exercer les fonctions de "juge" (dans le contexte d'un tribunal ou d'un arbitrage privé), donc "juger" ; la seconde, moins fréquente et moins connue, est en rapport avec l'exercice d'une forme ou une autre de gouvernement politique ou sociologique selon le contexte... »[3].

---

3. J.A. Soggin, *op. cit.*, p. 9. Cf. G.F. Moore, *A Critical and Exegetical Commentary on Judges,* ICC, Édimbourg, 1895, p. 89 ; C.F. Burney, *The Book of Judges* avec introduction et notes, Londres, 1918, p. xxxiii, 59, 66 et 85, et surtout W. Richter, « Zu den "Richters Israel" », *ZAW,* 77, 1965, p. 40-71.

En fait, même en s'aidant, comme le font la plupart des commentateurs, de rapprochements avec d'autres cultures (Ougarit, Mari, Ebla et surtout la Phénicie avec Tyr et Carthage), il est difficile de conclure à une exacte acception et attribution du terme dans la mesure où le titre de juge apparaît le plus souvent rédactionnel et où il n'est que rarement appliqué de façon directe à un personnage. Ainsi Gédéon ne sera dit à aucun moment « juge » ou « avoir jugé » (Israël) comme c'est le cas pour Otniel (3, 10), Déborah (4, 4), Tola (10, 2), Yaïr (10, 3), Samson (16, 31b) ou encore Samuel (1 S 7, 15-17), même s'il est dit devoir *sauver* Israël (6, 14).

Dans quelle mesure le cycle de Gédéon appartient-il au livre des Juges? ou à quelle part du livre appartient-il? quel genre de héros fut Gédéon? fut-il vraiment un juge? comment se présente son cycle et comment celui-ci se détermine-t-il?

Le but de notre étude étant de répondre à l'ensemble de ces questions, qui ne peuvent toutes recevoir une réponse simple et immédiate, nous traiterons pour l'instant de celles qui relient le cycle de Gédéon au livre des Juges.

« Le fait qui a frappé tous les Anciens est l'existence d'un cadre qui commence II, 6 et finit XVI, 31 [4]. » Le cycle de Gédéon se situe donc à l'intérieur de ce « cadre » qui du coup exclut une longue introduction (1, 1-2, 5) et cinq chapitres à la fin (17-21), soit plus du quart du livre actuel.

Une telle division du livre, communément reçue à quelques différences près, pose déjà la question du principe historiographique qui aurait ou non assuré la rédaction finale du livre des Juges. S'il est, en effet, aussi évident que ce livre ne soit pas unifié ou ne le soit qu'artificiellement, si un ensemble est aussi aisément déterminable et si chaque cycle dans cet ensemble est si facilement isolable, c'est que les principes rédactionnels qui ont présidé à chacune des étapes ou stades de composition du livre sont différents. Dans la perspective de notre réflexion sur l'historiographie, de tels constats ne sont évidemment pas négligeables.

Quoi qu'il en soit, la détermination de ce « cadre » est doublement justifiée, d'abord par un jeu de formules stéréotypées déjà signalées, servant à introduire et à conclure le cycle propre à chaque juge, ensuite par la succession de ces juges ignorés du

---

4. M.-J. Lagrange, *Le Livre des Juges,* Paris, Gabalda, EB, 1903.

premier chapitre comme des cinq derniers. Il est donc aisé de
conclure à une collection de cycles insérée dans un ensemble
plutôt incohérent constitué d'une partie discursive au début
(1, 1-2, 5) et d'une partie plus narrative à la fin (17-21), mais qui,
dans l'état actuel du livre, n'a aucun rapport de forme avec cette
collection, ce qui n'exclut pas une réelle ancienneté de traditions [5].

Ce constat établi, le problème du cadre n'est pas pour autant
résolu. Le terme de l'histoire de Samson en marque la fin (16, 31),
ne serait-ce que par défaut de continuité dans ce qui suit ; mais on
ne saurait négliger ici le fait que dans le 1er livre de Samuel, deux
autres héros sont dits avoir « jugé » Israël, le prêtre Éli et Samuel
lui-même (1 S 4, 18 et 7, 15), ce qui, soit dit en passant, pose la
question de la rédaction de cette première partie du livre de
Samuel et de son rapport au livre des Juges... Surtout se pose la
question de la véritable introduction du livre des Juges.

Si l'on peut exclure à l'évidence la longue transition discursive
d'avec le livre de Josué du chapitre 1er et la légende cultuelle de
Bokim du début du chapitre 2 (2, 1-5), trois introductions sont
justifiables, soit à partir de 2, 6, soit à partir de 2, 11, soit encore
à partir de 3, 7, le choix n'étant pas indifférent à l'idée que l'on
peut se faire du cycle de Gédéon, de sa composition et de son
contenu comme de sa signification.

Selon l'ordre de la continuité des livres « historiques », il est
satisfaisant de voir en 2, 6 la vraie transition entre le livre de Josué
et le livre des Juges. Le verset 10 « explique » par avance la
nécessité de ces juges dont l'intervention visera à corriger la
« méconnaissance » par une nouvelle génération de YHWH et de
ses œuvres [6].

L'inconvénient d'une telle introduction est de buter dès le
verset 11 sur une sorte d'incohérence. Après qu'on nous ait dit que
la génération qui suivit celle de Josué *ignorait* YHWH et son œuvre
en faveur d'Israël, on nous apprend que « les fils d'Israël firent ce
qui est mal aux yeux de YHWH et (qu')ils servirent les Baals ». En
stricte rigueur de termes, l'ignorance (de YHWH) est ici remplacée par l'*apostasie* qui implique tout au moins une connaissance

5. C.F. Burney, *op. cit.,* p. xxxvii . J.A. Soggin, *id.,* p. 225 sq. et les perspectives
ouvertes par T. Veijola dans *Das Königtum in der Beurteilung der deuteronomistischen Historiographie,* Helsinki, AASF, 1977, p. 24-29.
6. Cf. G.F. Moore, *op. cit.,* p. 67-68 ; C.F. Burney, *id.,* p. 57 ; J.A. Soggin, *id.,*
p. 42 et W. Richter, *Die Bearbeitungen des « Richterbuches » in der deuteronomischen
Epoche,* BBB, 21, 1964, p. 44 sq.

antérieure, ce qui explique finalement (2, 16) que YHWH ait suscité des juges pour sauver les *fils d'Israël* « de la main de ceux qui les pillaient » en raison d'un péché précis, le service de Baal. Dans ces conditions, 2, 6-10 nous paraît davantage constituer une conclusion et tout au plus une transition rédactionnelle [7] que l'introduction contraignante ou nécessaire de l'ensemble qui nous intéresse.

Par contre, dans sa généralité même, 2, 11 marque une meilleure cohérence avec ce que chacun des cycles des juges révélera du péché d'Israël et de son châtiment, et du rôle salvateur assigné à chacun de ces juges. Bien plus, il use déjà d'un stéréotype analogue à ceux que nous trouverons en introduction et en conclusion des différents cycles. Cependant, si nous nous reportons à la fin de cet ensemble qui coïncide avec la fin du cycle de Samson (16, 31), nous sommes obligés de convenir qu'il y a là une introduction très générale, bien discursive et bien considérable pour un ensemble de cycles malgré tout peu diserts en matière de réflexion. Car il faudra attendre encore la fin d'un certain nombre de considérations de différents ordres pour qu'arrive le premier nom de juge, ou plus exactement de « sauveur » suscité par YHWH, Otniel (3, 9). Or celui-ci se trouve amené par une suite d'expressions qui vont justement constituer les stéréotypes introductifs (et conclusifs ou transitoires) de chaque cycle :

> Les fils d'Israël firent ce qui est mal aux yeux de YHWH : ils oublièrent YHWH leur Dieu, ils servirent les Baals et les Ashérahs.
> La colère de YHWH s'enflamma contre Israël et il les vendit à la main de Kushân-Risheatayim, roi d'Aram-Naharayim. Les fils d'Israël servirent Kushân-Risheatayim durant huit ans.
> Puis les fils d'Israël crièrent vers YHWH
> et YHWH suscita pour les fils d'Israël un sauveur qui les sauva : Otniel, fils de Qenaz, frère cadet de Caleb... (3, 7-9.)

En constatant la répétition de ce genre de formules en introduction de chacun des cycles et en transition d'un cycle à l'autre, et compte tenu de la particularité de ces cycles à l'intérieur du livre des Juges dont l'ensemble ne coïncide pas avec leur ensemble, il semble effectivement plus juste de voir l'introduction de ce dernier en 3, 7 plutôt qu'en 2, 11. De fait, en dehors de l'espace ainsi délimité en amont, les rédactions ne peuvent qu'apparaître ou

---

7. L'« Einsatz des dtr Richterbuches » de W. Richter (1964), p. 44.

totalement allogènes (1, 1-2, 5) ou manifestement ajoutées
(2, 6-3, 6) pour des raisons extérieures aux traditions fondamentales des cycles[8]. C'est pourquoi, dans la perspective d'une délimitation qui cherche à serrer au plus près un cycle et à en établir les
lois de composition et les raisons d'unification dernière, il nous
paraît plus rigoureux de parler désormais de cet ensemble comme
inclus entre 3, 7 et 16, 31.

Par conséquent, et aussi indépendant qu'il soit des autres cycles,
comme ceux-ci le sont les uns des autres, le cycle de Gédéon
prend place dans une mise en continuité précise, aussi discontinue
que celle-ci apparaisse paradoxalement par ailleurs. Par rapport à
cette continuité, les ajouts rédactionnels ne donnent aucun
change, qu'il s'agisse de l'introduction-transition du livre des
Juges avec le livre de Josué (Jg 1), ou d'introductions plus
« proches » (2, 6 sq.). De ce fait, le cycle de Gédéon se trouve
naturellement légitimé et doublement isolable, par les formules
stéréotypées qui servent à l'introduire comme à le conclure, et par
la situation chronologique qui adjuge à son héros un laps de temps
particulier le distinguant de celui des autres juges en même temps
qu'il l'y rattache, aussi artificiels soient les procédés que nous ne
pouvons que constater, sans ignorer, naturellement, les apports de
la critique.

La chose n'étant pas si courante dans la Bible, les commentateurs ont longtemps agréé ces indications chronologiques des
cycles des juges, même s'ils n'en ignoraient pas les difficultés[9].
Elles sont, en effet, impressionnantes tant par leur précision que
par leur récurrence et par le résultat de leur addition. Mais il fallut
un jour se rendre à l'évidence : il n'y avait dans ces indications
qu'une construction artificielle et donc tardive, voire un jeu littéraire sinon un genre. On ne pourrait donc tenir ni la rigueur des
différents chiffres avancés pour chacun des cycles ou chacun des
juges ni la succession chronologique de ceux-ci. Autrement dit,
rien ne garantit les chiffres avancés, et moins encore l'ordre actuel

---

8. Sur l'ensemble 2, 11-3, 6, cf. W. Richter, *op. cit.* (1964), p. 26 sq.
9. M.-J. Lagrange, *op. cit.*, p. xxxix, dans la mouvance du Wellhausen des
Prolegomena zur Geschichte Israels (1883) et de *Die Composition des Hexateuchs und
der historischen Bücher des Alten Testaments* (1899³), ainsi que de Budde et de
Cornill ; cf. aussi J.A. Soggin, p. 13-18, pour les références bibliographiques
récentes.

des différents juges. Ainsi, indépendamment des questions d'historicité des événements et personnages avancés dans l'ensemble 3, 7-16, 31, on ne peut s'appuyer avec certitude ni sur les chiffres ni sur l'ordre des cycles et des juges. Dans ces conditions, rien ne s'oppose à ce que tel et tel juges, actuellement séparés dans le temps par plusieurs décennies, aient pu être contemporains, et corrélativement, que des laps de temps considérables aient pu s'écouler sans intervention de juges.

Dès lors, l'isolement du cycle de Gédéon ne peut d'abord exclusivement se justifier par sa situation particulière ou précise dans une continuité chronologique comme peut se justifier l'isolement d'un roi et de son époque, Salomon ou Josias par exemple, — le « sept ans » (6, 1) de l'oppression madianite comme les « quarante ans » de paix consécutifs à l'action du juge étant par trop manifestement symboliques pour être pris comptant ! Mais l'isolement de ce cycle n'est pas pour autant comparable à celui du cycle d'Abraham ou de Jacob.

Dans ce dernier cas, nous l'avons vu, il s'agissait de délimiter un cycle qui ne s'imposait pas d'abord comme tel [10]. Pour ce faire, le nom du héros, le nombre plus ou moins considérable d'actions qui lui étaient attribuées, le caractère de ces actions, le jeu de ses déplacements et naturellement son remplacement par un fils ou un frère ne laissaient percevoir un ensemble de récits qu'au prix d'une analyse fondée sur un principe de relecture, en l'occurrence le principe folkloriste. Au commencement, il y avait donc un nom, Abraham ou Jacob, et des récits plus ou moins tardivement reliés entre eux et le plus souvent de façon artificielle. Au terme, le cycle était en quelque sorte *décidé* par le lecteur du livre, de la Genèse en l'occurrence, dans lequel il l'avait repéré. En outre, l'ordre des parentés, mari et femme, parents et enfants, frères, contraignait à des entremêlements ou des tuilages de récits, voire de cycles, obligeant à parler par exemple de cycle Ésaü-Jacob après avoir reconnu un cycle Abraham-Lot ou des récits Abraham-Sara-Agar, etc. [11]. En fin de compte cependant, l'ordre généalogique imposait d'un cycle à l'autre un ordre contraignant.

L'état actuel du livre des Juges et l'apparente succession histo-

---

10. Cf. *Une théorie de la légende*, *op. cit.*, p. 111-113.
11. Cf. H. GUNKEL, « Jakob », *Prussische Jahrbücher*, 176, 1919, p. 339-362. Trad. fr. P. Gibert in thèse 3ᵉ cycle *ad inst. ms.*, p. 185-223 ; et aussi H. GUNKEL, *Genesis*, introduction, chap. 5 ; trad. fr. P. Gibert in thèse 3ᵉ cycle *ad inst. ms.*, p. 143 sq.

rico-chronologique des héros semblent justifier autrement que par la décision raisonnée du lecteur la reconnaissance d'un cycle : la contrainte même du temps, des événements et de l'ordre des juges lui est imposée. Mais justement, cette contrainte dit le caractère explicitement artificiel de ce qu'elle impose. Dès lors, celle-ci, par-delà le questionnement dont elle est l'objet, dit l'autonomie du cycle. Même si le jeu des chiffres ne peut être pris au sérieux par l'historien, *il consacre un état d'autonomie qui ne peut que renvoyer à un système de traditions primitives indépendantes.*

Dans l'héritage de ces traditions, s'est constitué le cycle de telle sorte qu'il ne puisse être relié aux autres que par ce jeu précisément artificiel de décompte d'années et de décennies, soutenu par une motivation d'ordre religieux ou théologique exprimé dans des formules stéréotypées. C'est à ce titre qu'il s'impose d'emblée au lecteur, lequel se trouve immédiatement justifié d'isoler son objet d'étude à l'intérieur de ce double jeu et de chronologie et de formules stéréotypées.

Ainsi, ce qui devrait relier les cyles les uns aux autres sert aussi à les distinguer et à les isoler. Que les fils d'Israël aient vécu tant d'années en paix grâce à la libération de leurs ennemis par tel juge, ou que pendant tant d'années ils aient gémi sous le joug de tel peuple en punition de leur oubli de YHWH, n'engendre nullement comme une cause son effet telle action ou telle nature de juge. Alors que, dans la stricte logique d'une invasion, tous devraient être des chefs de guerre, il apparaîtra que les uns ne le seront que contraints et forcés (Baraq), tandis que le comportement de certains autres s'apparentera plutôt à celui d'un chef de bande en mal de coups fourrés (Gédéon), voire agissant pour son propre compte (Samson), avant de devenir effectivement un chef de guerre (Gédéon).

Par conséquent ni les formules stéréotypées ni les indications chronologiques, ni même une similitude de mission ne suffisent à rassembler des cycles, encore moins à les unifier, bien au contraire. Ceux-ci s'offrent à nous avec une sorte d'indépendance évidente des uns par rapport aux autres et autorisent plus qu'en d'autres livres, à l'intérieur de l'ensemble 3, 7-16, 31, une délimitation qui n'a pas besoin d'autre principe de justification que celui qu'impose actuellement la simple lecture.

Ainsi sommes-nous autorisé à étudier le cycle de Gédéon comme une unité autosuffisante, explicitement rattachée à l'ensemble 3, 7-16, 31 de la manière que l'on sait, et non seulement à l'étudier pour lui-même, mais pour voir comment un procédé historiographique a pu finalement présider à sa composition indépendamment de cet ensemble, dont l'artifice témoigne vraisemblablement d'un autre principe d'élaboration.

CHAPITRE II

LE « CADRE » DU CYCLE DE GÉDÉON :
INTRODUCTION ET CONCLUSION

Comme nous venons de l'établir, le cycle de Gédéon correspond à un certain nombre de critères qui le rendent reconnaissable
comme tel. Suivant l'ordre immédiat de lecture, il nous faut
d'abord examiner ce qui le sépare visiblement, pour ainsi dire,
mais aussi de façon quasi artificielle, de ce qui le précède et de ce
qui le suit : un double système d'expressions qui, en introduction
et en conclusion, enchâssent l'ensemble au point de le juxtaposer
à d'autres ensembles, permettant à la fois, comme nous l'avons
déjà vu, de le distinguer et de le faire entrer dans une harmonique
de cycles, en un mot son *cadre*.

A s'en tenir à la tradition du récit populaire telle que Gunkel
a contribué à la faire découvrir à l'intérieur du corpus biblique [1],
la formule introductive met en général immédiatement en scène le
héros. Pour cela nous sont fournis son nom et quelques déterminations d'ordre géographique et familial ou quelque caractère particulier.

Or, dans le cycle de Gédéon, non seulement le héros n'apparaît
pas immédiatement, mais les formules qui dans l'ensemble 3, 7-16,
31 du livre des Juges servent habituellement à l'amener, ne fonc-
tionnent pas aussi simplement.

Si nous éliminons, dans cet ensemble, les juges dont l'évocation
se réduit à quelques traits (Shamgar, 3, 31 ; Tola, 10, 1-2 ; Yaïr,
10, 3-5 ; Ibçân, 12, 8-10 ; Élôn, 12, 11 ; Abdôn, 12, 13-15), ainsi

---

1. Cf. l'introduction à son commentaire de la Genèse, *Genesis* (1910³), trad.
fr. dans P. GIBERT, *Une théorie de la légende, op. cit.*, p. 253-362 ; et *Das Märchen
im A.T.*, Tübingen, 1917.

que le cas assez particulier d'Abimélek (9) [2], ne serait-ce que parce qu'à la différence des juges de cet ensemble, il ne constitue pas un « héros positif », six juges sont introduits selon un jeu de formules obéissant à un schéma fondamental. Ces six juges ne bénéficient pas de cycles d'égale importance, ceux d'Otniel (3, 7-11) et d'Éhud (3, 12-30) s'apparentent aux évocations en traits rapides de ceux qu'on appelle parfois les « petits juges ». Cependant cette brièveté d'évocation pour le premier, Otniel, ne constitue pas un obstacle à la prise en considération du schéma d'introduction qu'il offre comme une sorte de modèle que les autres ne feraient que reprendre, quitte à le développer ici ou là [3].

Ce schéma révèle quatre composantes :

1° L'indication du mal aux yeux de YHWH ;
2° La colère de YHWH et son instrument, les ennemis d'Israël ;
3° Le cri des Israélites opprimés par leurs ennemis ;
4° La réponse de YHWH envoyant un sauveur.

Si ce schéma se retrouve dans les dix cas, s'il reçoit quelques développements qui ne changent pas substantiellement son sens, il faut pourtant reconnaître que la quatrième composante, la réponse de YHWH dans l'envoi d'un sauveur, connaît soit une rupture, soit un retard, et, dans le cas de Gédéon, rupture et retard.

En effet, seuls Otniel et Éhud, les moins longuement évoqués, sont directement introduits comme réponse de YHWH à la plainte des Israélites ; de plus ils sont explicitement qualifiés de « sauveurs » (3, 9, 15). Les autres, Débora (et Baraq) (4, 4), Jephté (11, 1 ou 10, 17-18) et Samson (13, 2) surgissent de façon formellement indépendante de ce schéma introductif dont ils gardent pourtant les autres éléments [4]. En fait, ils offrent des introductions classiques selon l'art du récit populaire ou du cycle de légendes : le héros est présenté en fonction de l'inconnaissance radicale qu'en a le lecteur (ou l'auditeur), par son nom, ses

---

2. « Il est aussi évident que l'usurpation d'Abimélek ne rentre pas dans le cadre du vrai juge et que son histoire n'est là que pour faire suite à celle de Gédéon... » (LAGRANGE, p. XXVI). Cette proposition n'est pas sans poser question ; nous aurons à y revenir. Signalons cependant que Burney, par omission, se range ici derrière Lagrange : il ne cite pas Abimélek dans la liste des juges garantis par des *more or less stereotyped formulae* (1920, p. XXXVI). Signalons seulement pour l'instant que Richter (1963) s'oriente vers l'unité au moins rédactionnelle d'un ensemble 6-9 (p. 321).

3. Cf. LAGRANGE, op. cit., p. XXVI-XXVII.

4. L'introduction du cycle de Samson (13, 1) ne comporte cependant pas le troisième élément, le cri des Israélites opprimés.

ascendants, son origine géographique et sa fonction. L'esprit cependant demeure : dans tous les cas il s'agira bien du « sauveur » *nécessaire*[5].

Par rapport à ces données convergentes, le cycle de Gédéon présente un cas un peu particulier, le héros apparaissant aussi tardivement que dans le cycle de Jephté (cf. 10, 6-11, 1), en rupture avec le schéma introductif comme Débora et Samson, mais surtout parce que précédé d'un autre personnage qui prend la place habituellement réservée au « sauveur » annoncé.

Certes, le schéma classique d'introduction reste facilement reconnaissable. Signalons pourtant que la description de l'instrument de la colère de YHWH, Madiân (auquel seront joints Amaleq et les « fils de l'Orient ») est assez développé (6, 2-6). Mais le plus surprenant est le cas unique de l'envoi par YHWH non d'un « sauveur », mais d'un « prophète » (6, 8), même si ce genre de désignation n'est pas totalement inconnu dans l'ensemble 3, 7-16, 31.

Ce prophète qui, à la différence des sauveurs habituels, demeure anonyme, ne fait d'ailleurs que tenir un discours, lequel correspond en fait au développement religieux ou théologique que nous rencontrons dans tel ou tel cas, notamment dans celui de Jephté (10, 10-16)[6].

Ainsi, quelles que soient les raisons de l'avènement de ce prophète et les questions qu'il pose d'un point de vue historico-théologique, toutes choses que nous examinerons plus tard, constatons pour l'instant que l'artifice de sa présence ne semble guère ajouter à l'histoire proprement dite de Gédéon dont il ne fait que reculer l'apparition.

Dans ces conditions, comme Débora, Jephté et Samson, le héros du cycle apparaît donc *en rupture* avec le schéma introductif, mais aussi, comme Jephté, *en retard* à cause de l'intervention du prophète et de son discours.

Le caractère artificiel et comme plaqué de cette introduction est donc triplement souligné ici, par son caractère de stéréotype, par

---

5. Signalons que pour Jephté, l'introduction du juge (11, 1) se trouve un peu plus retardée par le développement de deux éléments du schéma, la description du mal aux yeux de YHWH et les effets de sa colère (10, 6-16), c'est-à-dire par le développement des composantes plus explicitement religieuses ou théologiques.

6. Sur le sens de ce discours, cf. ci-dessous, chap. xx et xxv, et notes *passim ;* cf. L. ROST, « Das kleine GeschichtlicheCredo ».

l'intervention intempestive, pourrait-on dire, de ce prophète, enfin par l'introduction propre à l'histoire de Gédéon.

Un tel artifice nous permet de laisser provisoirement de côté le contenu et la question de l'origine d'une telle introduction, dont il ne pourra être correctement traité qu'à la fin de l'étude du cycle proprement dit — auquel il a donc été visiblement ajouté, peut-être en tout dernier lieu.

À l'autre extrémité, le cycle se voit isolé de ce qui le suit par un autre jeu de formules qui le clôt incontestablement (8, 32-35), à quoi il faut joindre, selon le modèle des autres juges, 8, 28. Certes, comme en de nombreux récits, on peut penser que la mort met un terme normal — et contraignant — au récit proprement dit comme à l'histoire du personnage, justifiant, dans le cadre du récit populaire, des expressions stéréotypées. Ainsi s'explique, comme pour les introductions, le stéréotype de conclusions qui peut parfois atteindre à l'artifice pur, du « et ils se marièrent et eurent beaucoup d'enfants », au « puis un coq chanta et mon conte finit là ». Dans l'un et l'autre cas, cela ne fait aucun doute, tout est bien qui finit bien, tant pour le héros que pour le lecteur ou l'auditeur.

De fait, dans les cycles de légendes de la Genèse, le « Abraham mourut dans une vieillesse heureuse, âgé et rassasié de jours, et il fut réuni à sa parenté » (Gn 25, 8), marque autant pour l'auteur (ou conteur) que pour le lecteur ou auditeur la fin d'une histoire, même si par là s'ouvre celle du successeur. Et puisque l'ensemble 3, 7-16, 31 du livre des Juges nous a ménagé un jeu aussi rigoureux qu'artificiel d'introductions, on peut s'attendre à trouver un jeu semblable de conclusions[7].

À s'en tenir aux six cas retenus pour les introductions (Otniel, Éhud, Débora, Gédéon, Jephté et Samson), *trois données principales* marquent les conclusions correspondantes, qu'on ne trouvera pas semblablement dans tous les cas :

1° Constat est donné de l'*abaissement* des ennemis d'Israël (8, 28a ; 3, 20) ;

2° Indication de la *durée du repos* dont va profiter le pays (8, 28b ; 3, 11a, 30b) ;

3° Évocation de la mort et de l'ensevelissement du juge (8, 32 ; 3, 11b ; 12, 27 ; 16, 30b-31).

---

7. Cf. M.-J. LAGRANGE, *op. cit.*, p. XXV-XXVI, 154-155 ; C.F. Burney, *id.*, p. XLVIII ; W. RICHTER (1964), p. 11 et 135.

Avec Otniel, « le pays fut alors en repos pendant quarante ans », puis il mourut (3, 11). Avec Éhud, « Moab fut abaissé sous la main d'Israël et le pays fut en repos quatre-vingts ans » (3, 30), et après l'intervention de Débora et de Baraq, « le pays fut en repos pendant quarante ans » (5, 31). Dans ces deux derniers cas, rien n'est dit du sort final d'Éhud, ni de Débora, ni de Baraq.

Jephté, lui, « juge Israël pendant six ans [puis] il mourut et fut enseveli dans sa ville en Galaad » (12, 7). Quant à Samson, étant donné les circonstances particulières de sa mort, le rédacteur lui dresse une sorte de tombeau, au sens poétique du terme, en évoquant le nombre de morts qu'il fit en mourant, encore plus grand que le nombre de ceux « qu'il avait fait mourir pendant sa vie ». Après quoi on l'enterra. « Il avait jugé Israël pendant vingt ans. » (16, 30b-31).

Curieusement le cycle de Gédéon se montre ici le plus complet, mais aussi le plus original par les « additions » que sa conclusion a subies.

Par les versets 28 et 32 du chapitre 8, le cycle de Gédéon reçoit la conclusion classique dans l'ensemble 3, 7-16, 31. Mais les additions qui séparent ces deux versets et qu'on trouve après le verset 32 posent de nombreux problèmes, au point même de remettre en question le caractère définitif de la conclusion du cycle par rapport à l'histoire d'Abimélek qui le suit.

La question qui se pose donc ici est celle de savoir s'il faut ou non prendre en considération ces différentes additions ou s'il faut, momentanément tout au moins, s'en abstraire.

D'une part, nous trouvons là incontestablement la volonté rédactionnelle en conformité avec l'ensemble 3, 7-16, 31, de clore un cycle. Mais dans tous les autres cas, le cycle ainsi clos n'avait aucun lien avec le suivant et surtout pas de lien « familial ». Comme nous le disions plus haut, la conclusion d'un cycle lui sert, autant que l'introduction par rapport à ce qui le précède, à l'isoler de ce qui le suit. Or la mention des soixante-dix fils de Gédéon (8,30), la référence explicite à Sichem où vivait une de ses concubines qui lui donna pour enfant Abimélek, sont de trop grosses astuces pour qu'on soit dupe : de telles informations, qui n'ont aucun écho dans le cycle proprement dit, créent un lien organique avec le début de l'histoire d'Abimélek (9, 1-5). Mais du même coup se pose la question du terme réel sinon du cycle de Gédéon que clôt naturellement la mention de sa mort, du moins de l'histoire qu'il inaugure. Car, nous le verrons, le principe onomastique nous forcera à prendre en considération quelques références du début de l'histoire d'Abimélek et donc Abimélek lui-même [8].

D'autre part, affirmer qu'« après la mort de Gédéon, les Israélites recommencèrent à se prostituer aux Baals... [puisqu'ils] ne se souvinrent plus de YHWH leur Dieu qui les avait délivrés de la main de tous les ennemis d'alentour » (8, 33-34), crée une entorse par rapport à tous les cycles de l'ensemble 3, 7-16, 31. De tels propos appartiennent non à l'esprit du schéma de conclusions, mais à celui du schéma d'introductions que nous avons rencontrées et en particulier à la « philosophie de l'histoire » de l'« introduction » générale (2, 16-17). Faut-il voir là une habile transition qui, en gardant l'esprit de cet ensemble, s'expliquerait par l'histoire qui suit sans cependant lui appartenir formellement ?

Mais ces propos reçoivent une autre conclusion : l'ingratitude dont firent montre les Israélites à l'égard de la « maison de Yerubbaal-Gédéon » (8, 35). C'est là en principe l'ultime conclusion que reçoit ce cycle avant le début de l'histoire d'Abimélek, à laquelle cette conclusion renvoie et prépare manifestement. Même si elle n'est pas négligeable et devra être prise en considération, son côté moralisateur ne doit pas pour le moment nous impressionner. Notons, d'une part, qu'elle associe le nom de Gédéon à celui de Yerubbaal, aggravant un des irritants problèmes de ce cycle et donc de l'identité du héros principal [9], d'autre part, qu'elle renvoie à un autre jugement, négatif cette fois, également porté sur « la maison » de Gédéon (8, 27) et qui précède immédiatement la première partie de la conclusion formelle du cycle (8, 28).

En effet, le dernier épisode de l'histoire de Gédéon rapporte sa fabrication d'un *éphod* « déposé dans sa ville ». Or, ajoute le rédacteur, « tout Israël s'y prostitua après lui et ce fut un piège pour Gédéon et sa maison » (8, 27) [10]. Si, dans le livre des Juges, les histoires ne se terminent pas nécessairement de façon heu-

---

8. Cf. ci-dessous, chap. ix et xx.

9. Cf. ci-dessous, chap. xxi.

10. Une telle remarque crée un certain nombre de difficultés du fait même de la contradiction qu'elle établit avec la tradition d'un Gédéon champion du culte de YHWH contre Baal (cf. 6, 19 sq., ci-dessous, chap. vii). Budde voyait là une sorte d'inversion de signification, une louange à la maison de Gédéon devenant blâme ou condamnation. Si Lagrange conteste une telle position, à son avis sans « trace dans le récit » (p. 151), Burney voit plutôt là une condamnation de pratiques de divination par un correcteur du texte (p. 242).

reuse, si le héros peut connaître de graves déboires dont il est plus ou moins clairement tenu pour responsable, comme dans l'histoire de Jephté et de son vœu (11, 29-40), et plus encore dans l'histoire de Samson, aucune cependant ne se termine sur une telle sévérité de jugement à l'égard du héros. Il faudra donc établir la raison d'un tel jugement, mais aussi voir ce qu'implique cette allusion à une « maison », qui d'un côté sert à dénoncer l'ingratitude d'Israël à l'égard de Yerubbaal-Gédéon, et d'un autre à dénoncer le péché et d'Israël et de Gédéon.

Contentons-nous pour l'instant de dresser cette liste de conclusions et de problèmes qu'offre la finale du cycle de Gédéon et constatons, d'une part, la volonté habituelle en ce contexte de clore le cycle selon des formules stéréotypées (8, 28, 32) et, d'autre part, de fournir des explications qui fonderont d'autres récits, c'est-à-dire le début de l'histoire d'Abimélek, même si certaines données ajoutées ici devront recevoir d'autres explications.

Quoi qu'il en soit, entre 8, 28, sinon 8, 27, et 8, 35, un double jeu de formules stéréotypées et d'additions, vise à achever par faits et jugements un cycle qui n'est pas aussi nettement ou définitivement séparé de ce qui le suit que les cycles semblables. C'est donc à l'intérieur de ces limites, d'introduction et de conclusion, aussi complexes soient-elles, que se situe bien l'histoire ou l'ensemble des histoires rapportées de Gédéon, même si l'étude proprement dite du cycle nous renverra plus tôt que prévu à ces diverses additions finales, en raison notamment du principe onomastique.

Ainsi, le caractère manifestement artificiel du cadre du cycle de Gédéon, à la fois en harmonie avec celui des cycles retenus dans l'ensemble 3, 7-16, 31 et nettement spécifique, s'avère sans aucun doute tardif et en tout cas rattaché en un temps second soit à l'ensemble du cycle, soit à son donné essentiel. Ce constat, nous l'avons vu, renvoie son étude après l'étude du contenu du cycle proprement dit. C'est pourquoi nous sommes autorisés à laisser de côté pour l'instant tous ces éléments d'un cadre composite, notamment l'épisode de l'intervention du prophète que nous considérons comme faisant partie intégrante de cette introduction seconde (6, 8-10) et dont le contenu de discours fait écho aux développements d'éléments théologiques rencontrés en particulier dans le cycle de Jephté (10, 6-16).

Nous l'avons dit aussi, il n'est pas exclu qu'au cours même de cette étude nous soyons amenés à examiner tel ou tel élément de

ce cadre, de la conclusion surtout. Aussi est-ce à un autre commencement que nous devons maintenant nous attacher, celui qui
s'impose immédiatement après l'introduction que nous venons de
délimiter, et qu'on considère habituellement comme le « récit de
vocation » de Gédéon.

CHAPITRE III

LE DÉBUT DE L'HISTOIRE DE GÉDÉON :
LE RÉCIT DE VOCATION

Si le discours et donc l'intervention du prophète dans l'introduction (6, 8-10) laissent en suspens l'attention du lecteur (6, 10),
aucun effet direct ne se faisant sentir [1], le « récit de vocation » de
Gédéon qui s'ouvre alors (6, 11) constitue très normalement le
début du cycle : les exemples abondent dans le corpus biblique où
de nombreuses séquences légendaires, historiques ou prophétiques s'ouvrent sur semblable récit [2] (ou sur l'annonce de la
naissance du héros pour Samson, 13, 1-25). En ce sens, le
surgissement soudain de l'Ange de YHWH − ou de YHWH
Lui-même −, ici comme ailleurs, n'est pas fait pour nous étonner,
d'autant moins que le héros surnaturel déjà connu s'adresse à un
héros humain dont nous sont fournis en même temps que son
nom, celui de son père et celui du lieu d'origine ou d'habitation.
La tradition biblique, de la Genèse aux livres de Samuel, se trouve
par là aussi honorée que la tradition du récit populaire, sacré ou
non, puisque le rédacteur part de l'ignorance du lecteur et introduit le héros de façon brève mais suffisante.

Le début du récit pose pourtant quelques questions, sinon quant
au véritable destinataire de l'apparition de l'Ange de YHWH, du
moins quant à son élaboration formelle. Littéralement, on peut le
traduire ainsi :

---

1. Comme dans le cycle de Jephté où le dialogue « théologique » (10, 10-15)
précédant la mise en présence des armées ammonites et israélites (10, 17) prépare
malgré tout le salut dont cette mobilisation est un début en attendant l'avènement
de Jephté qu'elle exige (10, 18).
2. Sur ce point, pour lequel la bibliographie est relativement abondante,
l'ouvrage de W. RICHTER, *Die sogenannten vorprophetischen Berufungsberichte. Eine
literaturwissenschaftliche Studie zu 1 Sam 9, 1-10, 16, Ex 3f und Ri 6, 11 b-17*,
FRLANT, 101, Göttingen, 1970, constituera la référence.

Et vint l'Ange de YHWH et il s'assit sous le térébinthe qui est à Ophra,
qui est à Yoash l'Abiézérite ;
et Gédéon son fils battait les blés dans le pressoir pour (les) faire
disparaître de la face de Madiân [3]
et lui apparut l'Ange de YHWH et lui dit : YHWH avec toi ! Vaillant
guerrier (6, 11-12).

La première question que pose cette introduction tient à sa
construction. Habituellement le héros surnaturel et le héros
humain sont directement mis en relation. Même si on observe
souvent une sorte de hiérarchie qui fait précéder la présentation
du héros humain par celle de son père ou, s'il s'agit d'une femme,
par celle de son mari, le lecteur voit très vite de qui il s'agit
vraiment, non du père ou du mari, mais de l'homme ou de la
femme auprès de qui l'Ange de YHWH est envoyé.

Or, ici, sans être vraiment ambiguë, la rédaction crée une
sorte d'incertitude dans l'esprit du lecteur quant au destinataire
de l'apparition. En effet, trois propositions rapportent trois
actions qui ne s'imposent nullement en relation les unes avec les
autres.

Tout d'abord, l'Ange de YHWH *vient* s'asseoir sous un térébinthe. Or la troisième proposition dira qu'il « apparût » (à Gédéon)
sans que soit impliquée cette « venue » à la mise en scène particulière [4].

---

3. GESENIUS-ROBINSON (*A Hebrew and English Lexicon of the Old Testament, 1968*)
note qu'au hifil, *noûs* ne reçoit pas ici d'objet exprimé (p. 631).
4. Il nous paraît assez curieux que la plupart des commentateurs n'aient pas
soulevé la question de la cohérence narrative de ce début, même si la non-
répétition du nom de Gédéon au v. 12 peut faire objection à notre propre
questionnement. On rencontrerait une difficulté similaire dans le rattachement du
v. 11b au v. 12 du fait de la non-répétition du nom de Yoash simplement évoqué
par le possessif « *son* fils ». Du fils de qui s'agirait-il si le récit commençait en 6,
11 b ? De la même façon, à qui s'adresserait l'Ange de YHWH si on faisait
commencer le récit en 6, 12 ? Cependant, pour difficiles que soient ces objections,
elles ne suffisent pas, à notre sens, à écarter celle que nous faisons au donné de
6, 11a. La suite de notre étude, en s'appuyant notamment sur le principe
onomastique, voudra rendre compte d'une tradition propre à Ophra (et à Yoash
d'Abiézer) qui est d'ailleurs en inclusion dans la finale du cycle (cf. 8, 32). Notons
que Richter lui-même, dans son ouvrage sur le récit de vocation (cf. ci-dessus,
n. 2) impose pour ainsi dire l'ouverture de ce récit en 6, 11b. Si nous regrettons
qu'il ne se soit pas expliqué sur ce découpage, dans la mesure où son propos
dépassait le rapport de ce récit à son contexte, nous ne pouvons qu'avaliser un tel
découpage. HERTZBERG, lui aussi (*Die Bücher Josua, Richter, Ruth, 1954*), tient à la
distinction 6, 11a et 6, 11b-13. L'explication qu'il en donne nous a paru insuffisante, plus proche de l'esprit de Lagrange que de Richter (p. 190).

En second lieu, le bénéficiaire de l'apparition est présenté comme un tiers par rapport à ce héros surnaturel (« et Gédéon son fils battait les blés... »), ce dont ne suffit pas à rendre compte l'habituelle mention du père. Car celui-ci, en tant que propriétaire du térébinthe d'Ophra[5] auquel l'Ange de YHWH confère une sorte d'importance, semble d'abord prendre la place du destinataire de l'apparition. Cependant la suite immédiate du récit (verset 12 et surtout verset 13) ne permet pas de supposer que c'est Yoash qui bénéficiera de l'apparition : c'est bien Gédéon qui sera le héros du récit.

Dès lors pourrait se concevoir ici une formulation du type de celle qui sert à introduire Saül avant sa rencontre avec Samuel, d'abord désigné comme fils de Qish (cf. 1 S 9, 1-2)[6] :

Il y avait parmi les Abiézérites un homme du nom de Yoash ; c'était un Abiézérite, propriétaire du térébinthe d'Ophra. Il avait un fils nommé Gédéon qui battait les blés dans le pressoir pour les faire disparaître de devant les Madianites. L'Ange de YHWH apparut (à Gédéon) et dit...

La difficulté du texte ne porte donc pas sur le fait que Gédéon soit d'abord dit « fils de Yoash » ou qu'il batte le blé, ce donné préparant par ses conditions l'annonce de son intervention guer-

---

5. C'est ce qui explique que plusieurs commentaires depuis Budde (p. 53-54) jusqu'à Gray (1967, p. 296-297) en passant par Hertzberg (1954, p. 190), s'attardent ici sur les implications de la mention de ce térébinthe considéré comme « arbre sacré », sur celles (du sanctuaire) d'Ophra et d'Abiézer, sans oublier les questions soulevées par l'Ange.
6. Se pose ici la question de la parenté de ce récit avec d'autres récits. Si l'attribution traditionnelle de l'essentiel de ce passage à J (d'après Budde, Böhme et Moore notamment) reprise par Lagrange et Burney, implique de leur part la vision d'un lien à Gn 18, 1 sq. et à Jg 13, si, d'autre part, comme le résume Richter (1963), la question depuis Budde (cf. Richter, p. 122 sq.) est celle de parallélismes ou de doublets que ce récit entretiendrait avec d'autres récits du cycle et notamment 6, 25-32 et 6, 36-40, il nous semble qu'il faille dépasser de telles références et propositions, comme nous tenterons de le montrer par la suite, en particulier parce qu'on pourrait appeler un « principe téléologique », selon lequel la ou les conclusions du récit peuvent en certains cas éclairer sa genèse ou certains processus rédactionnels. C'est pourquoi, disons-le tout de suite, nous ne pouvons accepter le principe d'une unité de récit entre 6, 11 et 6, 24, le récit de vocation proprement dit s'arrêtant en 6, 17 (selon Richter, 1970) et 6, 18-24 constituant un autre récit relevant d'une autre intention, voire d'une autre tradition locale (de sanctuaire ?) ; cf. ci-dessous, chap. IV. Par ce rapprochement avec 1 S 9, 1-2, signalons que l'ouvrage de Richter (1970) établit le parallèle avec le récit de vocation de Gédéon (6, 11b-17) ; cf. son tableau, p. 138.

rière sur l'oppresseur madianite ; elle porte sur les précisions concernant le térébinthe d'Ophra et donc sur son propriétaire, le père par rapport auquel Gédéon apparaît *seulement* comme le fils... Il y a donc une sorte de *distance* entre la première et la troisième proposition, la troisième (« et lui apparut l'Ange de YHWH ») pouvant fort bien se passer des données de la première (« Et vint l'Ange de YHWH et il s'assit sous le térébinthe qui est à Ophra... »).

Dans ces conditions, la raison de cette première proposition doit être trouvée en dehors des limites strictes du récit de vocation et l'attention se porter, par conséquent, sur ses éléments spécifiques, le térébinthe d'Ophra et Yoash l'Abiézérite [7].

On pourrait croire qu'après avoir fait ressortir le caractère artificiel de l'introduction générale du cycle [8], nous faisons encore reculer l'introduction du récit de vocation en éliminant cette première proposition. En fait, la composition même du récit, les problèmes que pose son unité, montrent qu'il ne s'agit pas d'une simple addition rédactionnelle. Cette première proposition s'avère à la fois étrangère au récit proprement dit et intégrée à ce récit.

En effet, par-delà le problème de son introduction immédiate, l'unité de ce récit de vocation se heurte principalement à deux difficultés : l'incertitude de la désignation du héros surnaturel dans le cours du récit [9] — tantôt « Ange de YHWH » (6, 11.12.21.22), voire « Ange d'Élohim » (6, 20), tantôt « YHWH » (6, 14.16.23) —, et la limitation de ce récit. Celle-ci amène en fait à intégrer l'un à l'autre deux récits, incomplets ou insuffisants, un récit de construction d'autel *achevant* le récit de vocation proprement dit. Cette double difficulté conduit non seulement à contester la nécessaire unité du récit, mais à dénouer un entremêlement d'unités, alors que paradoxalement la limitation externe de l'ensemble, entre introduction (6, 11-13) et conclusion (6, 24) nettes, est aisée à déterminer.

En effet, comme pour l'ensemble du cycle, nous avons affaire à une introduction nette malgré tout (6, 11 ou 6, 12) qui conduit par enchaînement de différentes actions et sans interruption appa-

---

7. Cf. ci-dessous, chap. IV.
8. Cf. ci-dessus, chap. II.
9. Et ici nous distinguons bien ce qui relève du récit en tant que récit, de la part du « discours » placé dans la bouche de Gédéon, où les différences de désignation peuvent autrement s'expliquer.

rente, externe ou extrinsèque, à une conclusion (6, 24) également nette, introduction et conclusion séparant et distinguant un ensemble particulier de ce qui le précède et de ce qui le suit. Après quoi une autre introduction (6, 25) confirme avec transition justement (« cette nuit-là), un autre récit, une autre unité [10].

Mais ce point d'aboutissement n'est nullement la conséquence logique ou inévitable de la mise en situation du début. Autrement dit, passé le constat de la « netteté » de l'introduction et de la conclusion, rien ne permet de se voir contraint, du point de vue de la cohérence de l'histoire, à aboutir à cette conclusion. En bref, *un récit qui s'ouvre sur la manifestation d'un ange* (6, 11 ou 12), *destinée à susciter un juge charismatique, se clôt sur l'explication de l'existence d'un autel que l'aventure de ce juge n'implique nullement.* À cette bizarrerie dans la progression du récit, s'ajoute au cours même du récit, comme nous l'avons déjà dit, une hésitation dans la désignation de l'interlocuteur surnaturel de Gédéon.

Le dialogue qui se noue immédiatement (6, 13) entre eux révèle en effet une double désignation de ce dernier : l'« Ange de YHWH » devient simplement « YHWH » dès la première reprise, après la première réaction de Gédéon (6, 14). À partir de là, et jusqu'à la fin déjà désignée (6, 24), le récit offrira en alternance « YHWH » et « Ange de YHWH ».

Si YHWH seul intervient jusqu'au départ de Gédéon en quête de son offrande (6, 19), c'est l'Ange de YHWH qu'il trouve à son retour (6, 20), lequel dialoguera avec lui jusqu'à la dernière parole qui est dite venir de YHWH à nouveau seul désigné :

Sois en paix, ne crains pas, tu ne mourras pas ! (6, 23.)

Est-il possible de rendre compte de cette double désignation, Ange de YHWH ou YHWH ?

Il est relativement traditionnel de la part des commentateurs de ne voir là qu'un effet soit de l'art narratif usant de synonymes ou d'expressions équivalentes, soit de la distanciation sacrale d'un Israël soucieux de respecter la transcendance de Dieu en place duquel il verrait plus aisément son Ange, ou encore des points de repères pour fonder le caractère composite du récit dans des

---

10. Bien qu'un certain nombre de commentateurs désignent l'unité en 6, 11-32 et non en 6, 11-24.

traditions différentes [11]. De fait, à la fin du récit, Gédéon lui-même témoignera de sa terreur devant le divin (6, 22). L'ennui est qu'en l'occurrence c'est l'Ange de YHWH vu face à face qui lui inspire cette crainte sacrée et que c'est YHWH qui le rassure !

Mais en laissant de côté pour l'instant le problème de la double introduction (6, 11 et 12) ainsi que la première réaction de Gédéon (6, 13), l'apparition de YHWH seul (6, 14) ouvrant à une constante de Sa présence et de Sa parole (6, 16) peut apparaître à la fois bizarre et en lien avec l'Ange de YHWH :

Et YHWH se tourna vers lui... (6, 14.)

À l'imperfectif *qal* ici employé, le verbe *panah* (ici : *yphn*) ne pose pas de problème particulier. Même s'il n'est pas très fréquemment utilisé dans l'Ancien Testament, il permet cependant d'établir un usage et quelques nuances utiles à notre enquête.

Utilisé avec la préposition *'l,* il exprime l'action de quelqu'un qui se tourne vers une autre personne, qui lui prête attention ou encore de quelqu'un qui retourne à quelque chose d'oublié, d'abandonné. Mais si le sens précis ne fait pas tellement question, l'usage du terme dans la plupart des textes bibliques laisse entendre une action seconde. Autrement dit, celui qui se tourne (ou se retourne) a *déjà* agi ; le récit laisse donc entendre qu'il est déjà là, présent antérieurement à son geste. Dans ces conditions YHWH était déjà là lorsqu'Il « se tourna vers » Gédéon.

Deux hypothèses sont alors possibles. Ou bien le « récit YHWH » que nous rencontrons à partir de 6, 14 a perdu son introduction et se trouve aujourd'hui intégré à un « récit Ange de YHWH » ; ou bien YHWH apparaît *après* l'Ange qui est chargé de l'annoncer et qui est à proprement parler son « messager ». En ce cas on pourrait proposer le rétablissement suivant du texte :

L'« Ange de YHWH apparut (à Gédéon) et lui dit : YHWH avec toi ! Vaillant guerrier ! (6, 12.)
Et YHWH se tourna vers lui et dit : Va avec cette force qui est tienne,

---

11. Pour Lagrange, l'« Ange de YHWH » désigne le document J. Rétablissant « l'Ange » pour la seule désignation de YHWH, il voit dans celle-ci l'indice du document E. Burney confirme, au nom de l'Ange de YHWH, l'appartenance au document J des phrases qui le mettent en scène et considère « l'Ange d'Élohim » du v. 20 comme « probably an accidental variation » (p. 177). L'équivalence entre l'Ange de YHWH et YHWH est affirmée par Budde en référence à Grimm et Winckler (p. 53). Cf. Soggin, ci-dessous, n. 12.

et tu sauveras Israël de la main de Madiân. N'est-ce pas moi qui t'envoie ? (6, 14.)

Le récit se poursuivrait selon l'état actuel du texte, avec objection de Gédéon et confirmation de YHWH :

Mais il lui dit : « De grâce, mon Seigneur, avec quoi sauverai-je Israël ? Voilà que mon clan est le plus faible en Manassé et, moi, je suis le plus petit dans la maison de mon père ! » Et YHWH lui dit : « C'est que je serai avec toi et tu battras Madiân comme un seul homme ! » (6, 15-16.)

Cette solution aurait évidemment pour avantage de conserver l'unité et la cohérence du récit de vocation et de « digérer » en quelque sorte le passage de l'Ange de YHWH (6, 12) à YHWH (6, 14), même si demeure pour l'instant en suspens la première mention de l'Ange (6, 11) [12]. Elle permet aussi, pour l'éliminer, de faire ressortir le caractère allogène de la première objection de Gédéon (6, 13).

Cette objection, d'un point de vue formel, présente, en effet, une difficulté d'intégration : alors que l'Ange a salué Gédéon d'un « YHWH *avec toi* », Gédéon parle d'un « YHWH *avec nous* » qui ouvre à un discours de sa part entièrement en « nous ». Quant au contenu, on y trouve trois propositions qui contiennent deux éléments principaux : d'une part, la réalité de l'oppression subie par Israël et, d'autre part, le souvenir de la sortie d'Égypte. Ce

---

12. Richter (1963) constate pourtant qu'on ne trouve en J aucune terminologie vraiment sûre, et pas plus le *mal'ak Jahwe* qu'on trouve en divers lieux, tant dans la Genèse (16,7 : P) que dans l'Exode (23, 23 ; 32, 34 : E), que dans les livres de Samuel et des Rois (2 S 24, 16 ; 1 R 19, 7). Il rappelle que : « a) Nulle part comme en Jg 6, 11-24, la présentation du *mal'ak* n'a provoqué la construction d'un autel ; c'est une étiologie de nom qui le suscite : Gn 16, 14 (J) ; 22, 14 (E) ; 32, 3 (E) ; b) nulle part comme en Jg 6, 20, un *mal'ak Élohim* ne s'exprime sur terre, ce qui projette sur le passage une lumière d'emblée défavorable ; c) deux fois seulement est spécifiée la disparition du *mal'ak Jahwe* : en Jg 6, 21 [...], en conclusion et en 13, 20 (lorsqu'il) "monta dans la flamme" [...]. e) Nulle part comme en 6, 22, la vision de l'ange ne provoque la crainte. Nb 22, 31 montre de respectueuses salutations, de même en Jg 13, 20 où l'angoisse de la mort, au v. 22, vient avec la reconnaissance que Dieu était l'interlocuteur ; cf. Ex 33, 20... » (P. 134.) Pour Richter, il ne s'agit donc pas nécessairement d'indices de traditions différentes, mais plutôt d'indices d'une « réflexion » introduite à l'intérieur d'un récit aux éléments anciens, ce dont témoigne en particulier le fait que « la crainte jadis placée sur Dieu se trouve transposée sur le *mal'ak Jahwe* » (p. 134). Il maintient cependant qu'on doive bien distinguer ici YHWH et le *mal'ak* YHWH et tenir le motif de la crainte qui ne peut qu'accroître la signification de l'épisode. Et si est ménagée la transition vers le v. 24, la tradition de l'autel ne peut être considérée comme originale mais plutôt comme intentionnelle.

dernier point est manifestement en écho de l'intervention du prophète de l'introduction générale du cycle (cf. 6, 8-10), à moins que ce ne soit l'inverse : de toute façon elle se réfère explicitement à un *credo* d'Israël qu'on ne retrouvera pas dans la suite du récit. Sans nous prononcer immédiatement sur la date et l'origine de ce *credo*, il y a tout lieu de penser que nous avons affaire ici à une addition élaborée en cohérence avec la situation d'Israël opprimé par Madiân, que ce soit dans l'esprit de l'introduction générale (6, 1-7) ou dans celui, plus immédiat, de l'introduction du récit (6, 11).

Plus plausible, plus classique aussi, apparaît l'objection de la petitesse du clan de Gédéon (6, 15). Elle rejoint une tradition des livres historiques comme du Pentateuque et même si, ici ou là, elle peut relever d'un jeu additionnel, elle est le plus souvent partie prenante du genre même du récit de vocation qui se trouve par là renforcé dans sa construction et dans son effet [13]. Mais le retard de l'action, le suspens ainsi créé, est généralement résolu comme ici par une nouvelle parole divine qui balaie l'objection et garantit le succès de la mission confiée.

Dès lors, le « Je serai avec toi et tu battras Madiân comme un seul homme » constituerait la conclusion définitive du récit de vocation ouvrant directement sur l'action guerrière ainsi annoncée et garantie (en 6, 33 ou en 7, 1).

Mais, on le sait, le récit a l'air de rebondir sur la demande, compréhensible, d'un signe (6, 17). À y regarder de près, cette demande a pourtant quelque chose d'étrange : Gédéon veut avoir la preuve de la personnalité de son interlocuteur et lui propose une offrande ; or, rien dans le récit lu jusqu'ici ne fournit un support à cette offrande, ni le personnage surnaturel, Ange de YHWH ou YHWH lui-même puisqu'Il ne l'exige pas, ni la présentation ou la connaissance des lieux puisqu'il n'est pas question d'un autel au-dessus ou à côté duquel se serait faite l'apparition, alors que Gédéon aurait pu effectivement s'apprêter à faire ou à apporter son offrande.

De plus, en devançant le déroulement de cette histoire, on trouve un peu plus loin une autre demande de signe, implicite celle-là puisque le mot *'ôt* n'est pas employé ; mais elle paraît bien

---

13. Cf. par ex. 1 S 9, 21 à propos de Saül. Ce thème de la « résistance » à l'appel de Dieu au nom de sa faiblesse ou de sa petitesse se retrouve à propos de Moïse (cf. Ex 3, 11) ou de Jérémie (Jr 1, 6) ; cf. RICHTER, *Die sogenannten vorprophetischen Berufungsberichte, op. cit.*, p. 60, 62, 95, 103, 145.

prolonger le récit de vocation soit par rapport au dernier propos de YHWH (6, 16) soit par rapport au premier (6, 14), le « signe » de la rosée sur la toison de laine (6, 36-40).

Il serait effectivement tentant de placer ici cet épisode qui, par une transition normale (« Si vraiment tu veux délivrer Israël par ma main, comme tu l'as dit... »), viendrait en lieu et place de la première demande de signe et achèverait pittoresquement le récit de vocation. Mais outre que cet épisode de la toison constitue à lui seul une unité qui ne s'impose pas par rapport au récit de vocation, il désigne Dieu par « Élohim » et relève naturellement d'une autre tradition [14].

Ainsi nous trouvons-nous ici à une sorte de carrefour : d'un côté, un récit de vocation qui pourrait avoir sa conclusion dans un dernier propos de YHWH (6, 16) ; de l'autre, une demande de signe qui s'avérera étrangère à ce récit de vocation, tandis que d'autre part la demande de signe (6, 17) constitue une plausible transition. Mais à l'opposé, la véritable suite du récit de vocation passera par-dessus cette demande et le récit qui en suit les effets (6, 18-32). Un autre récit se dessinerait-il là où la plausible transition le contesterait et où surtout une seule et même conclusion (6, 24) comme une seule et même introduction (6, 11) constitueraient ces principes extérieurs d'unité littéraire ou rédactionnelle ?

---

14. Cf. ci-dessous, chap. x.

CHAPITRE IV

LE RÉCIT DE L'OFFRANDE À L'ANGE

(6, 17-24)

À prendre le récit à partir de la demande de Gédéon au héros surnaturel (« Si j'ai trouvé grâce à tes yeux, donne-moi un signe que c'est moi qui te parle... » 6, 17), on doit vite en convenir : jusqu'à la fin (6, 24), il ne sera plus question de la vocation de Gédéon, de l'invitation qui lui a été faite de libérer Israël en détruisant Madiân [1]. Bien plus, pour trouver en 6, 33-35 une suite en cohérence avec le récit de vocation, il faudra passer à un autre récit, également étranger à cette destinée guerrière puisqu'il rapporte une double action de Gédéon destructeur d'un sanctuaire de Baal et constructeur d'un autel (à YHWH) (6, 25-32). Aussi, puisque nous ne pouvons pour l'instant « désigner » une introduction au récit apparemment autre qui commence ici, devons-nous voir par la conclusion ce vers quoi il est orienté, en différence irréductible avec l'intention du récit de vocation.

> Gédéon éleva en cet endroit un autel à YHWH et il le nomma YHWH-Paix. Cet autel est encore aujourd'hui à Ophra d'Abiézer. (6, 24.)

L'étiologie est manifeste : un monument, un autel, en un lieu précis, Ophra, reçoit là explication de son origine. Mais le

---

1. Par là, nous nous démarquons de toute lecture qui voit en 6, 11-24 un seul et même récit (par ex. : Budde ; ou encore Täubler, etc.) comme nous nous démarquons de la position de Richter (1963) qui, tout en distinguant des unités différentes entre 6, 11 et 6, 24, maintient la demande du signe dans le récit de vocation (cf. p. 144-155, en particulier p. 145 où Richter justifie l'intégration du v. 17 à l'ensemble 6, 11b-17 par le mot *wy'mr* qui commence chaque stique : 13, 15, 16, 17). Cf. l'établissement de notre principe de lecture par le constat de « dérive », ci-dessous, chap. XI. Gray (1967) distingue trois récits : 6, 11-18 ; 6, 19-24 et 6, 25-32.

problème, ici comme en tout récit étiologique, est celui de la nature du lien entre cette conclusion qui dit l'étiologie, et le récit proprement dit : *ce lien est-il organique, intrinsèque, contraignant pour l'esprit, ou est-il extrinsèque, l'histoire racontée étant autosuffisante et pouvant obéir à d'autres motivations rédactionnelles ?*

Dans la tradition d'Israël, la question peut se poser à propos de tous les lieux de culte ou de pèlerinage dont le livre de la Genèse surtout garde la « légende cultuelle »[2]. Dans la plupart des cas, l'histoire n'est pas totalement étrangère au lieu qui reçoit explication comme peut l'être par exemple l'étiologie de l'interdit alimentaire à propos de la lutte de Jacob et de l'Ange (Gn 32, 33). Ainsi l'offrande de Gédéon et l'apparition de l'Ange paraissent-ils en cohérence avec l'autel d'Ophra, en tout cas avec un lieu sacré destiné à être le théâtre d'offrandes, qui reçoit par là sa sacralité (et sa légitimité). Cependant, comme dans la plupart des cas de légendes cultuelles qui restent anonymes jusqu'à la désignation étiologique du lieu en conclusion, une telle offrande et semblable apparition auraient pu se passer ailleurs. La construction de l'autel n'est finalement pas expliquée de façon nécessaire ou contraignante par le récit, d'autant moins que ce récit a auparavant reçu une conclusion qui est davantage en cohérence avec l'ensemble du contenu − la garantie de vie accordée à un Gédéon terrifié par la prise de conscience de la nature de celui qu'il a vu, l'Ange de YHWH (6, 23).

Dans l'état actuel du texte, cette conclusion étiologique a au moins un effet : *rendre un peu plus étranger au récit de vocation un autre récit qu'elle achève actuellement de façon artificielle.* Ainsi se dessine une autre histoire, même si rédactionnellement la transition par la demande du signe semblait bien assurée.[3]

Par conséquent, à s'en tenir à la première conclusion de l'his-

---

2. Dans la perspective gunkélienne qui reste la nôtre, on ne peut que rappeler ici la multiplicité des *légendes cultuelles* qui marquent en particulier le livre de la Genèse : Mambré (18, 1-8), Gérar (20, 1 ; 26, 1-6), Bersabée (où Abraham plante un arbre et « invoque le nom de YHWH, Dieu d'éternité », 21, 32-33 ; 26, 15-35), Hébron (23, 1-20 ; 35, 27-29), Béthel (28, 10-19 ; 35, 1-15), Mahanayim (32, 1-3), Penuel (32, 23-32, Sichem (33, 18-20).

3. « Il est communément admis, comme nous le soulignions dans le texte, qu'il s'agit ici, à l'origine, de deux récits plus ou moins parallèles... [...] Tous deux auraient ensuite été imbriqués l'un dans l'autre avec une remarquable habileté, de telle sorte que seule une analyse assez fine permet de les séparer ; les auteurs qui admettent l'existence de deux récits derrière ce texte sont d'accord pour reconnaître que cette division ne nous donne pas deux textes complets, susceptibles d'avoir une existence autonome. » (J.-A. Soggin, p. 105.)

toire (6, 23) — celle qui précède la conclusion étiologique —, on réalise que sa pointe porte sur la terreur sacrée inspirée après coup dans l'esprit de Gédéon par l'expérience du face à face avec l'Ange de YHWH.

Ce second récit ainsi « autonomisé », momentanément tout au moins, pose évidemment plusieurs questions, non seulement celle de son intégration au récit de vocation et au cycle de Gédéon amenant la question de son introduction originelle ou primitive, mais aussi celle de sa signification, en lien en particulier avec le récit qui suit, celui de la destruction de l'autel de Baal et de l'érection d'un nouvel autel (à YHWH ?) (6, 25-32).

La distinction de ce récit que nous désignerons désormais comme celui de « l'offrande à l'Ange de YHWH » (6, 17-23), a pour premier effet d'établir une *situation simple* entre le héros humain et le héros surnaturel. Du même coup, tout en étant reporté à la fin, le problème de la désignation du héros surnaturel perd de son acuité : l'« Ange de YHWH » prédomine, permettant au passage de régler aisément la question de l'« Ange d'Élohim » du verset 20, par la courageuse naïveté qui permet de croire qu'il ne s'agit nullement d'un autre document, mais d'une erreur de copiste[4].

Cependant, en conclusion, l'Ange de YHWH cède doublement la place à YHWH : par l'emploi du seul nom de YHWH et par le soin laissé à YHWH de rassurer Gédéon pour l'avoir vu, lui, « l'Ange de YHWH face à face ». Ainsi atténué, le problème demeure pourtant, permettant de soupçonner que la question n'est pas seulement d'ordre rédactionnel mais sans doute aussi doctrinal.

Car cette ultime intervention de YHWH est curieuse à plus d'un titre. YHWH apparaît là paradoxalement *en double* de son Ange. Qui plus est, le *tremendum* que celui-ci provoque chez Gédéon est en quelque sorte neutralisé par YHWH lui-même, de sorte qu'une distinction doit ici être maintenue, celle de l'Ange de YHWH d'avec YHWH lui-même.

Du même coup, si le récit comme tel offre une sorte de surface narrative sans faille, l'intervention de YHWH pose une question de réalisme : que voit Gédéon ? Comment YHWH s'est-Il présenté

---

4. « Une variante accidentelle », selon Burney (p. 177), que Lagrange confirmait comme une évidence en se référant à la Septante, tandis que Moore, emboîtant le pas à Böhme et Budde, voyait là « une main différente [relevant d'] une addition tardive au récit » (p. 188).

à lui ? Pourquoi ne lui fait-Il pas la même impression terrifiante que son Ange ? Car il y a ici une vraie contradiction à vouloir présenter comme terrifiant l'Ange de YHWH qui n'est justement *que* Son Ange destiné à marquer la distance d'avec YHWH Lui-même, alors que ce dernier s'avérerait rassurant (à moins que justement seul l'Ange soit « visible » et donc terrifiant au regard, YHWH, non visible ou non représenté, étant de ce fait rassurant).

Sans faire l'inventaire de toutes les interventions de l'Ange de YHWH dans le corpus biblique, on ne peut négliger un récit proche de celui-ci, précisément dans le livre des Juges, la comparaison étant susceptible d'apporter des éléments de réponse aux questions que pose ce jeu de rapport entre l'Ange de YHWH et YHWH.

Dans le récit de l'annonce de la naissance de Samson, la mère du futur juge a, elle aussi, la vision de l'Ange de YHWH (13, 3). Le message de la naissance et les indications d'interdits concernant le temps de la grossesse et l'éducation de l'enfant à naître (13, 2-5) recouvrent analogiquement le message de l'Ange du récit de vocation de Gédéon. Plus intéressant est de voir les héros humains, Manoah et sa femme, faire une offrande, de sorte qu'on retrouve là, mais de façon plus organique, le même mouvement que dans l'état actuel du récit de Gédéon passant d'une annonce de vocation à un récit d'offrande [5].

Cependant, pour bien comprendre les analogies qui peuvent exister entre les deux récits, il convient de voir leurs différences. Le passage où Manoah propose à l'Ange de lui apprêter un chevreau (13, 15) laisse déduire que le héros surnaturel s'est présenté tant à la femme qu'à Manoah sous les traits humains qui permettent de faire de lui un convive : on peut donc l'honorer par un repas en le remerciant de l'heureux message dont il a été porteur ; et comme s'il pouvait subsister un doute, un rédacteur a pris la peine d'ajouter que « Manoah ne savait pas que c'était l'Ange de YHWH » (13, 16).

La transformation en holocauste de l'invitation au repas se fait sur le conseil de l'Ange qui refuse de donner son nom (13, 16-17). Manoah semble donc comprendre que le nom « merveilleux » de

---

5. Sur la traditionnelle reconnaissance du parallélisme entre ces deux récits depuis Moore, cf. Richter (1963), p. 137-144.

l'Ange renvoie explicitement au véritable auteur des « merveilles »
qu'est YHWH seul (13, 18).

> Or comme la flamme montait de l'autel vers le ciel, l'Ange de YHWH
> monta dans cette flamme sous les yeux de Manoah et de sa femme et ils
> tombèrent la face contre terre. (13, 20.)

Pour semblable à celui de Gédéon que soit le sentiment qui
s'empare d'eux — une terreur sacrée — la réaction diffère pourtant
sensiblement de notre premier récit, même si dans l'un et l'autre
cas la disparition de l'Ange laisse soupçonner sa nature. D'autre
part, alors que Gédéon s'effraie d'avoir vu l'Ange « face à face »,
Manoah et sa femme ont peur pour avoir « vu Dieu *(Élohim)* » (13,
22). Or c'est le seul endroit où Élohim est mentionné dans ce
récit.

Aussi convient-il de se demander s'il n'y a pas simplement ici
une addition que suggère cette fois le mot « Élohim » puisqu'il
n'est question ailleurs que de l'Ange de YHWH et, en dernier lieu,
pour la seule fois, de YHWH seul (13, 23) [6]. De plus et paradoxalement, cette réflexion ne s'impose pas dans l'ensemble de la
finale du récit. En effet, le récit se clôt sur la réponse de la femme
à Manoah :

> Si YHWH avait eu l'intention de nous faire mourir, il n'aurait accepté
> de notre main ni holocauste ni oblation, il ne nous aurait pas fait voir tout
> cela et, à l'instant même, fait entendre pareille chose. (13, 23.)

Ainsi, le récit et du même coup l'apparition se concluraient sur
une remarque de bon sens : ce n'est donc pas YHWH, comme avec
Gédéon, qui rassure les visionnaires, mais l'un des visionnaires qui
se rassure et rassure l'autre. Quant à la réaction de Manoah
redoutant « Élohim », il y aurait sans doute là à expliquer ou à
rendre plus clair le récit, en conformité peut-être avec d'autres
modèles, à moins qu'il ne se soit agi de renforcer l'impression de
terreur sacrée.

---

6. Cependant Burney émet l'hypothèse, à la suite de Böhme, Holzinger, Budde,
Norwack et Kittel, que le mot « Élohim » pourrait être employé en un sens
générique, en pendant de « homme » utilisé au v. 6 (p. 350-351 ; cf. p. 345-346).
Moore établit ici un rapprochement avec 1 S 28, 13, où l'évocation par la
nécromancienne d'En-Dor de l'ombre de Samuel lui fait dire qu'elle voit un
« élohim » : le terme, générique et n'engageant nullement la divinité de YHWH,
servirait seulement à désigner un « superhuman being » (p. 324).

Deux rétablissements du texte pourraient être proposés : ou bien la suppression pure et simple du verset 22, ou bien la suppression de la mention « car nous avons vu Élohim ». En ce dernier cas la réponse de la femme serait mieux introduite, mais il faut reconnaître que le corpus biblique n'offre guère d'expressions équivalentes sur la peur sans fournir d'explication, à moins que justement, devant cette carence, un rédacteur ait éprouvé le besoin de compléter par un « car nous avons vu Élohim ».

On voit à la fois les similitudes et les différences existant entre ce récit et le récit de vocation de Gédéon « prolongé » par le récit de l'offrande à l'Ange de YHWH. Dans les deux cas, l'annonce débouche, pour ainsi dire, sur une offrande qui aboutit à la révélation − terrifiante − de l'Ange de YHWH et l'assurance que le héros humain n'en mourra pas. Mais les différences sont non moins importantes [7].

Dans le cas du récit de l'annonce de la naissance de Samson, la continuité rédactionnelle n'est pas que formelle, comme dans le cas de Gédéon où la demande de signe constitue une transition laborieuse vers une conclusion qui s'avérera sans lien avec la « vocation ». Ici, l'invitation au repas faite par Manoah est bien amenée et la transformation du chevreau, objet culinaire, en victime d'holocauste ne fait pas oublier en conclusion la naissance de Samson (13, 24) : le rédacteur reste donc dans une parfaite cohérence, ou, pour parler comme Gunkel, laisse suivre à son récit un même fil porteur. Et aucune étiologie extérieure ne vient troubler cette cohérence : l'apparition ayant lieu, la seconde fois, « dans la campagne », le rocher sur lequel sera consumé l'holocauste ne devient pas autel permanent ni ne fonde un lieu de culte célèbre.

Mais en jouant des similitudes une hypothèse s'impose : n'aurions-nous pas dans le récit de l'annonce de la naissance de Samson le modèle ou l'application d'un modèle qui aurait servi à une rédaction sinon finale du cycle de Gédéon, du moins de ces premiers récits ?

Il aurait existé, à un moment ou à un autre, deux traditions sur

---

7. Ainsi, malgré un quasi-consensus entre les commentateurs sur la parenté entre le récit de l'offrande de Gédéon à l'Ange et celui de l'offrande des parents de Samson, nous nous rangeons à la suite de Richter (1963), qui maintient la spécificité des deux récits, ce qui n'exclut pas de réelles parentés, voire des réactions communes.

Gédéon, l'une sur sa vocation, l'autre dont le « récit » de l'offrande
à l'Ange nous conserverait la trace. Celle-ci subsisterait privée de
certains éléments comme l'introduction ou la conclusion, et un
rédacteur l'aurait aboutée au récit de vocation selon la constitution
d'un genre littéraire [8], mais sans doute aussi dans le cadre de la
constitution d'un cycle qui l'impliquait. Ainsi, le récit de vocation
se serait trouvé accolé au récit qui nourrirait désormais l'étiologie
de l'autel d'Ophra, selon le modèle dont témoigne le récit de
l'annonce de la naissance de Samson.

Naturellement, la différence demeure : dans le cas de l'histoire
de Samson la cohérence du récit est quasi sans faille, garantie par
sa conclusion (13, 24-25), tandis que dans le cycle de Gédéon, le
récit résulte d'éléments disparates que la conclusion ne cherche
même pas à réunifier : un récit de vocation lui-même composite
(6, 11-16), un récit aboutissant à l'évocation d'un autel, récit
aujourd'hui sans introduction, que celle-ci ait disparu ou qu'elle
ait été déplacée (6, 17-23), sa conclusion étiologique étant comme
la plupart des conclusions de ce type, ajoutée (6, 24).

Si notre hypothèse est juste, si un modèle repérable est commun
au récit de vocation de Gédéon et à celui de l'annonce de la
naissance de Samson, nous aurions proposé un principe plausible
de composition de ce double récit qui conduit sans interruption
apparente du récit de vocation de Gédéon à celui qui en fait un
héros d'un autre type, même si demeure en suspens la question de
l'introduction de ces deux récits aujourd'hui aboutés.

Mais avant de tenter de répondre à cette question ou de voir
confirmée notre hypothèse, étant donné la transition qui introduit
un nouveau récit (6, 25), il est sans doute prudent d'étudier ce
nouveau récit, lequel, nous allons le voir, nous éloignera un peu
plus du projet du récit de vocation, nous donnant une autre image
de Gédéon, avant de nous le faire rejoindre dans sa guerre contre
Madiân.

---

8. Cf. W. RICHTER, *Die sogenannten vorprophetischen Berufungsberichte*, Göttingen, 1970, p. 136 sq.

CHAPITRE V

LA DESTRUCTION DE L'AUTEL DE BAAL ET L'ÉRECTION D'UN NOUVEL AUTEL
(6, 25-32)

Du point de vue des formules d'encadrement, ce nouveau récit se présente comme une unité close. L'introduction (6, 25) et la conclusion (6, 32) ferment, selon le mode habituel au récit populaire et au récit sacré, un nouveau récit qui n'exclut pourtant pas un lien avec celui qui le précède, sinon avec celui qui le suit. Il est donc possible, dans un premier temps tout au moins, d'en mener l'analyse indépendamment du contexte immédiat, même si apparaîtront progressivement des questions quant au lien avec ce contexte et quant à l'intégration de ce récit à la première partie du cycle de Gédéon (6, 1-35).

Dès le début, en effet, l'expression « pendant cette nuit-là » (6, 25) permet d'établir un lien avec un épisode précédent sans que s'imposent nécessairement ceux que nous venons d'étudier, le récit de vocation ou même le récit de la construction d'un autel situé à Ophra. Et il s'ouvre par un ordre que donne YHWH à Gédéon :

Prends le taureau de ton père, le taureau de sept ans [1], et tu démoliras

---

1. Même si nous ne pouvons en tirer grande conclusion dans la perspective de notre travail, nous devons rappeler que le texte concernant le taureau est corrompu, « grammaticalement impossible » selon Budde, « incompréhensible » selon Burney, puisqu'il est en fait question de deux taureaux. Soggin (p. 110), fait état des différentes hypothèses émises pour réduire la difficulté qui demeure une « *crux* typique », le rétablissement du texte demeurant impossible. Notons cependant qu'en s'appuyant sur 1 R 18, 23 sq., « un texte où apparaissent deux bouvillons », on pourrait légitimer la *lectio difficilior,* un taureau étant « offert par Gédéon et l'autre pour l'offrande des prêtres du sanctuaire ». Dans ces conditions, il faudrait admettre, toujours à la suite de Soggin, que nous aurions ici « affaire à un autre fragment du rituel du sanctuaire, élément qui ensuite n'aurait plus été compris ». (Cf. cependant EMERTON qui justifie l'option du taureau unique par la plupart des traducteurs, « The "Second Bull" in Judges 6, 25-28 » in *ErIsr,* Archaeological, Historical and Geographical Studies, Jérusalem, 1978, p. 55.)

l'autel de Baal qui appartient à ton père et tu couperas le pieu sacré [2] qui est à côté. Puis tu construiras à YHWH ton Dieu, au sommet de ce lieu fort, un autel bien disposé. Tu prendras alors le taureau et tu le brûleras en holocauste sur le bois du pieu sacré que tu auras coupé. (6, 25-26.)

Cet ordre provoque en principe une action que de ce fait il explique : Gédéon exécute l'ordre tout en redoutant « sa famille et les gens de la ville », ce qui le fait agir non de jour, mais de nuit (6, 27). La réaction des « gens de la ville » est donc normale : la disparition de l'autel de Baal, du pieu sacré et du taureau provoquant leur colère, ils exigent de son père, Yoash, qu'il leur livre Gédéon afin de le faire mourir (6, 30). L'histoire se clôt sur une remarque apparemment de bon sens de la part de Yoash : « Si Baal est dieu, qu'il se défende lui-même... » (6, 31.)

Enfin, une conclusion étiologique donnant explication d'un nom nouveau attribué à Gédéon, Yerubbaal, ferme le récit qui se trouve ainsi nettement séparé de ce qui le suit.

Du point de vue formel (dramatique), et à la différence du (double) récit précédent, un tel récit présente une réelle cohérence. En profondeur cependant, il est loin d'offrir l'unité qu'il laisse pressentir, même si, pour l'instant, nous pouvons oublier la conclusion étiologique qui, comme toute conclusion de ce type, impose d'être traitée à part.

En effet, l'ordre donné par YHWH à Gédéon sur lequel s'ouvre

---

2. Littéralement, l'« ashéra ». Dans *The Asherah in the Old Testament* (Fort Worth, Texas, 1949), W. REED fait un relevé de tous les passages où vient le terme, notant à quels autres termes il est associé (autels, hauts lieux, stèles, images de pierre...) ; à propos de 6, 25-32, voir ce qu'il écrit p. 43. Il est évidemment toujours plausible de réduire à un nom commun une désignation originellement propre et progressivement vidée de sa spécificité. Ainsi, l'ashéra originelle peut n'être qu'un « pieu sacré » au symbolisme exsangue ; cf. Burney. Une intéressante information a depuis été fournie par la découverte des inscriptions de Khirbet-el-Qom et Kuntillet 'Agrud tendant à montrer le caractère « objectif » d'un emblème qui pouvait éventuellement servir à « manifester » YHWH ; cf. A. LEMAIRE, « Les inscriptions de Khirbet-el-Qom et l'ashéra de YHWH » (*RB*, 84, 1977, p. 595-608) et « Who or what was Yahweh's Ashera ? » in *Biblical Archaeology Review*, nov.-déc. 1984, p. 50. Cf. aussi K.-H. BERNHARDT, « Ashera in Ugarit und im Alten Testament », *Mitteilungen des Instituts für Orient Forschung* (1967, p. 163-174), qui avait déjà remarqué l'association de l'ashéra avec Baal en Jg 3, 7 et 6, 26 (p. 172) et avec YHWH dans le Temple de Jérusalem (d'après 2 R 21, 7). Notons encore que, selon Dhorme (Bible de « La Pléiade »), l'utilisation du terme peut être polémique et réduirait l'ashéra à un « pieu sacré qu'il faut couper comme un arbre vulgaire, d'après Ex 34, 13 » : la notation historique serait réduite par la notation théologique, surtout dans cette première partie du récit (6, 25-27a), selon l'interprétation que nous en donnons.

le récit ne présente aucune mise en scène ni ne fournit de précision quant au lieu ou au mode de l'apparition. Gédéon, qui est en principe le héros principal, ne dit rien et YHWH est introduit par le simple « cette nuit-là ».

Certes, la suite du récit enchaîne sur les préparatifs de Gédéon pour l'exécution de l'ordre (« Gédéon prit alors dix hommes parmi ses serviteurs ») et sur la confirmation de cette exécution (« et il fit comme YHWH le lui avait ordonné »). À quoi s'ajoute une précision de circonstance : la crainte qu'inspirent à Gédéon sa famille et les gens de la ville, l'incitant à agir de nuit.

Il est évidemment possible de voir là une « action de présentation » conduisant à une « ré-action » : la découverte des destructions de Gédéon par les gens de la ville, qui amène ceux-ci à exiger l'exécution du fils de Yoash [3]. Mais une autre distribution des rôles et donc des héros fait reconnaître ici un nouveau récit [4].

Jusqu'à la première conclusion (« et il fit comme YHWH le lui avait ordonné »), sont en scène *un héros humain,* Gédéon, et *un héros surnaturel,* YHWH. Sans doute le héros humain, qui n'a rien dit, se contente-il d'exécuter l'ordre donné par le héros surnaturel, avec la seule réserve de sa prudence (« et il le fit de nuit »). Mais ce qui, dans la deuxième partie, doit en principe être la « ré-action » constitutive du récit, élimine non seulement le héros surnaturel, YHWH, dont il ne sera absolument plus question jusque dans la conclusion étiologique, mais également le héros humain, Gédéon, qui n'agit plus ou n'intervient plus *activement pour devenir « objet » : objet de dénonciation de la part des gens de la ville et donc objet de discours* dans l'économie générale du récit. Ces « gens de la ville » n'auront affaire qu'au père, Yoash, lequel réduira son argumentation pour le salut de son fils à une attaque contre l'impuissance de Baal.

Une telle différence dans la répartition des héros entre la première et la seconde partie du récit nous paraît décisive quant à l'intelligence de sa composition. Autrement dit, il y a là signe de

---

3. C'est évidemment ce que produira l'ultime rédaction du récit.
4. Il nous paraît étrange qu'avant Richter (1963), la distinction entre ces deux parties du récit n'ait pas été davantage perçue, malgré les « hésitations » de Budde (p. 56). Pour Richter, en effet, dans la perspective de sa recherche des « petites unités », les v. 25-27a, et 32 présentent un cadre *(Rahmen)* qui relèverait d'une autre main que le récit proprement dit, lequel constituerait l'unité (6, 27b-31) (p. 164-165). Signalons que L. Schmidt voit dans les v. 25-27a une réélaboration deutéronomiste, ce qui va naturellement dans le sens de nos analyses et de ce que nous voudrions en déduire.

caractère composite ou, si l'on préfère, addition de l'actuelle première partie à la seconde.

Une telle déduction fait donc de l'actuelle seconde partie (6, 27b-31) le donné originel ou plus ancien. En faveur de cela joue la nature fondamentalement *explicative* de la première partie : celle-là reçoit par celle-ci un fondement de nature particulière, sacral en l'occurrence, alors qu'elle pouvait effectivement laisser sans réponse la question : pourquoi Gédéon a-t-il fait cela ou a-t-il agi ainsi ? Son geste reçoit non seulement *explication,* mais une explication édifiante : c'est YHWH qui le lui a demandé.

En effet, l'actuelle seconde partie du récit tient très bien en elle-même, malgré le risque à courir et qu'elle a peut-être couru : faire apparaître le geste de Gédéon comme un geste gratuit de farceur ou de voyou, ou du moins de défi, ce que la construction d'un autre autel sans mention d'un quelconque dédicataire ne ferait qu'accentuer.

Il nous semble donc tout à fait raisonnable de conclure, à ce point de la réflexion, à l'addition de la première partie de ce récit par rapport à la seconde, laquelle a pu constituer à l'origine un récit autosuffisant. Ainsi est-il possible de voir un commencement primitif à ce récit dans le moment où « les gens de la ville » découvrent la destruction de l'autel de Baal et du pieu sacré, les restes d'un holocauste et un nouvel autel [5]. Et si l'on considère la mention du « lendemain matin » comme un enchaînement exigé par la première partie du récit momentanément éliminée, on est autorisé à rétablir le début de cette façon :

Un matin, les gens de la ville se levèrent ; l'autel de Baal avait été détruit...

Ainsi, dans la seule découverte par les gens de la ville des profanations, des restes d'un sacrifice et d'un nouvel autel, se trouverait un motif suffisant de suspens créant l'énigme de départ propre à l'engendrement d'une action dramatique. Et leur interro-

---

5. Ceci nous amène à prendre quelque distance par rapport à la position de Richter (1963) qui fait commencer en 6, 27b le récit que nous désignons ici. Nous pensons que la mention de l'action nocturne de Gédéon par peur de sa famille et des gens de la ville appartient soit au « cadre » (selon Richter), soit à une autre rédaction qui estimait insuffisantes les données de ce cadre ou voulait rendre plus complètement compte de la surprise des gens de la ville « le lendemain matin ».

gation (« qui a fait cela ? ») comme la réponse qui y est apportée
(« c'est Gédéon, le fils de Yoash ») suffiraient à rendre raison d'un
fait nouveau (et scandaleux) sur leur horizon quotidien, appelant
à une « ré-action ». Tout est alors en place pour que le lecteur
puisse se demander quelle va être l'issue d'une situation qui n'avait
pas besoin d'être autrement préparée, en l'occurrence par un ordre
de YHWH.

Par conséquent, l'histoire s'ouvrant sur « Un matin, les gens de
la ville découvrirent que l'autel de Baal avait été détruit... »
présenterait, avec le soupçon du coupable, « Gédéon, fils de
Yoash », une « action de présentation », laquelle rebondirait sur
une « ré-action » dans la demande faite à Yoash de livrer son fils
à la mort, à moins que cette « ré-action » ne soit dans la réponse
du père [6]. Ainsi se trouverait fondée l'autonomie (originelle) d'un
récit qui aurait subi une sacralisation manifestement seconde ou
tardive.

Par-delà ces problèmes littéraires, apparaît ici une question
d'ordre psychologique et d'histoire des religions, celle de la
réaction (ou de l'ensemble de réactions) de Yoash par rapport à
la destruction du sanctuaire de Baal.

En effet, il réagit comme s'il n'était nullement affecté par cette
action destructrice et donc ruineuse tant sur un plan matériel que
sur un plan moral puisqu'il en est le propriétaire. L'état actuel du
récit laisse entendre qu'il a préféré sauver son fils, jugeant sa vie
supérieure à la réalité de son taureau, de son autel de Baal et de
son pieu sacré.

Un tel choix est pour le moins curieux dans ce contexte
religieux : il va trop à l'encontre d'une hiérarchie de valeurs dont
l'histoire ancienne de l'Ancien Testament fournit maints exemples, depuis le sacrifice d'Isaac (Gn 22, 1-14) jusqu'au vœu de
Jephté dans le livre des Juges (Jg 11, 29-40), même si le propre
de la religion yahviste sera, dans la plupart des cas, d'éviter la

---

6. Il est clair qu'une telle reconstitution de l'« état originel » du récit repose sur
le principe d'autosuffisance du récit populaire dans ses composantes élémentaires.
Quoi qu'on puisse penser d'une telle reconstitution, il reste que les éléments que
nous éliminons (l'actuelle première partie, la conclusion étiologique) ne constituent ni des actions de retardement ni des effets de complication (ou de complexi-
fication) propres au récit populaire plus tardif (ou plus évolué) et proche de la
« nouvelle » : leur nature même tendrait à renforcer la « naïveté » du récit plutôt
qu'à la dépasser.

fatalité du tabou transgressé [7]. Ici, entre des objets dont la profanation entraîne en principe la mort du profanateur, et la vie de ce profanateur, fût-il le propre fils du propriétaire de ces objets, le choix, même pour un père, devait être clair. Or, non seulement Yoash choisit la vie de son fils plutôt que l'honneur de son dieu, mais pas plus affecté que cela par l'action de celui-ci, il va jusqu'à ridiculiser Baal. Une telle « conversion » a quelque chose d'étonnant, aux limites de l'invraisemblable.

On peut naturellement inférer ici d'un état tardif de la religion d'Israël pour laquelle il était devenu *évident* que le faux dieu Baal ne pouvait être réellement mis en balance avec la vie du juge Gédéon. Certes. Mais la cohérence même de l'actuel récit, dans sa seconde partie, l'allusion à la peur qu'inspirent à Gédéon sa famille et les gens de la ville, et surtout l'affirmation selon laquelle Yoash est bien le propriétaire du sanctuaire de Baal, forcent à prendre en considération des données qui établissent l'étrangeté du choix paternel dans le contexte religieux que ce récit persiste à rappeler.

Par conséquent, nous nous trouvons là devant un effet de contradiction entre un récit dont la constitution ne pose pas de problème particulier, sinon celui de l'adjonction d'une première partie assez facilement déterminable, et un écho culturel invraisemblable dans le contexte. Même si nous ajoutons le troisième terme d'une légitimation nécessairement tardive de la réaction paternelle en fonction d'une théologie yahvisante incontestée, les données demeurent opposant cette contradiction à l'esprit du lecteur.

La solution à ce problème réside peut-être dans la prise en compte d'un élément dont la nature ou l'apparence a toute chance de révéler la véritable origine de cette actuelle seconde partie du récit.

On se souvient de la réponse de Yoash aux gens de la ville :

> Est-ce à vous de lutter pour Baal ?
> Est-ce à vous de le sauver ? [...]
> S'il est dieu qu'il lutte pour lui-même
> puisqu'(on) a renversé son autel ! (6, 31 ; trad. Dhorme.)

Or, cette réponse présente toutes les apparences d'un dicton ou

---

7. Cf. notamment l'épisode du rayon de miel mangé par Jonathan sous peine de mort : 1 S 14, 24-45.

d'une sorte de comptine, à moins qu'il ne s'agisse de quelques mots d'une chanson. Autrement dit, la réponse de Yoash qui non seulement contribuerait au dénouement de l'histoire mais constituerait sa pointe, se révélant un *objet de légende,* fournit au récit une autre motivation que toutes celles que nous avons pu percevoir jusque-là, sacrale, historique ou même facétieuse[8].

Du coup, ce récit originel qui constitue la seconde partie du récit actuel porte en lui-même sa propre étiologie, celle d'un dicton ou d'une comptine, qui l'explique en l'engendrant.

Ainsi, à la question de savoir quel est le véritable héros de cette histoire et du même coup jusqu'à quel point cette histoire peut être considérée dans son autonomie « primitive » ou réduite à cette autonomie, s'ajoute celle de sa motivation et de son *Sitz im Leben.* Mais en même temps la prise en compte de l'objet de légende ne nous éloigne pas de ce qui constitue aujourd'hui la véritable motivation du récit.

À prendre, en effet, les données de l'ensemble actuel (6, 25-32), le récit paraît clairement élaboré pour établir Gédéon, et lui seul, héros principal. En ce sens, l'étiologie finale (6, 32) avec son caractère additionnel manifeste et la justification d'un nom nouveau qui ne sera guère rappelé par la suite et n'arrivera pas à effacer celui de Gédéon, ne peuvent que le confirmer. Par rapport à lui, les « gens de la ville » et Yoash jouent donc un rôle de faire-valoir, fût-ce en son absence.

Curieusement, la prise en compte d'un objet de légende, dicton ou comptine, ne peut que renforcer ce rôle en réduisant du même coup l'importance que Yoash pourrait prendre étant donné sa nature de propriétaire de sanctuaire de Baal et surtout la place qu'il occupe dans le cycle de Gédéon depuis l'allusion au térébinthe d'Ophra (6, 11) jusqu'à celle de son tombeau à la mort de Gédéon (8, 32). Car il est loin d'être le père « oublié » dans la suite du récit comme l'est habituellement le géniteur du véritable héros de l'histoire ou du cycle. Et quelle qu'en soit la source profonde, le récit de la destruction de l'autel de Baal lui donne une importance tout à fait inhabituelle survenant à un stade déjà avancé de l'histoire de Gédéon.

---

8. C'est à notre connaissance A. SCHULZ qui a détecté la chose (*Das Buch der Richter und das Buch Ruth,* Bonn, HSAT, 1926, p. 44). Dans sa traduction, il propose un rétablissement de la comptine en quatre vers, au milieu desquels a été fichée en coin la menace de mort.

Ainsi, ce récit apparemment simple dans sa facture s'avère sinon véritablement complexe, du moins habilement unifié au terme d'une histoire rédactionnelle assez soigneusement camouflée.

L'élément le plus extérieur dans l'état actuel est sans doute celui du respect de l'orthodoxie théologique. Alors que traditionnellement, le culte de Baal a été dénoncé comme un culte étranger à Israël[9], même s'il a toujours eu la tentation d'y succomber, il est intéressant de voir présenté le propre père d'un juge prestigieux comme un adepte de ce culte et, qui plus est, propriétaire d'un sanctuaire dont il devait tirer de lucratifs bénéfices.

Naturellement, le fils, Gédéon, paraît, par son action et surtout par l'ordre de YHWH, rétablir l'orthodoxie. Mais cette action exercée et dénoncée d'abord dans les conditions que l'on sait, est loin de rendre à la tradition d'Israël incarnée dans Yoash toute la pureté de religion qu'une tardive relecture ou écriture de l'histoire exigerait. On peut donc percevoir ici, plutôt que la présence de couches rédactionnelles, un jeu de relectures théologiques dont l'actuelle première partie du récit, l'ordre donné par YHWH lui-même à Gédéon de détruire l'autel paternel, serait un témoin éloquent.

Ainsi, tout en restant dans les limites actuelles de ce récit, il nous paraît possible de rétablir un processus d'élaboration. Même s'il est difficile d'expliquer pleinement l'origine des informations sur Yoash, son intervention reste nouée sur les formules, dicton ou comptine que nous pouvons déceler. De ce fait, la cohérence, l'unité et l'autosuffisance de la seconde partie révèlent sans doute par rapport à l'actuelle première partie (6, 25-27) un récit originel dont la pointe porterait sur la farce dont Baal et ses adeptes auraient de bout en bout fait les frais.

La reprise du récit dans le cycle actuel de Gédéon aurait conduit à une véritable transformation de ce récit en récit sacré *(Legende)*. L'artifice du procédé se marquerait dans le caractère abstrait de la « théophanie » qui l'ouvre désormais (6, 25-26) et dans laquelle « YHWH *dit* à Gédéon » (6, 25) sans que rien ne soit davantage précisé. Le rédacteur aurait alors harmonisé les données antérieures de ce qui allait devenir la seconde partie du récit avec cette théophanie, peut-être en les dramatisant, en faisant notamment de

---

9. Bien qu'il faille faire attention au risque d'anachronisme, nous pouvons évoquer le cycle d'Élie montrant encore cette présence active du culte de Baal, défendu notamment par la reine Jézabel (cf. 1 R 18, 1-19, 2).

Yoash, le père de Gédéon, le propriétaire du taureau à immoler et de l'autel de Baal à détruire, et en introduisant la mention, qui devient alors normale ou logique, de la crainte de Gédéon le poussant à agir de nuit (6, 27b).

La transition serait facilement assurée par « le lendemain matin » où « les gens de la ville » découvriraient naturellement la profanation. Grâce à cette introduction-transition, le lecteur saurait que « l'autel qu'on venait de bâtir » n'avait pu être dédié qu'à YHWH. Gédéon, seulement « objet de discours » dans la seconde partie, demeurerait le héros principal. Contestataire du faux dieu Baal et destructeur de son culte en même temps que de son sanctuaire, il apparaîtrait promoteur du culte du vrai Dieu, YHWH. Dès lors Yoash ne pourrait faire mieux que de le sauver de la vindicte populaire, abondant dans le sens de l'inanité de Baal, d'autant plus qu'entre-temps on aura appris que « quiconque défend Baal doit être mis à mort avant qu'il ne fasse jour » !

Par là, le récit échapperait définitivement au récit populaire *(Sage)* et au seul fondement dans un objet de légende, pour s'intégrer naturellement au cycle de Gédéon auquel il apporterait un nouveau récit sacré *(Legende)*.

Or ce nouveau récit est précisément rattaché par son introduction ou sa première partie « sacrée » à quelque chose d'antécédent qui, avons-nous dit, ne s'impose pas comme étant le récit antérieur, la transition par la mention « cette nuit-là » étant trop vague pour établir un lien contraignant, par exemple de cause à effet, entre ce récit et celui qui précède immédiatement. Mais un cycle ne s'impose pas par des liens organiques intrinsèques, car il est le plus souvent assuré, « porté », par le seul nom du héros. Cependant, dans l'ordre des motifs et des thèmes plus ou moins extrinsèques qui constituent parfois les liens constitutifs du cycle, s'impose la mention d'un autel que Gédéon a élevé (à YHWH) [10], mention qui clôt le récit précédent (6, 24). La formule est manifestement étiologique et donc très certainement additionnelle. N'offrirait-elle pas là un thème-agraphe qui aurait en quelque sorte *attiré* dans son champ le récit suivant où des autels tiennent une si grande place, renforçant à l'intérieur du cycle la jonction de différents récits habituellement rattachés entre eux par le seul nom du héros ?

---

10. Si cet autel n'est pas « originel » dans le récit, ainsi que le pense Richter (1963), les déductions que nous allons être amené à faire ne pourront qu'en être renforcées.

Mais nous allons voir qu'à ce thème-agraphe de l'autel, il faut sans doute ajouter celui des noms de lieux et de personnes qui, non seulement entre ces deux récits, mais sur un ensemble plus vaste, dès le début du « récit de vocation » (6, 11) fournit ces liens nécessaires à la constitution d'un cycle. Ainsi se dessinerait une première partie du cycle de Gédéon, qui aurait sa conclusion dans l'étiologie de ce dernier récit, celle du nouveau nom de Gédéon, Yerubbaal (6, 32).

CHAPITRE VI

ÉTIOLOGIE ET PRINCIPE ONOMASTIQUE

À ce point de l'étude, nous nous trouvons en présence de trois récits[1] : un récit de vocation (6, 11-16), un récit d'offrande à l'Ange de YHWH (6, 17-24) et un récit de destruction d'autel et de pieu sacré voués à Baal (6, 28-32), ce dernier récit nous étant apparu « complété » par l'information sacralisante d'une initiative divine (6, 25-27)[2].

Le caractère artificiel de leurs liens et enchaînements conduit à penser, momentanément, à l'indépendance de ces récits l'un par rapport à l'autre, même si Gédéon en demeure le héros principal commun. La demande de signe (6, 17) faisant transition entre le récit de vocation et le récit de l'offrande à l'Ange de YHWH, aussi vraisemblable qu'elle soit dans la tradition biblique, n'impose ici aucune relation organique entre les deux récits[3], d'autant moins qu'à la fin du récit de l'offrande à l'Ange, le récit de vocation

---

1. Nous optons pour la désignation « récit » dans la mesure où nous reconnaissons en chaque cas, bien au-delà de la notion de « petites unités » de Richter, un ensemble autosuffisant offrant « action de présentation » et « ré-action », quels que soient les problèmes qui demeurent quant aux états originels ou aux rédactions successives.

2. Et peut-être aussi de l'allusion à la construction d'un nouvel autel (à YHWH).

3. Dans son ouvrage sur le récit de vocation pré-prophétique, *Die sogenannten vorprophetischen Berufungsberichte* (Göttingen, 1970), RICHTER commence par reconnaître en Jg 6, 11b-17 le même schéma qu'en 1 S 9, 1-10, 16 (« vocation » de Saül) et Ex 3 sq., selon cinq éléments : 1) évocation de la nécessité ; 2) l'ordre ; 3) l'objection ; 4) la promesse d'assistance ; 5) le signe (cf. p. 138-139). Mais il nous a paru significatif qu'étudiant le dernier élément (p. 167-169) dans le cadre de l'analyse de Jg 6, 11b-17, il n'en dise quasiment rien, renvoyant à d'autres récits ou à la littérature prophétique, comme si, en fin de compte, cette demande de signe qui ne reçoit pas de réponse selon le découpage qu'il donne du texte, n'était pas vraiment impliquée par les quatre autres éléments. Il y a là, nous semble-t-il, un argument supplémentaire pour arrêter le récit de vocation de Gédéon en 6, 16, contrairement, par ex., à Gray (1967) qui va jusqu'à 6, 19 !

paraît totalement oublié. De même, la mention de « la nuit » (6, 25) comme lien de transition entre le récit de l'offrande à l'Ange et celui de la destruction de l'autel de Baal n'impose pas davantage de voir une relation de cause à effet entre les deux récits.

De façon plus globale cette dernière action ne fait que renforcer le caractère allogène du récit antérieur, celui de l'offrande à l'Ange de YHWH, par rapport au récit de vocation : alors que Gédéon était, dans ce dernier, désigné comme sauveur et sauveur militaire d'Israël contre Madiân, les deux récits qui le suivent ne font nul écho à cette désignation. Il faudra donc un rappel de l'existence des ennemis (6, 33) pour que le lecteur rejoigne un destin que ces récits ont eu le temps de lui faire oublier.

Ces constats nous ont obligé à prendre nos distances par rapport aux traditionnelles raisons données à ces distinctions, qu'elles déterminent des récits plus ou moins indépendants les uns des autres, qu'elles repèrent en eux ou entre eux des sources différentes, J et E notamment, mais aussi le Deutéronomiste, ou, plus récemment, qu'elles fassent fond sur de « petites unités » entrant plus ou moins organiquement dans des compositions d'ensemble. Aucune de ces propositions ne nous a pleinement satisfait, et même si nos propres hypothèses risquent de laisser sans réponse certaines questions, nous pensons que ni le repérage de récits « primitifs », ni la distinction des « sources », ni la détermination des « petites unités » ne peuvent rendre compte de la composition de cette part du cycle de Gédéon que nous avons étudiée jusqu'ici. Il nous faudra donc, dans un prochain chapitre [4], bien avant de parvenir aux conclusions finales de nos analyses, tenter de faire le point sinon sur les résultats obtenus, du moins sur les principes critiques mis en jeu, étant entendu qu'une telle mise au jour ne peut être honnêtement proposée qu'après une certaine pratique de la chose.

Si, pour l'instant, le récit de vocation paraît encore appartenir à la cohérence d'ensemble du cycle de Gédéon qui fait de celui-ci un sauveur charismatique de type militaire, force nous est de reconsidérer, dans leur caractère allogène, les deux récits qui suivent ce récit de vocation : que signifient-ils s'ils n'entrent pas

---

4. Cf. ci-dessous, chap. VIII.

directement dans le projet d'action salutaire de type militaire en faveur d'Israël en Gédéon[5] ?

L'analyse menée jusqu'ici a permis de prendre ces récits dans leur constitution essentielle, dans le mouvement qui les fait « récits » par le jeu d'« action de présentation » et de « ré-action », en quoi nous reconnaissons, à la suite de Gunkel, la marque fondamentale du récit populaire et donc de tout récit. Dans ces perspectives, le héros principal, Gédéon, s'imposait naturellement, indispensable en ce jeu d'actions qui nous autorisait du même coup à laisser de côté, momentanément tout au moins, certains éléments, en particulier les conclusions étiologiques (6, 24 et 32) des deux derniers récits.

Mais justement, si ces deux récits manifestent une certaine dérive par rapport au premier et donc par rapport à l'intention originelle − et sans doute définitive − du cycle, que permettent de dire ces éléments d'abord négligés ou considérés comme secondaires ?

Si, de façon générale, le caractère additionnel des étiologies s'impose d'emblée, si, par conséquent, le lien qu'elles entretiennent avec le récit qui est censé les fonder, se révèle manifestement artificiel, il n'est par contre pas toujours aisé de rendre compte de leur composition, de leur origine ni de leur véritable fonction. Les deux étiologies qui nous intéressent ici n'échappent pas à ce constat.

À s'en tenir, en effet, au récit de l'offrande à l'Ange, rien n'impose à Gédéon d'élever un autel en ce lieu : l'Ange ne l'exige pas[6]. D'autre part, d'un point de vue plus immédiatement rédac-

---

5. C'est dire combien nous paraît discutable la « cohérence » de lecture que suggère ici Soggin quant à l'état actuel des récits. Selon lui, « ce récit (de la destruction du sanctuaire de Baal) a été inséré dans le compte rendu de la vocation de Gédéon, en arrivant même à une certaine symétrie par rapport au récit précédent : dans ce dernier, Gédéon est appelé à lutter contre l'ennemi extérieur, dans l'autre, il lutte contre l'ennemi interne. [...] Dans l'économie du récit tel qu'il est actuellement, Gédéon est maintenant mûr pour lutter contre l'adversaire extérieur, adversaire qui ne constitue rien d'autre que le châtiment du péché interne d'Israël » (p. 113 et 114). Que Soggin voie dans cette unification de sens « la situation religieuse vécue entre le VIIIᵉ et le VIIᵉ siècle » (p. 113) ne nous convainc pas totalement. Pour notre part, dans la perspective de l'étude de Richter (1964), nous verrions mieux l'influence deutéronomiste dans cette synthèse de récits, qui demeure malgré tout artificielle, voire maladroite.

6. Certes, nombreux sont les cas où le héros de l'histoire prend lui-même une telle initiative (cf. Abraham entre Béthel et Aï, Gn 12, 8, à Mambré, Gn 14, 18 ; Jacob à Béthel, Gn 28, 18-19 ; etc.). Mais à l'inverse, des épisodes analogues à

tionnel, l'assurance que donne YHWH à Gédéon, « tu ne mourras pas », pourrait constituer une conclusion suffisante au récit de l'offrande.

L'étiologie ne s'impose pas davantage en finale du récit de la destruction de l'autel de Baal (6, 32). Le caractère laborieux de l'explication apportée à l'expression « que Baal s'en prenne à lui » puisqu'« il a détruit son autel », confirme, si besoin est, ce caractère artificiel. Et dans l'état actuel du récit comme de cette première partie du cycle de Gédéon, on ne voit pas en quoi s'impose le nom de Yerubbaal [7]. Ce que nous aurons à dire ultérieurement à propos de ce nom et qui devra légitimer cette étiologie, ne la justifiera pas pour autant dans son rattachement au récit [8].

Mais il relève précisément de l'étiologie de fixer un récit à un ou plusieurs noms de lieux ou de personnes, ou, inversement, de fixer ces noms de lieux ou de personnes à un récit ou à un cycle de récits. Ainsi, l'*onomastique* nous force-t-elle à dépasser le simple constat du caractère artificiel de ces étiologies pour voir si les noms de lieux et de personnes qu'elles fournissent ne donneraient pas une autre clé d'intelligence et de chacun de ces récits et de l'ensemble dans lequel ils sont pris.

L'affirmation finale du récit de l'offrande à l'Ange, selon laquelle « cet autel est encore aujourd'hui à Ophra d'Abiézer » (6, 24b) renvoie, en effet, par inclusion de noms, à la mention du « térébinthe d'Ophra (qui appartient à Yoash) d'Abiézer », préci-

---

celui de l'histoire de l'offrande de Gédéon à l'Ange n'aboutissent à aucune érection d'autel ou de stèle (ainsi Moïse à l'Horeb, Ex 3 sq., Élie à l'Horeb, 1 R 19 ; etc.). Signalons que nous apparaît totalement gratuite l'affirmation de Budde : « Der Vers [24] mit seiner Berufung auf einen bekannten Altar kann nicht Zusatz sein (gegen Wellhausen, Stade) » (p. 55).

7. Cf. le réalisme de Lagrange à ce sujet : « Philologiquement, ce qui nous paraît le plus probable, c'est que Baal était le sujet, comme dans les autres noms théophores. Il n'y a aucun inconvénient à ce que le nom ait pu être porté par des serviteurs de Baal. Il faut seulement retenir que ce n'est point le nom de naissance de Gédéon, car l'auteur qui raconte le culte de la maison de Yoash pour Baal n'avait aucune raison de celer cette circonstance. Le nom est donc occasionnel, et le peuple a dû l'interpréter bien souvent d'un homme qui combat contre Baal ; l'auteur a montré un sens de la langue plus vrai en prenant pour sujet Baal » (p. 128). Faisons cependant une réserve quant à l'absence de raison de la part du rédacteur de « celer cette circonstance ». Nous verrons qu'au contraire, à un certain moment de l'histoire rédactionnelle, il y avait de bonnes raisons d'« oublier » un tel donné, ce qui ne sera pas négligeable pour notre réflexion sur l'écriture de l'histoire révélée dans ce cycle.

8. Cf. ci-dessous, chap. XXI.

sion qui se trouve en introduction du récit de vocation (6, 11)[9].
D'autre part, Yoash est apparu comme héros principal dans le
récit de la destruction de l'autel de Baal. Ainsi, au nom du *principe
onomastique,* se révèle un type nouveau de liens entre ces récits.

Cependant une telle relecture, intégrant une étiologie qui reste
malgré tout extérieure au récit, si elle confirme l'unification de nos
deux récits, les laisse étrangers l'un à l'autre, comme nous avons
tenté de le montrer précédemment. Elle peut confirmer le caractère additionnel de la toute première introduction au récit de
vocation (6, 11a), mais non démontrer son lien organique ou
essentiel à ce récit. Du moins pouvons-nous mieux percevoir
désormais une part du processus qui a abouti à l'état actuel de ces
récits et à leur unification : outre des raisons de type doctrinal
— théologique —, la mention du sanctuaire d'Ophra d'Abiézer
relevait de la justification par récit fondateur, le récit de l'offrande
à l'Ange auquel pouvait être associé, par le nom de Gédéon, un
récit de vocation.

Mais ces déductions ne répondent pas à toutes les questions
soulevées par cette étiologie, surtout si on la considère dans son
redoublement.

En effet, elle joint Ophra à *YHWH-Shlm.* Si Ophra semble
plusieurs fois avéré dans notre cycle (6, 11 ; 8, 27, 32), que faut-il
penser de ce *YHWH-Shlm* dont la mention ne dépassera pas cette
étiologie ? Mais surtout cette mention ignore Yoash qui occupe la
place que l'on sait au début du récit de vocation, même s'il
n'apparaissait là que comme « le père de Gédéon ».

Or, justement, le nom de Yoash apparaît à nouveau dans le récit
suivant, de sorte que le principe onomastique ne joue pas seulement entre l'étiologie qui clôt le récit de l'offrande à l'Ange (6,
24) et l'actuelle introduction du récit de vocation (6, 11a), mais
encore entre cette introduction et ce dernier récit (6, 25-32),
lequel se ferme pourtant sur une autre étiologie, celle de l'autre
nom de Gédéon, Yerubbaal (cf. tableau, page suivante).

Mais la situation de Yoash, dans ce troisième récit, est d'un tout

---

9. En fait cette donnée, révélée par l'inclusion des noms propres entre 6, 11a
et 6, 24b, a été relevée de diverses façons par nombre de commentateurs. On
comprend que Gunkel ait vu là une *Kultsage* (RGG[2] II, col. 1181), idée reprise
par Simpson (*« an inaugural legend of a certain sanctuary »*), de Fraine (une sorte
de « hieros logos »), jusqu'à ALONSO-SHÖCKEL qui propose une autre voie, celle de
la création littéraire à dominante épique (« Heros Gedeon », *VD*, 32, 1954). Quoi
qu'il en soit, on ne peut s'abstraire de ces données d'inclusion, quasi absentes du
cœur du récit (ou des deux récits).

a) Les rapports actions personnes et lieux :

Action de Gédéon	*Localisation*
6, 24a : Gédéon éleva en cet endroit un autel à Yahvé et il le nomma *Yahvé-Shalom*.	
	6, 24b : Cet autel est encore aujourd'hui à Ophra d'Abiézer.
	6, 11a : L'Ange de Yahvé vint et s'assit sous le térébinthe d'Ophra, qui appartient à Yoash d'Abiézer.
6, 11b : Gédéon, son fils, battait le blé dans le pressoir pour le soustraire à Madiân.	

b) Schéma des inclusions :

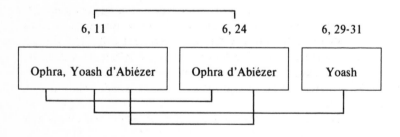

autre ordre : il n'est rien moins que le héros principal, rendant
Gédéon, comme nous l'avons vu, à la situation de héros absent ou
de personnage tiers. Autrement dit, si la situation d'Ophra et d'Abiézer entre les
deux premiers récits est équivalente dans leur extériorité, voire
leur caractère additionnel ou rédactionnel, la situation de Yoash
entre l'introduction du récit de vocation (6, 11a) et le troisième
récit n'est nullement comparable. Simplement mentionné comme
père de Gédéon juste avant l'entretien de celui-ci avec l'Ange de
YHWH, il devient héros principal dans le dernier récit. Ce
constat, loin de présenter un obstacle insurmontable, peut au
contraire nous mettre sur la voie de l'intégration de ces différentes
données : les récits déterminés indépendamment de leurs étiologies, et ces mêmes étiologies.

En fait, ce dernier récit (6, 25-32), distingué de son introduction sacrale (6, 25-26 ou 27), nous met dans une situation
particulière par rapport aux récits précédents. Dans ceux-ci le
lecteur se trouvait immédiatement et totalement placé dans un
climat surnaturel : l'Ange de YHWH et YHWH constituaient
chacun l'un des deux héros principaux, et le héros humain
demeurait seul face à ce héros surnaturel [10]. Dans le récit où Yoash
est en altercation avec les « gens de la ville » aucun personnage
n'apparaît ; l'action est pour ainsi dire *naturelle* ou *réaliste* de bout
en bout, depuis la découverte par les gens de la ville des destructions de l'autel de Baal et du pieu sacré (et de la construction d'un
autre autel), jusqu'à la réaction de Yoash. Même s'il s'agit d'une
destruction de sanctuaire, le récit s'apparente davantage à une
légende *(Sage)* qu'à un récit édifiant ou sacré *(Legende)* [11].

Du même coup, nous sommes confrontés à des données objectives, l'autel de Baal, le pieu sacré, un nouvel autel, toutes choses
qui marquent l'espace et que n'importe qui peut constater. De tels
« objets » jouent ici un rôle central alors que le caractère insaisissable des scènes précédentes, du fait notamment de l'absence de
témoins, révélait des conditions et un décor matériels qui leur
demeuraient *extérieurs.*

En même temps, nous nous heurtons là à une sorte de para-

---

10. Sur cette question de la sacralité comme détermination (décisive) d'un
genre littéraire et de sa signification, cf. ci-dessous, chap. XXIV.

11. La « provocation » de l'objet de légende révélée par la réaction de Yoash
(6, 31) que nous avons mise au jour dans le chapitre précédent nous paraît
confirmer cette spécification.

doxe : ce dernier récit, avec ses « données objectives », reste *anonyme,* tandis que les récits précédents, plus explicitement religieux, sans tiers témoins, étaient explicitement reliés à des lieux aux noms précis. Si nous jouons précisément du réalisme du dernier récit et par conséquent du contraste avec les récits antécédents aux données manifestement « surnaturelles », un certain nombre de déductions s'imposent. Autrement dit, nous arrivons maintenant à une sorte de point de convergence entre ce que nous avons considéré comme des éléments secondaires par rapport à la structure essentielle ou fondamentale de nos deux premiers récits : les étiologies, le jeu des noms propres de lieux et de personnes et les données plus objectives mais anonymes du dernier récit, renvoyant cependant à l'une ou l'autre donnée des précédents, des objets extérieurs, des autels en particulier.

Ce sont donc de nouvelles clés de lecture que nous devons vérifier maintenant et qui vont nous forcer à inverser, pour ainsi dire, la façon dont nous avons procédé jusqu'ici. Alors que nous avions fait porter l'attention sur la constitution des récits, sur ce qui les définissait et les délimitait plus ou moins essentiellement étant donné le contexte où nous les percevons, ce sont des éléments parfois superficiellement traités et souvent négligés qui doivent à leur tour parler.

CHAPITRE VII

GÉDÉON CHAMPION DU CULTE DE YHWH

OU CHEF DE GUERRE ?

C'est donc du troisième récit que nous repartons maintenant, puisque c'est en lui que nous trouvons le plus explicitement donné un certain nombre d'informations traitées seulement par allusion dans les récits précédents. Certes, l'anonymat de ce récit quant à la localisation, voire quant au dédicataire de l'autel construit à la place de celui de Baal est en pareil contexte aussi questionnant que le caractère artificiel de l'étiologie précédente [1]. Mais justement, à considérer le « jeu » d'autels entre ce dernier récit et cette étiologie (6, 24), n'aurait-on pas affaire à un ensemble de traditions ou d'échos de traditions qui nous éloigneraient sans doute du « juge » Gédéon et de son action militaire, mais révéleraient un registre de « souvenirs » où Gédéon, son père Yoash et surtout une affaire de sanctuaires laisseraient entrevoir un ensemble original cohérent [2] ? Ou encore, le récit de la destruction de l'autel de Baal

---

1. Rappelons que cet épisode, avec son jeu de destruction et de construction d'autels, ne peut pas davantage se satisfaire de la conclusion étiologique portant sur un nom de personne, Yerubbaal, même s'il s'agit d'un autre nom de Gédéon lui-même.

2. Lagrange s'était déjà demandé si « ce qui suit » ne serait pas « l'explication de ce qui précède, par le même auteur ? [Cependant], comment se fait-il que les récits soient si différents ? Dans le premier cas, Gédéon ne paraît se soucier nullement de la présence du culte de Baal : il ne paraît pas croire que le peuple soit dans l'infidélité, v. 13 ; la vision a lieu le jour, elle est suivie d'un miracle, Gédéon bâtit l'autel pour perpétuer ce souvenir. Dans le second récit, dit "explication du premier", il y a en réalité une autre narration du même fait ; c'est le même fait avec des circonstances différentes, donc l'œuvre d'un auteur différent... » (p. 125). Pour Budde, le culte israélite de Baal ne serait nullement contraire à l'histoire (p. 56). Dans cette perspective, nous ne pouvons que nous étonner de la position de Richter et de celle de Schmidt (rappelée par Soggin), niant « le fait que le texte ait eu à l'origine le but de raconter comment le culte cananéen a été substitué par celui de YHWH ». Soggin est ici plus prudent en

et de l'érection d'un nouvel autel ne rapporterait-il pas un épisode de l'histoire du sanctuaire d'Ophra d'Abiézer, auquel ferait allusion une étiologie dont nous avions vu qu'elle n'entretenait aucun lien organique avec le récit auquel elle servait d'ultime conclusion, le récit de l'offrande de Gédéon à l'Ange ?

La question serait purement gratuite si l'énigme que nous avions soulevée du redoublement de l'étiologie concernant l'autel d'Ophra et sa dénomination en *YHWH-Shalom* par Gédéon ne nous avait déjà interrogés.

Car ce nom de *YHWH-Shalom,* dans sa constitution même, aussi parlante que soit sa signification, n'est peut-être pas aussi déterminant qu'il y paraît. Pourquoi tout d'abord ce nom de *Shalom ?* On peut, en effet, se demander si l'étiologie actuelle, aussi extérieure soit-elle, se trouve vraiment fondée dans le souhait de YHWH rassurant Gédéon avec « la paix ». Un tel souhait, somme toute banal, suffit-il à justifier un tel nom ?

D'autre part, même si l'on tient compte de la phonétisation « moderne » de YHWH et de la conception théologique, sans doute tardive, qui empêche d'en connaître la prononciation, rien n'assure que *YHWH-Shalom* constitue une désignation *euphonique* caractéristique d'un nom habituellement et anciennement utilisé. Il y a au contraire tout lieu d'être d'accord avec l'étiologie qui fait de ce nom une *correction* et donc une *fabrication,* en l'occurrence attribuée à Gédéon.

Mais surtout, ce nom de *YHWH-Shalom* fait double emploi avec Ophra d'Abiézer. Or, à s'en tenir au récit qui précède et à l'introduction mentionnant le térébinthe, la seule désignation d'Ophra d'Abiézer suffisait pour situer cet autel. Pourquoi, dès lors, un nom supplémentaire pour désigner un sanctuaire dans un endroit où l'étendue ne devait sûrement pas prêter à doute ou à confusion ?

Un tel redoublement s'explique par contre très bien s'il s'agissait de faire disparaître un autre nom. Autrement dit, si désigner

---

reconnaissant que « les Ophratites ne reprochent pas à la famille de Gédéon d'avoir rendu des honneurs et des sacrifices à sa divinité, mais d'avoir démoli et profané les symboles de la leur. Car, face à un paganisme relativement tolérant (toutes les religions méditerranéennes et orientales ont été en général tolérantes, sauf avec ceux qui attaquaient les fondements même du système, par ex. avec les premiers chrétiens), s'érige le yahvisme intolérant, un phénomène clairement attesté depuis le prophète Élie et qui atteindra son point culminant avec les grands prophètes du VIIIe et du VIIe siècle avant J.-C. d'abord, et avec la réforme de Josias ensuite ; mais il n'est pas dit que le phénomène n'ait commencé qu'avec les grands prophètes : il peut avoir été plus ancien » (p. 113).

l'autel (ou le sanctuaire) d'Ophra ne suffisait pas, c'est qu'il était nécessaire de préciser le nom de YHWH. Ou, si l'on préfère, le nom de YHWH devait servir à remplacer un autre nom, accolé à *Shalom* qui pouvait être conservé. Il ne s'agissait donc pas simplement de donner un nom à un lieu, mais de *remplacer* ce qui devait l'être, un nom de divinité, laquelle pouvait supporter un qualificatif approprié. Et quel nom de divinité YHWH pouvait-il remplacer? Le récit qui suit cette étiologie fournit la réponse : Baal, de sorte que *YHWH-Shalom* devait effacer *Baal-Shalom*[3].

Ainsi, le sanctuaire de Baal que détruit Gédéon et qui aurait appartenu à son propre père, devait-il s'appeler *Baal-Shalom,* Gédéon le marquant du même coup d'un nom nouveau dépendant de la foi nouvelle. L'étiologie finale du récit de l'offrande à l'Ange se souviendrait de cette désignation liée à une construction d'autel succédant sans doute à la destruction d'un autel, voire d'un véritable sanctuaire, dédié à Baal vénéré comme dieu de la paix. Peut-être fabriquée à partir de la tradition du récit suivant, à moins qu'elle ne lui ait explicitement appartenu, une telle étiologie paraît très vraisemblablement à rattacher, dans son inspiration, à cet épisode qui en recevrait une tout autre, celle du nom de Yerubbaal.

Ce jeu de traditions est sans aucun doute lié à Ophra d'Abiézer, c'est-à-dire à un lieu particulier du nord[4]. Il ne témoignerait pas d'une oppression militaire, économique ou sociale dont Israël ou du moins le clan d'Abiézer aurait été la victime, mais plutôt d'une rivalité entre deux cultes, celui de Baal et celui de YHWH au sein même de ce clan. À travers ces indications détachables de l'autre tradition du cycle de Gédéon, celle du « sauveur » militaire d'Israël, se dévoilerait une étape de l'histoire religieuse d'Israël, témoignant de la lutte entre le culte de Baal et celui de YHWH, et de la victoire de celui-ci sur celui-là dont il émergerait[5]. Du même coup, le redoublement apparent du nom de désignations, *YHWH-Shalom* et Ophra d'Abiézer, s'expliquerait par l'invocation

---

3. A notre connaissance, c'est O. Eissfeldt qui a le premier émis cette hypothèse (« Ba'alshamem und Jahwe », *ZAW,* 57, 1939, p. 18). Richter (1963) conclut lui-même à un autel pré-israélite qu'on peut présumer *Ba'al shalom* (p. 137).
4. Sur la question de la localisation toujours incertaine de ce lieu, cf. l'état de la question dans Soggin, p. 102-103.
5. Le point de vue que nous adoptons ici dans cette partie essentiellement analytique de notre travail nous dispense pour l'instant d'aborder la question sous un angle plus explicitement historique, ce que nous devrons faire ultérieurement.

ou la vénération caractéristique de YHWH comme Dieu de la paix en suite et place de Baal.

Gédéon serait-il le héros de cette histoire ? Dans l'état actuel du récit, sans aucun doute. Mais, redisons-le, la façon dont Yoash est cité au début du récit de vocation et dont il intervient dans l'épisode de la destruction de l'autel de Baal, ne permet pas de donner ici à Gédéon une place aussi importante que celle que lui accorde l'ensemble de son cycle comme sauveur militaire d'Israël. Cette action religieuse, dans l'offrande à l'Ange comme dans la destruction du sanctuaire de Baal et la construction d'autels à YHWH, entre à proprement parler dans sa « légende sacrée », renforçant du même coup son autorité de juge charismatique. Mais elle ne peut y figurer de façon rigoureuse dans la mesure où la nature des faits comme l'élaboration des récits fait progressivement oublier ce pour quoi il a été appelé et qu'il faudra rappeler dès la fin de ce troisième récit. Mais auparavant une autre étiologie se présente, celle qui applique justement ce récit à l'explication d'un autre nom de Gédéon, Yerubbaal (6, 32).

À ce point du cycle, ce nom paraît étrange d'autant plus que celui de Gédéon ne semblait pas poser de question, et qu'il sera peu utilisé par la suite. Certes, on le retrouvera en des endroits particulièrement significatifs qui, en dehors de l'allusion du début du chapitre 7, l'associeront à Yoash et à Abimélek (8, 29-31 ; cf. 9, 1), nous amenant à nous interroger sur une « tradition Yerubbaal » à côté de celle de Gédéon [6]. Mais dans l'immédiat, la question qui se pose est de savoir lequel, du récit ou de l'étiologie, a appelé l'autre. Car la réponse n'est en l'occurrence rien moins qu'évidente [7].

---

6. Cf. ci-dessous, chap. XXI.

7. Pour Burney, ce nom semble relever de E, tout en reconnaissant avec Moore que la signification « fabriquée », « adversaire de Baal » n'est pas claire. Il n'y aurait donc pas à exclure que ce nom aurait pu être un titre de YHWH (p. 201). Cf. Soggin : « La difficulté du texte réside dans le jeu de mots contenu dans le nouveau nom. La racine *ryb* signifie, selon le cas : 1) "se disputer", "faire un procès à", ou 2) "défendre" ou "assumer la défense de quelqu'un" (dans les deux cas, dans le contexte d'un procès). Sur la base de ces deux significations, nous avons un jeu sur l'étymologie populaire de ce nom. La difficulté peut être résolue de deux manières : soit il s'agit de la racine *ryb* déjà mentionnée, auquel cas nous devrions avoir *yarib*, soit nous avons la racine *rahab* : "être grand", d'où le nom signifierait : "Baal se révèle être grand" ; le jeu de mots est donc axé sur l'assonance de ces deux racines. Le nom semble donc théophore dans le sens positif du terme : soit "Baal est grand", soit "Baal puisse-t-il (t') agrandir", et seule la

En effet, si la façon dont le récit est élaboré, notamment avec la place faite à la réaction des « gens de la ville », met en valeur la destruction d'un sanctuaire de Baal par Gédéon, laissant à l'arrière-plan la construction d'un autre autel dont le titulaire n'est pas nommé (même si on peut supposer sans risque qu'il s'agit de YHWH), le rapport entre l'*appel* de l'étiologie dans le récit et l'étiologie proprement dite, témoigne d'une distanciation qui permet justement de poser la question de la valeur de ce rapport.

Certes, une expression fait appel entre la fin du récit où elle est placée dans la bouche de Yoash, et l'étiologie : « puisqu'il a détruit son autel ». Or, il est intéressant de voir comment cette expression s'insère dans les deux contextes, ce qui nous autorise à laisser de côté pour l'instant, le nom de Yerubbaal et son intégration au processus étiologique.

À la fin proprement dite du récit, la question s'impose : dans la comptine que nous avons détectée dans un chapitre précédent [8], quelle est la valeur de la coordination de « *puisqu*'il a détruit son autel », avec la proposition qui précède, « s'il est dieu qu'il se défende lui-même » ? Autrement dit, quel sens accorder au *ki* : « puisque » ? « parce que » ? « car » ? En aucun cas la relation de conjonction ne paraît évidente, le lecteur éprouvant quelque difficulté à voir là un lien de cause à effet, aussi ténu puisse-t-il le concéder.

Son écho dans l'étiologie ne présente pas la même difficulté. L'expression, « que Baal s'en prenne à lui puisqu'il a détruit son autel », ne pose question qu'isolée, en raison de l'anonymat du tiers impliqué. Car la possibilité de son isolement dispose ici d'un argument qui est loin d'être négligeable, le jeu de rythme et d'assonances marquant l'ensemble de l'expression :

> *yareb^h bô hab^{b}a' al ki*
> *nat^{a}as 'et^h mizb^{e}hô.*

Un tel jeu amène à conclure que nous sommes en présence là, quant à la forme, d'un dicton. De ce fait, légitimement isolable, la question de son rapport au récit, sans parler pour l'instant de son

---

polémique israélite anticananéenne pouvait comprendre un sous-entendu sarcastique. Toutefois, le jeu de mots semble forcé et une question naît spontanément : l'étymologie populaire, partant d'un nom existant, n'aurait-elle pas voulu simplement donner un sens en rapport avec l'histoire, tant et si bien que la recherche d'une étymologie ou de significations se révélerait inutile ? » (p. 111).

8. Cf. ci-dessus, chap. v.

rapport au nom de Yerubbaal, se trouverait redoublée par la question de son origine réelle et par conséquent de sa véritable signification. Le récit se révélerait ainsi *Sitz im Leben* artificiel, c'est-à-dire faux. Du même coup, un tel dicton apparaîtrait comme *« objet de légende »*[9], susceptible soit d'être rattaché à un récit préexistant, soit de provoquer un récit approprié.

Mais justement, le récit présent est-il préexistant au dicton ou celui-ci en a-t-il été la provocation?

Ce que nous avons dit de l'appel du dicton dans le récit nous permet de répondre à cette question. En effet, le « puisqu'il a détruit son autel » placé dans la bouche de Yoash en finale de son discours aux gens de la ville nous était apparu sans lien de conséquence cohérente avec ce qui précédait, ce que la détermination d'un genre comptine ne pouvait que confirmer. Dans ces conditions, il y a tout lieu de penser que le rédacteur qui a intégré le dicton en conclusion étiologique, a artificellement créé cet appel en fin de récit en se servant de cette forme de « discours » tout fait que peut être une comptine. Ce faisant, il risquait d'établir un lien de conséquence extrêmement lâche avec le contexte même immédiat. Du moins, un lien de cause à effet pouvait-il paraître créé entre les ultimes paroles de Yoash et ce dicton, lequel n'était pourtant pas seulement là « en morale » de l'histoire.

À ce point de l'analyse, on peut donc déduire que le récit de la destruction de l'autel de Baal a pu un moment se clore sur cette « morale » de Yoash : « s'il est dieu — (Baal) —, qu'il se défende lui-même »[10], puisqu'il a reçu en conclusion étiologique un dicton

---

9. Nous entendons par « objet de légende » tout élément repérable à l'intérieur d'un récit et susceptible d'être pris en soi et éventuellement retrouvé dans un autre récit, qu'il s'agisse d'un véritable objet matériel (par ex. « l'épée de Goliath » en 1 S 17, 51 et 21, 10; cf. P. GIBERT, *La Bible à la naissance de l'histoire, op. cit.,* p. 163-164), ou, comme ici, d'un dicton, d'un proverbe ou de toute formule en soi énigmatique, parce que d'origine perdue, et à quoi on prétend apporter une solution (ou une signification nouvelle) en l'insérant dans un récit ou en faisant de cet objet la provocation d'un récit qui l'explique. Ce procédé se retrouve dans toutes les cultures; qu'on pense, par ex., à l'expression « têtu (ou rancunier) comme la mule du pape », qui a fourni prétexte à A. Daudet pour une de ses *Lettres de mon moulin,* sachant qu'en l'occurrence la mule n'avait rien à voir avec l'animal qu'il met en scène, mais était plus vraisemblablement une forme de chaussure!

10. Sur ce point, nous ne pouvons donc faire nôtre la conclusion de Soggin : « Il semble peu probable que la conclusion originelle du récit soit tombée pour être remplacée par l'étiologie du nom : car cette conclusion n'aurait pu que raconter comment Baal avait effectivement répondu au défi en étant définitivement battu et humilié : une conclusion beaucoup plus favorable donc aux thèses que le texte propose que celle qui s'y trouve » (p. 112).

en quête d'origine et de significations nouvelles : « Que Baal s'en prenne à lui puisqu'il a détruit son autel. » Une certaine habileté de rédaction, en ménageant appel et écho entre le récit et sa conclusion actuelle, par une comptine et un dicton, contraindrait alors le lecteur à reconnaître un lien organique entre les deux.

Mais notre façon de procéder nous a fait laisser de côté le nom de Yerubbaal au point de paraître le rendre doublement étranger au récit, alors que précisément la conclusion étiologique ne vise à rien de moins que l'intégrer.

Si le dicton, comme nous venons de le voir, trouve un point d'appui dans les propos de Yoash, aussi artificiel que puisse paraître un tel point d'appui, le nom de Yerubbaal ne nous renvoie pas d'abord au récit, malgré le nom de Baal qui en fait un nom théophore, mais bien plutôt à ce dicton. Celui-ci trouverait donc un enracinement supplémentaire par rapport au récit.

Le lien établi entre le nom de Yerubbaal et le dicton tient non seulement à la répétition du nom de Baal dans l'un et l'autre cas, mais également à l'explication philologique impliquée dans l'étiologie.

Il est toujours hasardeux de reconnaître dans un nom propre, à côté du nom d'une divinité, une racine, généralement un verbe, plus ou moins commune. Ici, l'étiologie se veut claire : le nom de Yerubbaal intégrerait l'imperfectif du verbe *rib* qui signifie « combattre, se battre, se défendre ». Or on connaît un autre cas, où le même verbe est utilisé sous forme participiale dans un autre nom théophore, Meribbaal (cf. 1 C 8, 34 ; 9, 40). On peut donc admettre ici comme en d'autres cas de la Bible, un nom manifestement symbolique, formé et conservé comme tel, quitte justement à devenir incompréhensible dès qu'aurait été perdu le souvenir du motif d'un tel symbole.

Ainsi, les deux positions pourraient être tenues ici, celle qui fait de ce nom, peut-être par contamination d'une racine commune, un nom irréductiblement original, c'est-à-dire incompréhensible, ou celle qui voit, à la suite de l'étiologie, un nom manifestement symbolique renvoyant à une représentation guerrière de la divinité, Baal en l'occurrence.

Quoi qu'il en soit, même si le nom de Yerubbaal supporte bien le dicton dans sa première partie (« s'il est Dieu, qu'il se défende lui-même »), rien, ni dans l'ensemble du dicton ni dans le récit, ne justifie d'une façon ou d'une autre le nom de Yerubbaal. La satisfaction conséquente à cette étiologie ne peut relever que d'un ordre didactique immédiat, sûrement pas de la contrainte d'une explication rigoureusement logique ou historique. Le dicton reste à jamais mystérieux dans son origine et dans sa signification comme le nom de Yerubbaal lui-même [11]. Et davantage qu'avec l'étiologie qui clôt le récit précédent de l'offrande à l'Ange, nous sommes en présence d'une conclusion manifestement ajoutée, non sans appuis, échos, termes ou expressions d'appels dans le récit lui-même, mais selon des procédés qui restent artificiels.

Ainsi se confirme l'extériorité d'un certain nombre d'éléments ajoutés à ces récits. Pris indépendamment, ces récits excluent d'abord de telles additions. Celles-ci ne sont pourtant ni fortuites ni arbitraires ; mais seule la prise en compte du cycle ou d'une partie du cycle permet d'en rendre compte, ce qui inclut une signification propre à l'ensemble des récits, distincte jusqu'à un certain point de celle de chacun d'eux.

Nous aurons à revenir sur ce point capital dans le cadre de notre problématique. Pour l'instant, au terme de l'étude de ces trois récits dont la dérive nous a en quelque sorte fait oublier la « vocation » première de Gédéon, celle d'un juge établi pour l'action salutaire de type militaire en faveur d'Israël contre Madiân, essayons de voir quelle a été notre façon de procéder et quels principes plus ou moins avoués nous avons dû mettre en jeu.

---

11. Nous en tenant pour l'instant aux seules données du texte, nous traiterons ultérieurement (chap. xxi) des implications de ce nom dans l'ensemble du cycle et par rapport à la désignation de Gédéon.

CHAPITRE VIII

PRINCIPES DE LECTURE

Notre problématique d'ensemble nous a fait jusqu'ici un devoir de suivre l'ordre des récits tel que nous le recevons. Mais la nature même de ces récits, leur succession, les problèmes posés par leurs transitions et surtout cette « dérive de sens » qui nous a conduit d'un Gédéon appelé à prendre les armes contre Madiân à un Yerubbaal destructeur d'un sanctuaire de Baal (et constructeur d'autels à YHWH), nous obligent à faire le point sur notre démarche et, du même coup, à dresser le bilan de ce que nous avons découvert ou acquis. Laissant de côté pour l'instant le cadre général du cycle et ce que nous y avons assimilé en fonction des modèles de l'ensemble 3, 7-16, 31, l'épisode du prophète notamment (6, 7-10), nous nous cantonnerons, à cette étape de notre travail, à l'expérience des récits à héros tels que la théorie gunkélienne nous les a fait définir.

Si l'introduction du récit de vocation (*L'Ange de YHWH vint et s'assit sous le térébinthe d'Ophra, qui appartenait à Yoash d'Abiézer...* 6, 11a) nous a en principe situé le personnage de Gédéon dans un cadre familial, géographique et même socio-politique, ces notations se faisaient d'autant plus vite oublier, comme nous l'avons remarqué, que cette première introduction n'était peut-être pas aussi organiquement ni par conséquent originellement liée au « récit de vocation » qu'il y paraissait : la construction même de la phrase suffit, en effet, à introduire un doute quant à la pertinence exclusive de cette présentation comme introduction du récit de vocation. Car il fallait attendre l'étiologie du récit de l'offrande à l'Ange (6, 24) ainsi que le récit de la destruction du sanctuaire de Baal (6, 28-32) pour trouver l'écho à ces informations premières : Ophra, Yoash et Abiézer. Mais on sait justement quelle dérive implique dans le texte la distance entre cette information première et ces échos.

C'est précisément cette « dérive de sens » qui nous pose question et nous a obligé, tout au long de nos analyses, à nous démarquer de positions traditionnelles ou plus originales quant aux processus d'élaboration ou de rédaction de cette première partie du cycle de Gédéon.

En effet, face aux « incohérences » et aux « invraisemblances » du texte, l'exégèse moderne procède généralement soit par rétablissement des différentes traditions relevant de sources différentes [1], soit par isolation de « petites unités » permettant de retrouver des unités de sens, quitte à mettre au compte d'un « liant » extérieur, généralement théologique, ce qui les conserve aujourd'hui [2]. Sans prétendre nous opposer à des procédés qui ont fait leurs preuves et dont nous bénéficions, il nous a semblé qu'une sorte de troisième voie pouvait être empruntée, celle qui précisément nous a fait prendre en compte cette *dérive de sens* entre le début et la fin d'une séquence isolée.

Nous avons déjà rappelé qu'à la suite de la conclusion étiologique concernant le nom de Yerubbaal (6, 32), une brève notation nous ramenait à ce qui apparaît aujourd'hui comme la vocation première de Gédéon, la guerre contre Madiân (cf. 6, 33-34). Un tel « retour à l'origine » ne peut que mettre davantage en valeur cette dérive, aussi limitée soit-elle.

En principe, le récit de vocation s'impose d'entrée. Sa situation comme sa nature et son contenu, en présentant un héros de telle sorte que son action trouve ici, comme dans sa source, son explication, paraissent commander une orientation à laquelle obéiraient les récits qui le suivent. Or, il n'en sera rien jusqu'à ce tardif rappel de « vocation première » (en 6, 33 sq.). Bien plus, sans pouvoir dès l'abord repérer une rupture dans le récit, s'était imposée, avant même le récit qui précédait ce rappel, cette dérive

---

1. Il n'est évidemment plus question pour nous d'accorder le crédit qu'un Moore, un Lagrange ou un Burney, ou encore un Eissfeldt et un Simpson (cf. Soggin, p. 95) accordaient à la théorie documentaire dans le livre des Juges, même si nous aurons à tenir compte des « réécritures » deutéronomiques. De même nous faut-il reconnaître ici l'insuffisance de la théorie gunkélienne du récit pour rendre compte de tous les éléments entrant actuellement dans la composition de ces récits.

2. La théorie des « petites unités » de Richter (1963) ne nous a pas paru davantage satisfaisante dans la mesure où elle risque d'aboutir (et aboutit parfois) à une sorte de « statisme » dans la détermination et la prise en compte des récits, sans compter le recours exclusif au « discours » théologique pour justifier le caractère plus ou moins adroit de leur synthèse.

dans l'étiologie de l'autel d'Ophra (6, 24), le récit de la destruction du sanctuaire de Baal (6, 25 sq.) ne faisant que la confirmer en la prolongeant. Mais par-delà la diversité des objectifs des propos et des actions, cette dérive révèle une considérable différence de mise en scène des personnages et donc entre les personnages ainsi mis en scène.

En effet, depuis la venue de l'Ange de YHWH sous le térébinthe d'Ophra (6, 11) jusqu'à la sollicitation de Gédéon par YHWH pour qu'il détruise l'autel de Baal (6, 25-26), le personnage humain se trouve en présence d'un personnage surnaturel, lequel a toute initiative et en tout cas la puissance. Qui plus est, le personnage humain est *seul* avec le personnage surnaturel. Autrement dit, la scène ne bénéficie d'aucun témoin.

À l'inverse, la découverte par les gens de la ville de la destruction du sanctuaire de Baal et leur rencontre avec Yoash relèvent d'un genre de récit où non seulement le surnaturel ne se manifeste pas, mais où la multiplicité des acteurs et donc des témoins rend le récit à ce qu'on pourrait appeler la banalité de la vie, aussi exceptionnels que soient les événements qui la constituent. La question se pose alors de savoir ce qui fonde une telle différence entre ces récits : pourquoi les uns ont-ils cet accent sacral par présence d'un être surnaturel tandis que tel autre, pourtant dans leur prolongement, reste dans l'ordre de la banalité de la vie [3] ?

Pour ce dernier justement, nous avions émis l'hypothèse que le lien entre sa seconde et sa première parties relevait d'une volonté rédactionnelle d'expliquer ou de fonder en YHWH l'action de Gédéon : en effet, l'autosuffisance de la scène d'entrevue des gens de la ville avec Yoash et l'absence de toute indication pour l'ordre donné par YHWH à Gédéon de détruire le sanctuaire de Baal, permettaient, à notre sens, de conclure à l'originalité de la scène de l'entrevue sans la nécessité de l'ordre divin. Par là, nous posions en principe le primat de l'« action » [4] comme détermina-

---

3. Certes, le caractère sacral peut paraître impliqué dans le récit de la destruction du sanctuaire de Baal, puisqu'il y est justement question d'autels (dont un élevé à YHWH). En fait, outre le ton du dialogue entre les gens de la ville et Yoash, la « sacralité » n'est pas ici du même ordre que dans les récits précédents : elle est plus « objective » (liée à des objets) alors que dans ces récits elle appartient à la nature même du héros surnaturel mis en scène et à la nature des propos tenus et des actes posés.

4. Cf. P. GIBERT, *Une théorie de la légende, op. cit.,* p. 109 et sq.

tion du récit populaire et donc de son ancienneté par rapport à toute forme plus élaborée et notamment par rapport aux formes sacrales.

C'est pourquoi, dans les limites de ce premier ensemble de récits, il nous semble possible de constater ici la *sacralisation* d'un récit de destruction de sanctuaire. Autrement dit, le récit populaire « profane » *(Sage)* de cette destruction aurait été converti en « récit sacré » *(Legende)* par adjonction de l'ordre donné à Gédéon par YHWH, l'objet du litige (un sanctuaire détruit, et peut-être aussi la construction d'un autel à YHWH), ne suffisant pas à assurer cette sacralisation.

Dans une perspective historienne reposant sur la vraisemblance des faits et leur saisie possible confirmée par la multiplicité des témoins, ce dernier récit, dégagé de son introduction sacrale comme de son étiologie additionnelle, ne peut qu'apparaître comme le sol enfin atteint sur lequel tout le reste, c'est-à-dire tout ce qui précède, a été plus ou moins légitimement édifié, ou si l'on préfère, ce sans quoi le reste − c'est-à-dire les récits antérieurs et les diverses additions qu'il a lui-même subies − n'aurait aucun fondement.

Du coup, le récit de l'entrevue des gens de la ville avec Yoash apparaît comme le fondement historiennement saisissable de l'ensemble étudié jusqu'ici. En effet, si le principe de sacralisation joue *sur* un récit antécédent, si, d'autre part, les récits de vocation et de l'offrande à l'Ange sont manifestement (et exclusivement) sacrés[5], ne sommes-nous pas autorisés, dès maintenant, à conclure à leur caractère second par rapport à tout récit qui n'impliquerait pas ce caractère ?

Car il s'agit bien dans ce récit primitif de « s'amuser » de l'indignation des gens de la ville, de l'astuce de Yoash et du ridicule de Baal, non de « s'édifier » d'une expression de foi ou d'une manifestation divine comme c'est le cas avec le récit de vocation et de l'offrande à l'Ange. Nous aurions donc là un exemple de récit populaire visant à l'origine à la célébration plus ou moins facétieuse d'un héros local et évoluant vers un genre sacral.

Ainsi, nous avouons un principe de lecture, celui qui met en

---

5. Ce que montrent non seulement la présence de héros surnaturels, mais aussi le fait que le héros humain soit seul, c'est-à-dire sans témoin, face au héros surnaturel.

avant — et en avance chronologique — le *récit populaire profane* comme témoin de la plus ancienne culture et, éventuellement, comme témoin historique en raison d'indices informatifs qu'on pourrait y relever[6].

À partir de là, nous pouvons tenter d'établir, au moins provisoirement, une chronologie de ces récits permettant de résoudre le problème qui nous occupe maintenant, celui du rôle de Gédéon et de l'évolution de ce rôle, du chef de guerre au constructeur d'autels pour YHWH, même si nous devons prudemment avancer en direction de la synthèse historienne.

Corrélativement, et en fonction de ce que nous avons dit un peu plus haut, le récit de vocation ne peut qu'apparaître davantage comme « élaboration seconde ». Exclusivement sacral, et pas seulement par le caractère composite renforcé du fait d'interventions de mains théologiques tardives[7], il voit son interrogation aggravée du fait de sa constitution même : l'absence de tout tiers vérificateur à la manière du Yoash et des « gens de la ville » du dernier récit.

Reste le récit de l'offrande à l'Ange. Dans l'état actuel de notre recherche, c'est celui qui pose les questions les plus difficiles. En effet, le premier, le récit de vocation, et le dernier, le récit de la destruction du sanctuaire de Baal, quelles que soient leurs différences de nature, répondent à des questions précises : d'où vient le charisme guerrier de Gédéon au service d'Israël, et d'où vient le remplacement du culte de Baal par celui de YHWH ? Or, ce récit d'offrande à l'Ange demeure en suspens puisqu'il n'a ni introduction ni conclusion actuellement contraignantes, l'étiologie finale lui étant aussi extérieure ou étrangère que le récit de vocation comme introduction.

Or c'est par lui que survient la dérive de sens qui fait passer le lecteur d'un Gédéon chef de guerre selon le récit de vocation, à un Gédéon champion du culte de YHWH avant d'apparaître

---

6. Car il ne s'agit pas d'aller trop vite en besogne, surtout à ce point de notre étude. Nous ne devons pas exclure, en effet, le principe provocateur d'un récit populaire tel que peut l'être un objet de légende, en l'occurrence le proverbe, la comptine ou le dicton de Baal. Élaboré à partir de cet « objet », le récit se voit naturellement dénué de toute valeur historique. Il n'en reste pas moins nourri d'un certain nombre d'éléments informatifs, témoins d'une époque, d'un lieu, de coutumes, de données immédiates qui constituent son *Sitz im Leben* par rapport auquel le qualificatif historique ferait pléonasme.

7. Cf. sur ce point le résumé de Soggin, p. 105.

comme destructeur de celui de Baal. Dans cette perspective il acquiert une importance capitale, même si, par rapport aux deux autres, il ne semble répondre à aucune question particulière [8]. En tout cas, même si demeure le problème de son origine et de sa constitution, étant donné le cadre dans lequel nous le trouvons aujourd'hui [9], ses données principales font rejeter Gédéon du côté du culte de YHWH, non du côté de l'action guerrière.

Ainsi se trouverait avérée une tradition de Gédéon champion du culte de YHWH, tradition qui dut être autonome, avant que ne survienne celle du chef de guerre dans des conditions précises, propres sans doute à l'élaboration de l'ensemble 3, 7-16, 31 du livre des Juges [10].

Ainsi le récit de l'offrande à l'Ange appartiendrait d'évidence à cette tradition ou tout au moins au souci rédactionnel de lui rester fidèle. Car même s'il appartient davantage à l'esprit des ordres de YHWH donnés à Gédéon dans le récit de vocation qu'au récit proprement dit de l'altercation entre Yoash et les gens de la ville, son isolement n'impose nullement le caractère guerrier de Gédéon : c'est ce à quoi est resté fidèle le rédacteur de l'étiologie du sanctuaire d'Ophra (6, 24) lequel, sans peut-être s'en douter,

---

8. Il est évident que nous ne pouvons tenir ici l'« explication » de l'étiologie finale (6, 24).

9. De fait, demeure irréductible le problème de l'introduction (originelle) de ce récit, auquel s'ajoute celui de la transition du v. 17 pour laquelle nous avons vu les variations d'un commentateur à l'autre, du moins de la part de ceux qui tenaient à la distinction de deux récits. Plus que jamais se vérifierait la « remarquable habileté » des rédacteurs à les fusionner (selon le constat de Soggin, p. 105).

10. Nous ne pouvons nous engager pour l'instant sur une priorité chronologique d'une tradition sur l'autre, aussi forte qu'apparaisse aujourd'hui l'élaboration à dominante guerrière de l'ensemble 3,7-16, 31. Il s'agit simplement de prendre acte d'une tradition « Gédéon champion du culte de YHWH » que la dérive de sens confirme. Comme nous l'avons dit précédemment, et aussi légendaire que soit le récit de la destruction du sanctuaire de Baal dans sa forme et son contenu, il témoignerait d'un état plausible de la religion dans ce contexte, notamment dans telle ou telle tribu d'Israël, et d'une lente, difficile et parfois violente irruption du culte de YHWH. Car de façon générale, on ne comprendrait pas ces fréquentes allusions à des constructions d'autels, depuis le livre de la Genèse jusqu'au livre des Juges, s'il n'y avait eu à imposer un culte sur un terrain et dans des cœurs déjà investis. L'histoire d'un Gédéon destructeur de sanctuaires de Baal et agissant de façon à la fois occulte et violente ne peut autrement s'expliquer. Et quelles que soient les conclusions auxquelles nous aboutirons quant à son action guerrière, reconnaissons qu'il n'y a aucun obstacle dans l'ordre de la vraisemblance à voir dans ce récit le témoignage d'une étape particulière de l'histoire de la religion d'Israël.

a ainsi confirmé l'esprit d'un autre état de la « légende » de Gédéon.

Dans la perspective gunkélienne, ce premier ensemble de récits présenterait donc, à partir d'un récit populaire aux limites de la farce — la découverte de la destruction du sanctuaire de Baal par les « gens de la ville » et de leur altercation avec Yoash (6, 27 ou 28-31) —, la constitution d'un récit sacré par adjonction d'une inspiration divine ou d'un ordre de YHWH donné au héros de ce récit (6, 25-26 ou 27).

À ce point de notre analyse, nous ne pouvons exclure un phénomène de contamination dans lequel seraient impliqués non seulement l'étiologie qui clôt l'offrande à l'Ange, mais également l'actuel récit de vocation (6, 11-16).

Il est clair désormais que nous avons affaire à deux types de récits, même s'ils sont aujourd'hui pris dans une intention sacralisante unificatrice [11] : un récit d'origine « profane », et des récits manifestement sacrés. Mais ce qui caractérise ces derniers dans le contexte immédiat est ce que nous avons déjà évoqué, à savoir la *présence d'un personnage surnaturel face à un héros humain,* Gédéon en l'occurrence, *sans tiers témoin.*

Alors que la suite du cycle de Gédéon nous présentera des récits à acteurs multiples, même s'il y a ici ou là une intervention surnaturelle (comme pour la scène du songe du soldat madianite : 7, 13-14), une telle « solitude » du héros humain face au héros surnaturel pose évidemment question quant à la nature et la signification de tels récits. À ce point de notre analyse, et dans la mesure où ils inaugurent l'ensemble du cycle de Gédéon et pas seulement le petit ensemble que nous venons d'étudier, ils ne peuvent recevoir une détermination parfaitement adéquate ou définitive [12].

De ce fait, nous pouvons déjà conclure à un caractère composite qui ne relèverait pas seulement des vicissitudes de la transmission des récits, mais d'une évolution, voire d'une élaboration révéla-

---

11. Non seulement celle de l'ensemble du cycle de Gédéon (et du livre des Juges !), mais celle qui est déjà perceptible dans le petit ensemble 6, 11-32.

12. Celle-ci ne pourra être donnée qu'au terme de l'étude du cycle de Gédéon, tout commencement aussi restreint ou étendu soit-il n'étant intelligible qu'en connaissance de la réalisation ou de l'accomplissement. On pourra certes objecter que c'est l'historiographie dans son principe même qui suppose une telle intelligibilité. L'écriture, toute écriture, est toujours faite *après coup.* Cependant, le principe se redouble ici du fait qu'il s'agit d'un récit originel destiné aussi (et surtout ?) à rendre compte de l'*ensemble* d'une histoire.

trice de processus intentionnels[13]. Passer de la « farce » à la détermination sacralisante par un ordre de YHWH, puis du récit ainsi sacralisé qui conserve son objet premier — l'altercation facétieuse entre Yoash et les gens de la ville —, à un ensemble d'où devra surgir dès son introduction un autre caractère et une autre mission pour le héros principal, relève de tout autre chose que du hasard ou même de la contrainte conservatoire.

Dans ces processus, le principe onomastique s'était imposé, jouant un rôle important, peut-être décisif. Un clan, Abiézer, un chef de famille, Yoash, un lieu, Ophra, quelle que soit l'indiscutable présence du héros principal, Gédéon, ont sûrement contribué à la fixation et à la cohérence de traditions, même s'il est difficile immédiatement de les établir dans le temps. En ce sens, un sanctuaire, quel que soit le cheminement suivi par les récits depuis leur origine populaire « profane », dut jouer un rôle décisif. Nous avons vu que la désignation ou plus exactement la nouvelle désignation de celui de *Baal-Shalom* devenu *YHWH-Shalom*, pouvait révéler un enjeu caractéristique d'une époque d'Israël, d'une étape de l'histoire de sa religion. Aussi, n'y aurait-il pas grand risque à imaginer que le premier « héros » de cette histoire ne fut peut-être pas tant Gédéon lui-même (ou Yoash) que ce sanctuaire situé à Ophra qui recevait ses lettres de noblesse, c'est-à-dire ses lettres de fondation « en YHWH » après une origine première en Baal.

Du coup reste en suspens la question du premier récit, le récit de vocation, celui de l'offrande à l'Ange pouvant finalement être « raccroché » au récit primitif — populaire — ultérieurement sacralisé. Nous révélant un Gédéon chef de guerre en sus sinon indépendamment d'un Gédéon constructeur d'autels à YHWH, il nous obligera à attendre que ce chef de guerre ait pour ainsi dire fait ses preuves afin que puissent être véritablement déterminés sa nature et son statut dans l'ensemble du cycle.

Se clôt donc ici, aussi provisoirement que ce soit, une étape de

---

13. Par là nous voulons signifier, dans l'esprit de J. GOODY (*La Raison graphique. La domestication de la pensée sauvage*, éd. de Minuit, Paris, 1979, en particulier le chapitre III, p. 85-107) que la maîtrise de l'écriture ne se réduit pas à n'être que le mode conservatoire de ce qu'a véhiculé un oral primitif et essentiel, mais qu'il implique quasi immédiatement le dépassement du seul souci conservatoire. À ce titre la Bible nous paraît exemplaire (notamment avec la confrontation et la fusion des différentes traditions primitives faisant surgir une sorte de sens « troisième »), le cycle de Gédéon en particulier, comme nous tenterons de le montrer dans son projet historien.

notre recherche. Elle nous a permis sinon de conclure fermement sur ce que nous avons acquis, déduit ou présupposé, du moins sur des données, non toujours perceptibles à première lecture, mais incontestables dès que l'analyse est quelque peu affinée.

Si la déduction de genres littéraires « populaires » comme la légende *(Sage)* et comme le récit sacré *(Legende),* si l'évolution de l'une à l'autre nous paraissent incontestables, seule la question de l'historicité ou du projet historien de ces récits (de tel ou tel de leurs éléments) comme de l'ensemble du cycle, nous permettra d'avancer un peu plus.

C'est dire que tout est encore loin d'être éclairci dans les récits de ce premier ensemble. Rappelons qu'ils se terminent maintenant sur une énigme, celle de l'étiologie et donc du nom de Yerubbaal (6, 32). Même si nous pouvons arguer du caractère tardif de toute étiologie, elle n'en est pas moins là, à un moment où elle paraît plus embarrassante qu'éclairante. Là encore, il faudra la prise en compte de l'ensemble du cycle où ce nom se rencontre à plusieurs reprises pour tenter de percer un mystère dont cette étiologie ne suffit manifestement pas à rendre compte.

CHAPITRE IX

RETOUR À LA VOCATION?

(6, 33-35)

Avec l'essai méthodologique du précédent chapitre, nous avons marqué une étape dans notre lecture du cycle de Gédéon, la *dérive de sens* constatée par rapport au récit de vocation confirmant une séquence particulière de ce cycle. Mais à plusieurs reprises nous avions dû faire allusion à un retour nécessaire à ce point de départ, marqué à la fois par le récit de vocation et par l'intégration de l'histoire de Gédéon à l'ensemble 3, 7-16, 31 du livre des Juges : en effet, quelles que soient les déductions qui s'imposent ou s'imposeront quant aux véritables origines de Gédéon et au processus rédactionnel de son cycle, reste claire l'intention générale de ce cycle de nous présenter un « sauveur » d'Israël dans un contexte d'action guerrière et en tout cas violente[1] contre ses ennemis. Ainsi, après l'« oubli » du destin militaire de Gédéon dans la succession des récits de l'offrande à l'Ange (6, 17-24) et de la destruction du sanctuaire de Baal (6, 25-32), quelques versets y ramènent.

Et tout Madiân et Amaleq et les fils de l'Orient se rassemblèrent et traversèrent (le Jourdain) et campèrent dans la plaine de Yizréel.
Et l'esprit de YHWH revêtit Gédéon
et il sonna de la corne
et Abiézer se groupa derrière lui.
Et il envoya des messagers dans tout Manassé
et lui aussi se groupa derrière lui

---

1. Si l'on peut effectivement ressaisir une action guerrière comme dominante de l'action des juges-héros de l'ensemble 3, 7-16, 31 (ainsi qu'y invite Richter (1963, excursus p. 177-186), non seulement cette action ne se réduit pas à la seule guerre, mais celle-ci peut même être absente d'un cycle entier comme c'est le cas avec Samson, auteur solitaire de coups de main particuliers qui n'ont qu'une lointaine parenté avec ceux d'un Baraq, d'un Jephté ou d'un Gédéon.

et il envoya des messagers en Aser et en Zabulon et en Nephtali
et ils montèrent à leur rencontre.
(6, 33-35, trad. litt.)

La première question qui se pose est naturellement celle de
l'isolement du texte. C'est de la façon la plus extérieure qui soit
qu'il peut être en l'occurrence délimité. Par la conclusion « nette »
d'un récit précédent (6, 32), il reçoit une justification d'introduction qui ne s'impose pas comme telle[2]. De même, à la fin, le « et
ils montèrent à leur rencontre » ne constitue pas non plus une
conclusion, même formelle ; elle annonce au contraire un événement que le récit qui suit, l'épreuve de la toison, ne dit pas. Mais
celui-ci s'avérant autonome[3] et donc détachable de ce qui le
précède, nous sommes ainsi contraints à reconnaître l'unité par
isolement de ces trois versets.

La sèche succession des données empêche de parler ici de récit,
même s'il y a entre le début et la fin une certaine progression. On
a plutôt affaire à une sorte de résumé, de condensé de faits
assurant la transition entre deux récits véritables[4]. C'est pourquoi
il paraît suffisant de parler d'un « sommaire » *évoquant* des récits
que par définition il ne rapporte pas, ce qui est évidemment loin
de le rendre négligeable.

À le considérer par les sujets agissant qui commandent ses
propositions, on peut distinguer quatre composantes principales :
celle qui désigne Madiân, Amaleq et les fils de l'Orient, celle qui
désigne YHWH (ou Son esprit), celle qui désigne Gédéon, et
enfin celle qui désigne Aser, Zabulon et Nephtali[5].

---

2. Il est évident ici que le « Et tout Madiân et Amaleq... » ne constitue pas une
introduction contraignante.

3. Cf. ci-dessous, chap. x.

4. Les traductions de la Bible qui introduisent titres et sous-titres « isolent » ces
versets (cf. *v.g.* la Bible de Jérusalem). Si Burney, dans son commentaire, ne
marque pas un tel isolement, Moore, Lagrange et Soggin notamment le font. Mais
aucun ne détermine par un mot cet ensemble ainsi isolé, prenant simplement acte
de son insertion entre deux récits caractéristiques (la destruction du sanctuaire de
Baal, 6, 25-32, et l'épreuve de la toison, 6, 36-40).

5. Un tel choix implique nécessairement une option et une perspective particulière d'analyse. Pour le justifier à cette étape de notre étude, nous dirons que nous
tenons compte de l'idée même de cycle de récits regroupés autour d'un nom de
héros, Gédéon en l'occurrence, voué à une tâche précise, la délivrance d'Israël du
joug madianite. Si le héros entre en conflit avec un ennemi, s'il bénéficie d'une
aide, il importe de voir quel est cet ennemi et d'où vient cette aide. Par conséquent, s'impose la prise en considération des différents protagonistes qui font, eux
aussi, de ce cycle le cycle de Gédéon, dans ce sommaire précisément.

Dans la sécheresse de leur succession, ces quatre propositions n'offrent pas toutes un enchaînement évident ou contraignant de cause à effet. En rigueur de termes, le rassemblement de Madiân, d'Amaleq et des fils de l'Orient n'engendre pas nécessairement l'action de l'esprit de YHWH ; celle-ci n'engendre pas davantage la convocation par Gédéon d'Abiézer sur sonnerie de corne. Seule en fin de compte la convocation d'Aser, de Zabulon et de Nephtali explique qu'« ils montèrent à la rencontre » d'Abiézer et de Manassé déjà regroupés.

On pourra certes objecter que c'est le propre d'un sommaire de présenter ainsi les choses. À y regarder de près cependant, en tenant compte en particulier du jeu de cause à effet des deux dernières propositions, on doit se demander si les autres propositions ne sont pas davantage que simplement juxtaposées. Autrement dit, y a-t-il là, même en tenant compte de la nature du sommaire comme tel, *unité rédactionnelle,* aussi artificielle soit-elle ?

Deux de ces composantes sont connues et font répétition : la formule d'ouverture et celle de l'intervention de l'esprit de YHWH. La formule d'ouverture se trouve déjà au début du cycle, lors de la présentation du contexte dans lequel s'inscrit l'histoire de Gédéon (6, 3) :

Et il arrivait que si Israël semait, montaient Madiân et Amaleq et les fils de l'Orient... [6]

Or la même évocation se retrouve au moment de la bataille :

Et Madiân et Amaleq et tous les fils de l'Orient étaient répandus dans la plaine... (7, 12a.)

Il y a donc là une sorte de *refrain,* même si le verbe employé le rattache de façon spécifique au contexte précis [7].

---

6. Sur le problème historique posé par ce v. et les v. parallèles, cf. ci-dessous, chap. XXIII.

7. 6, 3 : *'lh,* « monter (d'un lieu à un autre) », sans connotation particulière, militaire ou autre ; 6, 33 : *n'sphwu* (nifal de *'sph*), « se rassembler, se regrouper (pour la guerre) » (cf. Gn 34, 30 ; Jos 10, 5 ; Jg 9, 6 ; 10, 17 ; 20, 11 ; 1 S 13, 11) ; 7, 12a : *nophlym,* si le verbe signifie généralement « tomber » ou « être couché », « être étendu », il semble qu'ici la comparaison avec les sauterelles, teinte assez nettement le sens du verbe et du même coup le précise. On pourrait traduire « se tenir comme des sauterelles », non seulement en raison du nombre, mais comme prêts à bondir. Ainsi, le refrain serait constitué par l'énumération des ennemis,

L'autre formule déjà connue est celle de l'intervention de l'esprit de YHWH. En effet, même si là aussi le verbe est différent, la mention de l'esprit appartient manifestement au bagage rédactionnel de l'ensemble 3, 7-16, 31. Ainsi, dès le début de cet ensemble, « l'esprit de YHWH fut sur (Otniel) » (3, 10), comme plus tard il sera sur Jephté (11, 29). Mais c'est Samson qui bénéficiera le plus de son intervention : dès son enfance « l'esprit de YHWH commença à l'agiter » (13, 25), puis il « fondit sur lui » au moment de déchirer un lion (14, 6) comme au moment de tuer trente hommes (14, 19).

Ces différentes interventions ne peuvent en fait être confondues. Dans le cas de Samson, liées à des épisodes particuliers, elles sont ponctuelles ; elles peuvent donc se répéter. Et même si la première mention de l'esprit semble inaugurale (13, 25), sans effet immédiat à la différence des autres interventions, elle garde quelque chose de particulier.

Ce sont donc celles de l'esprit sur Otniel et Jephté qui peuvent vraiment être comparées avec celle sur Gédéon. Mais rappelons tout de suite que seul Gédéon est *littéralement* « *revêtu* » de l'esprit, tandis que celui-ci *est sur* Otniel et Jephté. Avec Otniel, l'intervention de l'esprit commande pour ainsi dire à la fois son état de juge et sa campagne contre Kushân-Risheatayim. Avec Jephté, « l'esprit de YHWH fut sur lui » au moment où il parcourt Galaad et Manassé afin d'aller battre les Ammonites.

En outre, malgré leurs particularités, ces deux interventions ont en commun une fonction non négligeable, celle de « consécration », c'est-à-dire de sacralisation par intervention divine, de la personne et de la tâche d'Otniel et de Jephté, pour lesquels aucun récit de vocation n'est rapporté. La comparaison avec le cycle de Gédéon, permet déjà de conclure que pour celui-ci, l'intervention de l'esprit de YHWH fait en quelque sorte *double emploi* avec son récit de vocation [8].

---

non par les verbes. Remarquons que ces trois versets rapprochés marquent une *progression* dans l'attitude des ennemis vis-à-vis d'Israël, jusqu'à la préparation immédiate de la bataille.

8. Il nous a paru curieux qu'à notre connaissance tout au moins, ce fait n'ait pas été davantage perçu. Il y a certes là une difficulté dans la chronologie des textes. En effet, à s'en tenir au constat de Soggin (cf. p. 114, n. 12), l'expression en référence à 1 Ch 12, 19, 2 Ch 24, 20 et Jb 29, 14 relèverait d'un vocabulaire tardif, exilique, voire post-exilique. Dans ces conditions, le récit de vocation devrait être considéré comme plus tardif encore. En fait, la question de la situation chronologique de ces textes est sans doute secondaire par rapport à celle des

On peut certes penser que cette intervention est liée, par-delà la sonnerie de corne, aux seules convocations d'Abiézer, de Manassé, d'Aser, de Zabulon et de Nephtali en vue de la bataille contre les ennemis d'Israël. Elle aurait donc un effet immédiat, la préparation de cette bataille. Mais la comparaison avec le « sommaire » d'Otniel et avec le cycle de Jephté empêche de voir aussi simplement les choses : pourquoi l'investissement de Gédéon par l'esprit de YHWH n'aurait-il pas suffi pour cette tâche comme il semble avoir suffi pour Otniel et Jephté ?

D'autre part, il nous faut tenir compte de la force du terme ici employé. Gédéon est *revêtu,* littéralement, avons-nous dit, c'est-à-dire à la manière d'un vêtement, comme si l'esprit lui tenait désormais au corps, sinon tout à fait à la différence d'Otniel ou de Jephté, mais sûrement à la différence de Samson sur lequel l'intervention de l'esprit a quelque chose d'aussi éphémère que violent.

Si donc nous tenons compte de ce qu'indique le rapprochement avec l'histoire d'Otniel et de Jephté, de la force du terme employé, nous devons nous demander si cette intervention de l'esprit ne constitue pas la « vocation » première de Gédéon. Autrement dit, n'aurions-nous pas ici, dans cette « investiture » de Gédéon, le véritable début de son histoire, étroitement liée, comme en Otniel et Jephté, à son action guerrière[9] ?

En fait se pose ici une question qui déborde le cycle de Gédéon. Dans quelle mesure les condensés qui caractérisent les différents juges (Otniel, Éhud, Shamgar, les « petits Juges » en 10, 1-5 et 12, 8-15), en dehors de ceux qui disposent d'un véritable cycle,

---

différentes conceptions qui président à leur composition. Il vaut peut-être mieux partir de la distinction de deux langages, un langage « Ange de YHWH » et un langage « esprit de YHWH » (sans oublier « YHWH » tout court). Le langage « Ange de YHWH » (et « YHWH ») intègre, dans le cycle de Gédéon, le surnaturel à un véritable récit, engendrant un héros comme tel ; le langage « esprit de YHWH » procède par affirmation, comme une explication verbale rendant compte d'un changement de situation ou de comportement, sans intervention d'un autre « héros », fût-il surnaturel. Même si Moore (p. 87-88) paraît plus disert sur l'utilisation de l'« esprit de YHWH » dans l'A.T., les commentateurs se contentent le plus souvent de dresser le constat de cette intervention de l'esprit. Richter (1963) soulève la question à propos de la « guerre sainte » (p. 179-180), rapprochant l'expérience de Gédéon, non seulement de Jephté et de Samson comme nous l'avons fait à la suite des commentateurs cités, mais aussi de Saül (1 S 10, 6.10 ; 11, 6 ; 16, 14.23 ; 18, 10 ; 19, 9) et de David (1 S 16, 13 ; 19, 23).

9. Nous posons là une question à laquelle nous ne pourrons répondre qu'au terme de l'analyse du cycle de Gédéon. Elle relève, en effet, de l'écriture même de l'histoire, de l'organisation de données, voire de leur valeur historique, et de l'intention qui a présidé aux différentes étapes de l'élaboration du cycle.

peuvent-ils être considérés comme plus anciens que les récits qui constituent ces cycles [10] ? Pareille question ne peut sans doute obtenir réponse qu'au cas par cas. Mais dans le cas précis de Gédéon et en comparaison avec l'histoire d'Otniel et celle de Jephté, se pose, par rapport à son récit de vocation, une question sur laquelle il faudra revenir.

Ce sommaire ne se réduit pourtant pas à l'investiture de Gédéon par l'esprit de YHWH, aussi importante soit-elle. Il nous plonge dans ce que le cadre introductif du cycle et le récit de vocation nous laissaient attendre, l'action guerrière de Gédéon. S'agit-il d'un simple rappel des choses après la dérive des précédents récits ou d'un véritable départ ? Ce sommaire n'est-il que le produit d'une série de propositions plus ou moins indépendantes signalées au début de ce chapitre ?

La réponse à ces questions devra attendre la fin de l'analyse du cycle. Mais dès maintenant, quelques éléments utiles à cette réponse peuvent être pris en compte.

Si l'on doit effectivement tenir le caractère successif de ces propositions et constater la lâcheté, pour ne pas dire l'inexistence de leurs liens, grammaticalement et syntaxiquement s'entend, il est à noter cependant que de telles propositions constituent une réelle cohérence. Elles font passer le lecteur d'une provocation à la guerre par le rassemblement des ennemis d'Israël en un lieu donné, la plaine de Yizréel (6, 33), à la préparation de la riposte par convocation des tribus et clans. L'artisan de cette action ou plus exactement de cette réaction est Gédéon, un Gédéon « revêtu » pour cela de l'esprit de YHWH et, sans aucun doute, dans la logique du livre des Juges. Certes, on peut toujours reconnaître dans cette suite de propositions des traditions différentes. Le résultat n'en est pas moins là : *ce sommaire fonde de façon suffisante une action que rapporte la suite du cycle.*

Nous avons déjà discuté de la valeur des informations ici contenues, notamment en ce qui concerne Madiân et l'adjonction

---

10. Rappelons que Richter (1963) établit, à l'origine de la composition du livre des Juges, un « livre des sauveurs » *(Retterbuch)* auquel aurait appartenu la section sur Éhud telle qu'on la lit encore aujourd'hui (3, 15b-26), l'épisode de Yaël (4, 17a. 18-21.22) et certains passages du cycle de Gédéon (7, 11b. 13-21 ; 8, 5-9.14-21a) et la conclusion de ce livre en 9, 56. Ce « livre des sauveurs » aurait été complété par l'adjonction d'une série de matériaux qui auraient nettement orienté le livre original en « livre des guerres de YHWH », puis une double rédaction deutéronomiste aurait parachevé l'œuvre.

d'Amaleq et surtout celle des fils de l'Orient [11]. Il nous faudra y revenir comme il nous faudra revenir sur les tribus et clans d'Israël ici mentionnés. Qu'il suffise pour l'instant de rappeler la signification de ce sommaire en cet endroit du cycle et comment il s'y insère, notamment par rapport au récit qui le suit, l'épreuve de la toison [12].

Il relève tout d'abord de la nécessité de lecture, comme nous l'avons remarqué à plusieurs reprises. Après l'offrande à l'Ange et la destruction du sanctuaire de Baal, ayant en quelque sorte fait oublier l'introduction générale du cycle (6, 1-6) et le récit de vocation (6, 11-16), il était temps de revenir à leur intention première. En ce sens, le rassemblement de Madiân, d'Amaleq et des fils de l'Orient ramène en refrain le lecteur à la réalité de l'oppression subie par Israël. Corrélativement, dans la mesure où une telle oppression amenait YHWH à susciter un sauveur à Israël, il était temps également de rappeler que Gédéon, avec l'assistance de Son esprit, avait bien été désigné pour le salut et pas seulement pour faire des offrandes, détruire les autels de Baal et en construire à YHWH. En ce sens, ce sommaire était rédactionnellement *nécessaire* aussi composite puisse-t-il être ; il est donc ici bien à sa place.

Le récit qui suit, l'épreuve de la toison (6, 36-40), ne marque pas seulement l'autre limite de ce sommaire. Si, comme nous allons le voir dans le prochain chapitre, il soulève un certain nombre de questions, l'élaboration des récits précédents permet de lui reconnaître dès maintenant un rôle précis par rapport à un donné important de ce sommaire.

---

11. Cf. ci-dessus, chap. II, et ci-dessous, chap. XXIII.

12. Même si nous sommes prêt à reconnaître à la suite de Soggin qu'il y a là le produit « d'une spéculation historiographique et probablement aussi théologique » (p. 115), l'affirmation antécédente paraît quelque peu hâtive et en tout cas mal fondée : « Dans son état actuel ce texte tient à montrer, comme en 6, 1 sq., que l'incursion par l'est n'est pas quelque chose d'occasionnel, de contingent, de limité dans le temps, dans l'espace ou quant aux participants, mais que c'est une part intégrante d'un plan cohérent, dans lequel une coalition de peuples de l'Orient envahit la terre d'Israël. C'est pourquoi les temps sont mûrs pour un appel général aux armes à toutes les tribus du Nord. Apparaissent ainsi Manassé, la tribu des Abiézérites, Zabulon et Nephtali juste au nord de la plaine et, un peu hors de portée parce que située à l'extrémité nord-ouest, le long de la Méditerranée, Asher. » Si l'on peut suivre Soggin lorsqu'il constate qu'il « n'est fait aucune mention de dangers pour les autres tribus situées plus au sud, comme le voudrait 1, 4 », plus contestable nous paraît le propos selon lequel « la thèse du récit dans son état actuel et dans son contexte est que Gédéon, divinement désigné, peut maintenant être doté de l'esprit de Dieu, renforcé qu'il est par sa lutte contre le syncrétisme cananéen... » (p. 115). Il nous semble qu'il y a là davantage un commentaire spirituel qu'un véritable compte rendu de l'affirmation.

En effet, dans l'état rédactionnel actuel du cycle, le récit de vocation est immédiatement suivi par une demande de signe (6, 17). Quelle que soit la dérive que marque cette demande, elle ne s'en inscrit pas moins dans une sorte de logique : la vocation de Gédéon de sauver Israël est désormais agrémentée de cette demande, même si la suite du récit éloigne le lecteur de cette vocation [13]. Or, nous avons ici une sorte de parallèle : après son investiture par l'esprit de YHWH et avant d'engager la bataille, Gédéon provoque YHWH afin qu'Il lui prouve qu'Il entend bien « délivrer Israël par (sa) main » (6, 36).

Ce sommaire se révèle donc doublement nécessaire à cet endroit du cycle : comme rappel d'une « vocation » que le lecteur a eu le temps d'oublier, et comme fondement de cette vocation par l'intervention de YHWH (Son esprit) même si la possibilité de demande d'un signe reste seulement ouverte.

Nous n'avons pas, pour l'instant, à trancher quant à l'histoire rédactionnelle qui situerait ce sommaire par rapport au récit de vocation comme par rapport au cadre introductif (6, 1-6). Il nous suffisait de le signaler avant d'aborder le problème du récit suivant et de l'engagement de la bataille.

---

13. Cf. ci-dessus, chap. III. Il est dommage que RICHTER *(Die sogenannten vorprophetischen Berufungsberichte, op. cit.)* ne fasse que mentionner l'épisode de la toison comme « ein weiteres Zeichen » (p. 164). Il nous semble qu'il y a là, rédactionnellement, un appui à sa thèse d'un schéma de récit de vocation, à notre sens manifestement repris ici dans l'organisation des différents éléments dont est constituée cette fin du chapitre 6.

CHAPITRE X

L'ÉPISODE DE LA TOISON

(6, 36-40)

Ce bref épisode, parfaitement délimité tant par ce qui le précède et ce qui le suit que par son unité interne, pose pourtant une série de questions auxquelles il n'est pas toujours aisé de répondre. Les unes tiennent à la place du récit dans le cycle de Gédéon[1], les autres à sa composition et à son contenu.

Il ne présente pas à proprement parler d'introduction. Il commence de façon abrupte (« Et Gédéon dit à Dieu... »)[2] et se conclut sans souci explicite d'enchaînement avec ce qui le suit ni même sur un artifice comme peut l'être une étiologie. Il maintient cependant la cohérence avec le sommaire qui le précède puisqu'il s'ouvre sur l'« hypothèse » que Dieu (El-Élohim sinon YHWH) entend sauver Israël par la main de Gédéon (6, 36).

La première question qui se pose est de savoir s'il est un effet immédiat du rappel de l'investiture de Gédéon par l'esprit de YHWH ou s'il faut lui présupposer un autre récit ? Mais la dénomination divine en « El-Élohim » (6, 36-39) et « Élohim » (6,

1. Cf. Soggin : « Il n'y a aucun doute sur le fait que ce passage soit hors de son contexte : la preuve que Gédéon demande à YHWH est en relation avec sa vocation, cf. les v. 17 sq. dont ce texte semble être un parallèle... » (p. 116.) Ce rapprochement, classique depuis Budde et Moore, avec le récit de vocation, appelle bien des explications qui forcent Soggin, un peu plus loin, à le relativiser ; cf. notre propre position quant à ce rapprochement, ci-dessus, p. 101-102.
2. De Moore à Soggin, il est caractéristique de constater le « non-isolement » pratiqué par la plupart des commentateurs. Si Soggin, comme nous l'avons rappelé dans la note précédente, rappelle qu'il « n'y a aucun doute » quant au déplacement de ce passage, Moore rattache cet épisode au récit de vocation, et sinon en prolongement direct, du moins en parallèle (p. 198). Plus explicite ou plus précis, Burney voit là la trace d'un autre appel de Gédéon (p. 178). Naturellement, la désignation d'Élohim lui crée une difficulté pour rattacher ce récit à celui de la vocation qui est en « YHWH ». Quant à Richter (1963), si 6, 17-21 et 6, 36-40 sont en doublet (p. 116), l'épisode de la toison entre vraiment dans la catégorie des « petites unités » (p. 117).

40) qui marque de bout en bout ce récit amène à l'exclure de l'ensemble du cycle manifestement « yahvisant » et dans lequel il apparaît doublement isolé, par cette dénomination[3] comme par l'encadrement externe.

Faut-il alors conclure à une sorte d'aérolithe tombé dans le champ du cycle, même s'il lui reste intégré par le nom de Gédéon et par la perspective de la délivrance d'Israël par sa main ? Sur ce dernier point cependant, le récit nous laisse dans l'inconnu ou le vague : de quel « ennemi » ou de quoi la main de Gédéon doit-elle sauver Israël[4] ? Alors que l'ensemble du récit désigne Madiân, ici l'ennemi n'est pas seulement anonyme, il n'est qu'implicitement évoqué. Autrement dit, abstrait du contexte dans lequel il se trouve aujourd'hui inséré, le récit ne dit rien de l'identité de l'« ennemi » dont Gédéon devrait délivrer Israël. À quoi il faut ajouter le fait même de la désignation d'*Israël.*

En effet, le sommaire précédent nous a rappelé à un certain nombre d'indications fournies par les récits antérieurs concernant Abiézer et Manassé, Gédéon adressant naturellement des messagers pour la levée de troupes à ce clan et à cette tribu, et, en dehors d'eux, à Asher, Zabulon et Nephtali. Cependant, au cours du récit de vocation il n'était question que de « sauver Israël » (6, 14.15) comme dans l'introduction générale c'était les *Israélites* (6, 1.2) ou *Israël*[5] (6, 3.4.6) qui avaient péché et subissaient en châtiment la dure oppression de Madiân et de ses alliés. Mais en dehors de ces lieux de généralisation, les récits gardaient quelque chose de particulariste qui se trouvera confirmé par la suite, au cours de la

3. Même si nous nous démarquons de la plupart des commentateurs de la fin du xixe siècle et du début du xxe quant à la prise en compte des documents J et E dans le livre des Juges, nous maintenons que ces différences de désignation de Dieu marquent d'une façon ou d'une autre l'origine d'un récit, empêchant toute fusion immédiate ou originelle avec un récit portant une autre désignation. Il est vrai, comme nous le disons à plusieurs reprises au cours de cette analyse, que la même désignation de Dieu en Élohim (sinon en YHWH) ne garantit nullement pour nous l'appartenance de différents textes de ce cycle à une même tradition ou à un même ensemble littéraire ou religieux. (À notre avis, l'ouvrage d'A.W. JENKS, *The Elohist North Israelite Traditions,* Montana, 1977, pèche en ce domaine, même si le cycle de Gédéon − et le livre des Juges − est hors de son propos.)
4. Cette question est d'autant plus aiguë que dans ce cycle la désignation des ennemis réserve des surprises jusqu'à la fin, c'est-à-dire jusqu'en 8, 24 où apparaissent les Ismaélites. Sur ces divers ennemis, cf. ci-dessous, chap. xxiii.
5. Si l'on peut ici parler de « doublet » avec le récit de vocation comme le font plusieurs commentateurs et en particulier Richter (1963), cette mention générale d'Israël et des Israélites est sans nul doute un argument favorable.

guerre, même si, là encore, *Israël* et les *Israélites* seront nommés (cf. 7, 2.15b ; 8, 22.27b).

Or, dans ce récit de l'épreuve de la toison, seul Israël est mentionné, comme s'il n'était plus question de se souvenir des origines précises de Gédéon ni du contexte limité, géographique et social, dans lequel il évolue d'un bout à l'autre de son cycle. En bref, l'unité qui se dégage ainsi ne fait tenir ce récit à l'ensemble du cycle que par la désignation de Gédéon et par l'évocation discrète ou atténuée d'une éventuelle action guerrière de sa part en faveur d'Israël de sorte qu'*il aurait pu être rapporté de n'importe quel autre juge ou chef d'Israël dans n'importe quel autre contexte de délivrance.*

Cette particularité est naturellement renforcée par le contenu et sans doute, s'il est possible de le préciser, par le genre littéraire de ce récit.

Du point de vue des héros, il nous ramène à un questionnement déjà engagé à propos du récit de vocation, de celui de l'offrande à l'Ange, voire de la préparation de la destruction du sanctuaire de Baal (6, 25-26) : le héros humain se trouve *seul* en présence d'un héros surnaturel. Mais alors que les deux premiers épisodes introduisaient l'Ange de YHWH avec une certaine mise en scène, ici il est seulement dit que les deux héros « parlent », de sorte qu'il est difficile de figurer la scène [6].

D'autre part, du point de vue du déroulement dans le temps et à la différence de ces épisodes antérieurs, celui-ci suppose une durée d'au moins quarante-huit heures entre le moment de la première demande de Gédéon à Dieu et le terme, une première nuit permettant la rosée du matin, une nouvelle journée préparant à une seconde nuit pour la contre-épreuve de la découverte, un nouveau matin, de la toison sèche au milieu du sol humide. En effet, si l'offrande à l'Ange supposait le *temps d'un aller-retour* pour préparer la viande, si l'apparition de YHWH se fait *la veille* ou *la nuit précédant* la destruction du sanctuaire de Baal, seul cet épisode implique une aussi importante durée de laquelle rien ne nous est dit, comme si comptait uniquement le jeu de l'épreuve et de la

---

6. À la façon dont certains commentateurs abordent la question de la « représentation » de cette scène, on s'étonne de la facilité avec laquelle est introduite l'idée de songe ou de vision nocturne. Outre le fait que rien de tel n'est précisé ici alors que la Bible, A.T. et N.T., l'explicite par ailleurs, on voit mal la raison d'une telle hypothèse. Ainsi Moore, se référant à l'habitude (?) de E parle de rêve ou de vision nocturne (p. 198). Lagrange lui emboîte ici le pas. Burney suggère « the medium of a vision » (p. 178).

contre-épreuve. On est pourtant en droit de se demander comment Gédéon se comporta entre-temps, s'il rencontra d'autres gens, s'il garda ou non le secret, s'il s'adonna à d'autres occupations ou, au contraire, s'il demeura dans une sorte de retraite [7].

Par ailleurs, et à la différence des précédents récits à confrontation d'un héros humain et d'un héros surnaturel, le héros humain a ici l'initiative de la « rencontre » et conserve de bout en bout cette initiative. Dieu se soumet à chaque fois à Gédéon qui demande en fait une confirmation que les ordres précédents, aller guerroyer contre Madiân dans le récit de vocation, et détruire le sanctuaire de Baal, ne supposaient pas.

L'« action » proprement dite du récit est constituée par les deux « temps » assurant la contre-épreuve [8]. Or c'est dans cette contre-épreuve qu'à notre sens se manifeste la réalité plénière du prodige et par là la véritable preuve ou la preuve définitive que Dieu veut « délivrer Israël par la main » de Gédéon [9].

En effet, si Gédéon s'était satisfait de la première épreuve, la toison humide sur un sol sec à l'entour, il n'y aurait eu là que la confirmation somme toute banale de la demande faite à Dieu, un simple signe. Mais que l'image soit pour ainsi dire « inversée » après une nouvelle demande de Gédéon et le prodige se trouve non seulement confirmé mais constitué dans une irréductible originalité qui le rend décisif : les deux seules possibilités ont été épuisées.

Se pose alors une double question, celle de l'intégration de ce récit au cycle de Gédéon et celle de sa nature.

Nous avons suggéré une voie d'intégration de ce récit selon une possibilité de lecture en parallèle de la demande de signe qui suit actuellement le récit de vocation (6, 17) : de la même façon que

---

7. Un tel questionnement peut paraître vain dans le cadre d'une analyse qui se veut d'abord littéraire et qui s'appuie pour cela sur des théories « folkloristes ». Il est clair, en effet, que dans la perspective gunkélienne, seule compte en définitive la « conclusion » du récit pour laquelle tout est élaboré de façon stricte et exclusive. Cependant, puisque ce récit se trouve pris dans un projet manifestement historien où les aspects du temps et de la durée sont pris en considération et explicités, de telles questions surgissent, à moins que leur refoulement (ou l'impossibilité de recevoir réponse) contribue à la détermination d'un genre littéraire et donc d'un *Sitz im Leben* particuliers.

8. Comme à l'accoutumée, c'est Richter (1963) qui nous paraît le plus précis ou le plus attentif dans l'analyse (p. 210-216). Notre perspective de recherche étant différente, nous nous séparons de son analyse.

9. Cf. Moore, p. 198 et Burney, p. 204.

le récit de vocation débouche actuellement sur cette demande de signe, de la même façon l'investissement de Gédéon par l'esprit de YHWH dans le sommaire (6, 34) débouche sur ce récit. Par là, le récit de la toison relève d'une certaine tradition biblique qui intègre à l'initiative de Dieu à l'égard d'un homme, l'exigence par cet homme d'une confirmation de la mission confiée ou de son origine divine [10]. Malgré cela, les liens qu'un tel récit entretient avec le reste du cycle demeurent assez lâches, ce que confirme ou renforce la désignation de Dieu en El et Élohim.

Manifestement allogène, un tel récit ne pouvait donc qu'être artificiellement intégré à ce cycle. Cependant, venant *après* la convocation des clans d'Israël et *avant* les préparatifs immédiats du combat, n'évoque-t-il pas aussi une fonction précise, celle de la « consultation divine » qu'on trouve en Israël comme dans les cultures avoisinantes [11] ?

La « sollicitation » de Dieu dont Gédéon a l'initiative, la situation chronologique de l'épisode avant la préparation immédiate d'une action guerrière, la nature même de l'épreuve et sa contre-épreuve peuvent jouer en faveur de cette hypothèse, ne serait-ce que pour justifier un ordre rédactionnel [12]. Mais s'y oppose d'abord le fait que cette consultation de Dieu n'est pas présentée comme telle, avec les résonances magiques qu'elle conserve en d'autres lieux de l'Ancien Testament. Surtout elle apparaît en tant qu'initiative de la part de Gédéon, comme une sorte de prière qui

---

10. Cf. ci-dessus, chap. IX, n. 13.

11. Dans sa relativisation du parallélisme (ou du doublet) que cet épisode présenterait avec la demande de signe qui suit le récit de vocation (6, 17), Soggin fait remarquer à juste titre qu'en 6, 11-24 « la preuve doit rassurer Gédéon sur l'identité de son interlocuteur ; ici elle porte sur l'issue de sa mission *et elle assume donc le rôle de présage* » (p. 117 ; c'est nous qui soulignons). Cependant, pour les raisons données précédemment (désignation de Dieu en El-Élohim, personnages en scène, caractères ou silence de la mise en scène, etc.), nous ne pouvons partager la position de Kaufmann que Soggin reprend à son compte, faisant de 6, 11-24 et 6, 36-40 « une séquence » dans laquelle se conjugueraient « d'abord la preuve d'identité, puis la preuve-présage sur le succès de la mission » (p. 117).

12. Pour Soggin, il y a là le « souvenir d'un cas de divination : avant la bataille, les adversaires avaient l'habitude de recueillir des présages favorables ou défavorables par des techniques transmises par la tradition, et la preuve de la laine et de la rosée a tout l'air d'en être une » (p. 117). Cependant, « la contre-épreuve semble encore moins évidente (v. 38-40) ; mais ici intervient la nécessité d'être convaincant, nécessité qui était absente de l'élément précédent » (p. 118). Aussi ne faut-il pas craindre de s'évader de la seule aire culturelle israélite. La recherche d'une confirmation par le consultant est un phénomène classique ; cf. par ex. HÉRODOTE, *Histoires*, I, 6 sq., le comportement de Crésus, ou encore celui de Darius...

ferait appel à la grâce de Dieu[13]. Une telle démarche, avec son
inquiète adjuration (« Ne t'irrite pas contre moi si je parle encore
une fois »), n'est pas sans modèle dans l'Ancien Testament.
Abraham (cf. Gn 18, 22-33)[14] et Amos (cf. Am 7, 1-6) en
témoignent.

Certes, dans ces deux cas, il est question du salut soit d'une
ville, soit de Jacob-Israël menacés par un juste châtiment divin, ce
qui n'est évidemment pas en jeu dans la scène de la toison. Mais
le schéma de la démarche est le même : à la seule *initiative du
personnage humain,* patriarche, juge ou prophète, correspond la
soumission de Dieu auquel est prêté le risque de l'irritation ou de
l'agacement.

Mais notre récit est loin de se réduire à ces deux composantes.
L'objet de la demande, l'épreuve et la contre-épreuve de la rosée
sur une dépouille de mouton, garde quelque chose d'extraordinaire, et d'abord par le caractère extrinsèque du signe par rapport
à l'enjeu. Cet épisode a, en effet, quelque chose de gratuit, voire
de fantaisiste[15].

Par ailleurs, aucun écho ne le prolonge dans la suite du
cycle. Par là il est encore confirmé dans son isolement, dans sa
particularité. Pourtant il ne marque aucune dérive par rapport
à la dominante d'un cycle voué à un juge sauveur militaire
d'Israël.

Dès lors, compte tenu de tous ces constats qui particularisent
au maximum un tel récit, de quel genre littéraire peut-il témoigner ?

À notre avis, la conjonction de trois constats, le caractère
extraordinaire de l'épisode, l'indifférence de la narration à ce qui
le rendrait plausible ou vraisemblable en le liant organiquement à

---

13. En attendant de nous prononcer sur l'intégration de ce récit et de ce qu'il
peut véhiculer de souvenirs divinatoires, cf. l'opinion de Soggin : « L'interprétation et la rédaction postérieures ont ensuite éliminé tous les éléments qui auraient
pu être considérés comme scandaleux, que sont justement les techniques divinatoires, en les remplaçant, déjà à l'époque pré-deutéronomique par le récit actuel »
(p. 117).

14. Pour Moore (p. 199) comme pour Lagrange (p. 130), l'adjuration de
Gédéon de 6, 39 a été empruntée à Gn 18, 32.

15. Selon B. MARGALITH, « The Episode of the Fleece (Judges 6, 36-40) in the
Light of Ugaritic » (*Shnaton,* 5-6, 1982, en hébreu, résumé anglais), il y aurait là
l'écho d'une technique pour recueillir l'eau de rosée, technique qui n'exclurait pas
la divination et pourrait même l'avoir fondée. À signaler aussi que le motif de la
rosée existe en de nombreux contes.

l'ensemble du cycle, l'intérêt enfin qu'il suscite en lui-même et qui le justifie dans ce qu'on peut considérer comme son autonomie propre, conduisent à l'apparenter au conte [16]. Il fait contraste en tout cas avec des genres proches comme la légende, qui obéissent à des motivations utilitaires, notamment par l'étiologie explicite ou implicite.

Sans doute n'avons-nous affaire là qu'à un récit extrêmement bref, une sorte de canevas, ce qui n'a rien d'étonnant dans l'habituel et caractéristique condensé biblique. Sans le privilégier outre mesure, ce caractère de condensé permet aussi l'intégration à un ensemble qui, opposé dans son principe de projet historien à toute forme imaginaire, ne l'exclut pas. Depuis le début du livre de la Genèse nous devons être habitués à ces collections plus ou moins rédactionnelles faites de récits relevant de genres littéraires différents, manifestant pourtant, quitte à le gêner ici ou là sans parvenir à l'anéantir, ce qui fait ce *projet historien* de la Bible.

Un élément limite cependant la référence exclusive au conte, la référence sacrale, plus précisément à Dieu, dans le cadre d'une demande de confirmation qui relève à la fois d'une vision et d'un contexte théologiques précis [17]. On pourrait sans doute arguer du caractère générique des termes El et Élohim typiques de ce récit pour atténuer cette dimension sacrale (ou théologique). De même pourrait-on évoquer les références de nombre de contes au monde « surnaturel » et voir dans El et Élohim les échos dénaturés ou

---

16. Malgré la distinction de genre littéraire qu'il fait justement dans le rapprochement de ce récit avec le double récit de vocation et de l'offrande à l'Ange (6, 11-24), nous ne pouvons suivre Soggin dans sa détermination du genre littéraire de ce récit : « ... le genre littéraire des deux textes semble également différent : le premier est la légende cultuelle d'un sanctuaire, donc un genre littéraire bien défini, alors que ce texte est une légende anecdotique à l'état pur, avec des tendances moralisatrices et édifiantes semblables à celles que nous trouvons dans le judaïsme rabbinique où les personnages de l'histoire ancienne (David, Salomon, etc.) présentent à Dieu une requête "étrange" ou en reçoivent une, tout aussi étrange, de la part de Dieu. En guise de réponse, on a souvent un miracle ou, de la part de l'homme, une observation particulièrement fine » (p. 117). Richter (1963) ne se prononce pas aussi nettement sur un genre littéraire particulier, insistant sur l'intervention de Dieu pour trouver des points d'ancrage dans l'A.T. lui-même (p. 214-216). Il rappelle cependant les propositions d'E. Nestle (1909) et de N. Schultz (1910), lesquels, en référence à la culture grecque, voyaient dans cet épisode des motifs de mythologie et de conte, ce qui n'excluait pas la dimension religieuse (p. 214, n. 243).

17. Sur ce point, nous rejoignons tout à fait la position de Richter (1963) − cf. ci-dessus, n. 2 −, même si nous maintenons le passage par le « conte », fût-il édifiant.

atténués de quelque génie du matin ou de la rosée dans la perspective de certaines théories folkloristes [18].

À vrai dire, dans son état actuel, un tel récit, tout en révélant une nature et une origine différentes des récits étudiés jusqu'ici, non seulement s'intègre à un cycle dont nous aurons à établir le projet historien, mais relève d'un processus littéraire qui aboutit avant l'élaboration du cycle ou dans le cadre de cette élaboration au « récit sacré » (la *Legende* allemande), et grâce à son héros, Gédéon, au récit sacré propre à Israël dans son monothéisme.

À ce titre, il partage avec le récit de vocation, le récit de l'offrande à l'Ange et l'évocation de l'ordre donné par YHWH à Gédéon de détruire le sanctuaire de Baal, une composante révélatrice, la solitude du héros humain dans son face à face avec le héros surnaturel, Ange de YHWH, YHWH ou El-Élohim. Il appartient donc pleinement, malgré les traits de conte que nous pouvons relever, à la tradition biblique du récit sacré sans tiers témoin, qui occupe dans ce cycle une place importante [19].

Ainsi se trouve repéré un autre type de récit, à la fois distinct par sa nature des récits déjà étudiés et finalement intégré au cycle dans lequel nous le trouvons. S'il renforce un peu plus le caractère disparate et donc composite de cette première partie du cycle, il en manifeste aussi les efforts d'unification.

Ces efforts se marquent ici sur quatre points, le *nom du héros,* Gédéon, l'allusion à la *mission divine* de « sauver Israël par sa main », la référence à une *relation familière avec Dieu* ou avec le surnaturel, et enfin la demande de signe comme confirmation d'un appel divin. Par là aussi, quelle que soit la spécificité littéraire originelle de ce récit, le retour à la vocation première de Gédéon est confirmé comme est confirmée l'intention générale qui justifie la place de son cycle dans l'ensemble 3, 7-16, 31 du livre des Juges, le salut d'Israël par une action guerrière, après une dérive qui en faisait un champion du culte de YHWH.

---

18. Ainsi Gunkel, dans la scène de l'apparition près d'une source de l'Ange de YHWH à Agar en fuite dans le désert avec son fils Ismaël (Gn 16, 7 sq.), voyait-il les traces d'une tradition ismaélite rapportant une scène avec apparition du génie de la source (*Genesis,* 1910, p. 186-193). Sur la fragilité de ces positions, cf. J. Peronneaud, thèse sur saint Blaise, *ad. inst. ms.,* 1987.

19. Cf. P. Gibert, *Bible, mythes et récits de commencement,* Paris, Le Seuil, 1986, p. 213-235.

CHAPITRE XI

LES PRÉPARATIFS DE GUERRE

(7, 1-8)

Quels que soient la nature et le rôle de l'épisode de la toison, une chose est acquise depuis le sommaire qui le précède (6, 33-35) : le retour au destin guerrier de Gédéon, impliqué par la présence même de son cycle dans l'ensemble 3, 7-16, 31, par le cadre rédactionnel de ce cycle et par le récit de vocation. Désormais le lecteur peut être assuré qu'il n'aura plus à connaître, jusqu'à la fin de la vie de Gédéon, autre chose que ce qui intéresse l'action guerrière du juge. Tout, qu'il s'agisse de récits ou de « tissu conjonctif », apparaît maintenant ordonné à cette action guerrière.

Yerubbaal qui est Gédéon et tout le peuple qui était avec lui se levèrent de grand matin et campèrent au-dessus de En-Harod, et le camp de Madiân était au nord par rapport à lui... (7, 1, trad. Dhorme.)

Si l'identification de Gédéon pose encore une question qu'on laissera pour l'instant en suspens [1], l'introduction est claire désormais : les conditions de la guerre annoncée dans le sommaire (6, 33-35) sont maintenant réunies, deux camps adverses se trouvant face à face en un lieu précis, malgré les problèmes que pose 7, 1 quant à la topographie.

---

1. Signalons pour l'instant qu'à la fin du XIXe siècle et au début du XXe, les options s'opposaient quant à la présence ici de ces deux noms. Si, selon la Bible hébraïque de Kittel (1894), Gédéon est le nom originel, et Yerubbaal le produit d'une seconde main, pour Burney, le récit originel étant en E, c'est lui qui parle de Yerubbaal, « while the insertion of the hero's other name is due to the redactor of J and E » (p. 205). Cf. J.A. EMERTON, « Gideon and Jerubbaal », *JThSt*, NS, 27, 1976, p. 289-312, et ci-dessous, chap. XXI.

Mais nous n'en avons pas pour autant fini avec l'intervention directe de YHWH ou, plus exactement, nous allons Le retrouver en deux récits presque juxtaposés après lesquels l'histoire sera entièrement entre les mains des hommes. En effet, ayant fait fond sur la distinction entre les récits à héros surnaturel et humain et les récits à héros exclusivement humains, nous pouvons continuer d'explorer cette distinction, même s'il nous faudra ultérieurement réfléchir à ses implications.

Le premier récit est lié au recrutement des troupes. En principe, Gédéon s'en était déjà chargé (6, 35). Si les données étaient imprécises (« tout Manassé » en 6, 35 ; « tout le peuple » en 7, 1) ce nouveau récit laisse entendre qu'il s'agissait de 32 000 hommes (7, 3c).

Sa délimitation comme récit sacré est relativement aisée. Après l'introduction donnant l'ordre de bataille (7, 1), YHWH s'adresse *immédiatement* à Gédéon (7, 2 : « Et YHWH dit à Gédéon »). Puis alternent ordres de YHWH (« YHWH dit à Gédéon » : 7, 2.4.5c.7) et exécution des ordres par Gédéon, sans que celui-ci ne dise aucun mot, jusqu'à ce que YHWH renvoie lui-même le peuple chez lui (7, 7c) marquant ainsi la fin du récit.

L'état actuel de la rédaction, témoignant aussi d'un texte souvent corrompu, révèle donc que ce récit *en tant que sacré* (7, 2-7) est encadré de deux informations qui n'impliquent pas l'intervention divine, l'ordre de bataille que nous avons déjà cité (7, 1) et l'ultime décision de Gédéon de « retenir les trois cents hommes » (7, 8), même si c'est apparemment le but du récit de nous dire pourquoi et comment s'est faite cette sélection [2].

Mais la conclusion (7, 8) constituée de quatre propositions-informations présente quelques difficultés d'intelligence :

— Et ils prirent en leurs mains les provisions du peuple et leurs cors,
— et tous les hommes d'Israël il les envoya chacun à ses tentes,

---

2. Quelles que soient les difficultés réelles du texte tant sur le plan de la critique textuelle que sur celui de l'ultime rédaction, il nous semble que Richter (1963) complique singulièrement les choses en durcissant les parallèles et doublets (cf. p. 120 : 6,2b-5.11-8, 3//8, 4-27a et 6, 33-8, 3//8, 4-21 ; 6, 11-32//8, 24-27a). Restant fidèle à notre pratique de lecture continue du texte et à la détermination progressive des récits, en fonction en particulier du phénomène de sacralisation, nous préférons laisser de côté pour l'instant ces rapprochements.

— et il garda les trois cents,
— et le camp de Madiân par rapport à lui était en bas dans la plaine.
(7, 8, trad. litt. et Dhorme.) [3]

En faisant momentanément abstraction du récit qui précède, la première question qui se pose est celle du rapport de ces informations avec les données de l'introduction (7, 1) [4].
Tout d'abord, en dehors du « camp de Madiân », cette conclusion ne précise aucun nom propre de personne ni de lieu. Sans qu'on puisse voir une contradiction dans la situation des camps adverses entre les informations ici données et celles de l'introduction, la conclusion semble pourtant placer Gédéon dans une position favorable, *au-dessus* du camp de Madiân.
Les questions les plus aiguës portent naturellement sur les deux autres informations, les provisions et les « trois cents ». La première est la plus énigmatique ou du moins la plus bizarre, n'impliquant aucun lien contraignant avec ce qui précède. On apprend seulement que « des » hommes prennent les provisions du peuple et leurs cors [5]. Or ni le rapport avec les 32 000 du récit ni celui avec les trois cents sélectionnés ne permet de rendre compte d'une telle charge, à moins de déduire que le peuple a fourni des

---

3. Cf. Moore, p. 203. Sur les difficultés textuelles de ce verset, cf. Lagrange, p. 133-134. Comme nous le laisserons entendre à la fin de ce chapitre, ce n'est peut-être pas tant ce verset qui n'est pas à sa place que le récit même auquel il sert aujourd'hui de conclusion ou de transition avec ce qui suit, qui est sans doute le produit d'une élaboration étrangère à ce que ce verset exprime.
4. Moore renvoie la cause du désordre de ce verset à la contamination du verset 8 (p. 199) et reconnaît son ignorance de la topographie (cf. à ce sujet les tentatives d'explication de Lagrange, p. 131-132, qui, à notre sens, pèchent par excès d'historicisme ou de « géographisme » !), le texte étant trop souvent pris comme une source d'informations dont il faudrait absolument trouver la réalité sur le terrain. On trouve le même esprit chez Burney (p. 205). Soggin, en s'appuyant ici sur Richter (1963), a une attitude plus prudente (« Les indications topographiques sont [...] assez peu claires », p. 119), ce qui ne l'empêche pourtant pas d'entrer dans un jeu topographique de très grande précision, en référence aux travaux d'A. Penne (1963), Rösel (1976) et de Malamat (1971). « Quoi qu'il en soit, ajoute-t-il, le campement de Gédéon est considéré comme situé sur une colline, cf. la descente à la source au verset 4 et l'opposition avec le camp de Madiân, qui se trouve dans la plaine au verset 8b... » (P. 119.) C'est pourquoi nous optons dans notre développement pour une sorte d'« abstraction » du souci « réaliste » de retrouver la réalité des données de terrain, essayant de mettre en valeur l'imprécision même de ces données ou l'anonymat du récit.
5. Soggin fait ici un bon état de la question à propos du sujet du verbe au pluriel, *nyiqhwu* (p. 121-122). Peut-être faut-il voir là l'amorce d'une sorte de thème des cors qui soulèvera quelques questions dans l'épisode de la surprise du camp madianite ; cf. ci-dessous, chap. XVI.

provisions et des cors en proportion du nombre de ceux qui devaient les prendre.

Quant à ces trois cents hommes retenus, on pourrait sans difficulté faire relever leur sélection de la seule initiative de Gédéon. La suite confirmera en tout cas leur importance puisque c'est avec eux qu'il remportera la victoire. Du même coup, le récit se focalise sur ces trois cents qui constituent en quelque sorte l'« autre » héros de la guerre.

Naturellement, à s'abstraire du récit sacré, on voit mal le lien entre ces dernières informations et celles qui l'introduisent (7, 1), si ce n'est que celles-là jouent un rôle analogue au sommaire qui précède l'épisode de la toison (6, 33-35).

Car le récit sacré (7, 2-7) auquel il nous faut maintenant venir est loin, nous semble-t-il, de fournir des explications aussi contraignantes qu'il y paraît, et donc de constituer le passage obligé, exclusif de toute autre explication, après l'ordre de bataille avec « tout le peuple » (7, 1) vers la sélection des trois cents (7, 8c).

Les choses sont apparemment claires : sur l'ordre de YHWH, qui fournit lui-même l'explication de cet ordre (7, 2), Gédéon sélectionne trois cents hommes parmi les 32 000 que sa convocation de tribus et de clans avait permis de rassembler[6]. Cette sélection se fait par un test qui peut aujourd'hui paraître bizarre mais qui relève sans doute d'une coutume guerrière contemporaine ou d'un rite magique[7]. Dans l'état actuel du récit, YHWH

---

6. En réalité, à partir du verset 3, nous avons affaire à un texte très tourmenté. Soggin (p. 120-121) dresse l'état de la question depuis Moore jusqu'à Boling (1975). Notre perspective, qui nous fait prendre en compte la condition sacrale de ce récit, nous permet, pensons-nous, de le prendre dans ses données générales qui restent clairement ordonnées malgré tout à son terme : la sélection des trois cents.

7. Soggin : « Quant au caractère de cette épreuve, il règne une grande confusion. Il n'est en effet pas facile d'établir pourquoi ceux qui "lapent avec la langue, comme les chiens" sont plus aptes à la guerre sainte que ceux qui boivent à genoux, en portant l'eau à la bouche. T.H. Gaster, 1969, p. 420 sq. et 531 sq., suivi par Boling, signale de nombreux cas parallèles dans l'histoire des religions et de l'ethnologie, d'où il ressort que ceux qui se laissent aller à boire (ou à manger) comme des animaux, se montrent privés de toute préoccupation, tandis que ceux qui boivent à genoux se maintiennent sur le qui-vive, prêts à répondre à une attaque de dos. Flavius Josèphe, Ant., V, § 216 sq., et plus tard le Père de l'Église Théodoret, y voient au contraire un signe de crainte et font observer comment Dieu choisit justement les hommes les moins aptes pour que tout renvoie à sa gloire ; dans ce cas, les trois cents hommes de Gédéon auraient été non seulement

mène le jeu de bout en bout, Gédéon, dont il n'est rapporté aucune parole, étant l'exécutant.

L'intervention de YHWH se compose de l'explication de ce qu'Il va demander à Gédéon et du processus de sélection.

L'explication (7, 2) est trop traditionnelle et trop doctrinale pour la considérer comme vraiment liée à ce qu'elle doit expliquer : si, au terme (7, 7), YHWH peut affirmer que le mérite de la victoire Lui reviendra d'autant plus aisément que les combattants auront été moins nombreux, la manœuvre de Gédéon s'avérera top astucieuse pour que cette reconnaissance s'impose aussi évidemment. Qui plus est, disons-le tout de suite, rien, dans la suite du récit, ne viendra confirmer ce pronostic divin : les rédacteurs constateront simplement la déroute ennemie (7, 22 ; 8, 12.28), même si Gédéon assurera ses « trois cents » de la victoire au nom de YHWH (7, 15b) ou si « YHWH fit que dans tout le camp (madianite) chacun tournait l'épée contre son camarade » (7, 22).

Quelle que soit la cohérence propre au récit sacré dans l'intervention de YHWH, cette explication, tout au plus conforme à une certaine théologie d'Israël, s'impose d'autant moins que YHWH en fournit une autre, parfaitement plausible en ce genre de contexte : les combattants potentiels ne doivent pas avoir peur ! Ainsi, l'état actuel du texte ne s'oppose nullement à une mise entre parenthèses de l'explication théologique :

Et YHWH dit à Gédéon : [...] « Et maintenant, crie aux oreilles du peuple, en disant : Quiconque a peur et tremble, qu'il s'en retourne et s'échappe par la montagne de Galaad ! » (7, 2a. 3a.)

C'est après cette première sélection, qui élimine tout de même 22 000 hommes, que s'engage le processus du test. Celui-ci est simplement raconté, YHWH marquant de son intervention toutes les étapes, jusqu'à la conclusion où il assure

---

peu nombreux, mais aussi prudents et habiles. Ce sont des explications qui sont de toute façon meilleures, bien qu'inadéquates, que celle qu'on donne le plus souvent : la rapidité avec laquelle les trois cents hommes se jettent sur l'eau serait aussi un indice "de courage et d'élan combatif" (Penna, 1963) ; ce pourrait être aussi au contraire un signe d'inconscience et de manque de contrôle et donc de peu d'aptitude au combat. Il vaut sans doute mieux ne penser à aucune signification, qu'elle soit évidente ou cachée : nous avons affaire ici à une sorte d'ordalie, de test, à travers lequel Dieu lui-même choisit ses hommes » (p. 121).

Gédéon de la victoire sur les Madianites avec ces trois cents hommes (8, 7) [8].

Cette conclusion peut d'abord paraître en corrélation directe avec l'explication théologique du début, puisque YHWH affirme son initiative dans la victoire à venir. En réalité, il y a entre les deux propos divins de très grandes différences.

Dans le premier, Gédéon n'est nullement impliqué, l'objection est tournée contre ce que le peuple pourrait éventuellement penser. En outre, l'explication relève d'une théologie très particulière, non caractéristique de l'ensemble du livre des Juges. Dans le second propos, non seulement cette explication théologique n'est pas reprise, mais la confirmation donnée (« je livrerai Madiân entre tes mains ») implique directement Gédéon en rapport, soit avec son récit de vocation et de la demande de signe (6, 17), soit même avec l'épisode de la toison (6, 36) [9]. Nous restons là dans la perspective générale de l'ensemble 3, 7-16, 31, comme nous y resterons avec le cri de Gédéon au moment de l'attaque du camp madianite : « Debout ! car YHWH a livré entre vos mains le camp de Madiân » (7, 15b).

Ainsi, à l'intérieur même de ce que nous pouvons délimiter comme « récit sacré » (7, 2-7), se distinguent assez nettement un propos particulier de YHWH (7, 2) et le reste du récit pouvant inclure un propos final de type « providentialiste » sans doute, mais en cohérence avec le reste du cycle de Gédéon comme avec l'ensemble 3, 7-16, 31, ce qui ne nous paraît pas être le cas pour le premier.

Reste à examiner la valeur rédactionnelle de cet épisode sacral dans l'économie de l'action guerrière de Gédéon contre le camp madianite.

La question qui se pose ici est celle que nous avons soulevée plus haut : ce récit assure-t-il un passage contraignant, exclusif, obligé entre le rassemblement du « peuple » (7, 1) et la sélection des trois cents hommes ?

Malgré les apparences, rien n'est moins sûr. En effet, deux

---

8. Avec Burney (p. 179), plutôt qu'avec Moore (p. 201), nous sommes d'accord pour voir la véritable limite, sinon la conclusion de ce récit dans ce verset, ce qui respecte la cohérence du genre *Legende* dont il relève manifestement.
9. Ce rapprochement nous permet du moins de donner raison à Richter (1963) lorsqu'il traite ensemble 6, 17-21 ; 6, 36-40 et 7, 2-8 parce que relevant du thème du « signe » (p. 116).

hypothèses sont ici défendables : ou bien Gédéon comme héros de cycle a pu agir avec trois cents compagnons d'armes qu'il avait lui-même choisis ou qui l'avaient suivis et ce, sans intervention divine ; ou bien, il y a eu effectivement sélection selon les représentations magiques ou divinatoires du temps, mais en fonction d'une idée précise qu'avait Gédéon et pour laquelle il n'avait nul besoin de troupes plus nombreuses et surtout mal préparées ou mal organisées. Car la suite du récit nous l'apprendra : il s'agissait de réaliser une opération précise, un véritable coup de main pour lequel des centaines ou des milliers d'hommes n'étaient nullement nécessaires, bien au contraire, alors qu'ils le devenaient pour poursuivre l'ennemi débandé et se livrer au pillage ; ce que d'ailleurs ils feront (7, 23 sq.).

Dans ces conditions, le récit sacré rendrait compte aujourd'hui d'un tirage au sort ultérieurement placé sous l'autorité de YHWH, mais probablement plus prosaïquement réalisé. Dans la mesure où rien n'est dit de l'intervention de YHWH, où il n'est aucunement question de vision ou d'apparition [10], fût-ce sous la forme d'un « ange », rien n'empêche de voir dans le dialogue entre Gédéon et YHWH un mode de relation du processus sacral de tirage au sort.

Dès lors, dans l'état actuel du récit, se manifesteraient trois sortes de sacralisation : celle, fondamentale, qui rattache une action de hasard ou de sélection, au divin ; celle, plus religieuse du point de vue d'Israël, qui situe explicitement le héros, comme héros religieux, dans l'acte même de YHWH agissant comme vrai et seul responsable de l'histoire ; celle, enfin, plus théologique, qui veut rendre à YHWH seul la gloire de la victoire (7, 2).

De toute façon, il s'agissait de rendre compte de l'existence de ces trois cents soldats par opposition aux 32 000 hommes de départ, de fournir en quelque sorte son « récit de vocation » à cette élite qui constitue, comme nous l'avons dit, l'autre héros de l'histoire. Le langage de « récit sacré » avec ses règles propres et en particulier l'intimité et le dialogue entre le héros humain, Gédéon en l'occurrence, et le héros surnaturel, convenait parfaitement à l'esprit général du cycle de Gédéon, du moins dans ses rédactions tardives. Mais du point de vue du déroulement de l'action et du récit proprement dits, on doit maintenir que ce récit sacré ne semble pas s'imposer et sûrement pas comme originel ou

---

10. Malgré l'opinion de Richter (1963), p. 216.

fondamental, Gédéon et ses trois cents hommes pouvant se justifier sans cela.

Sans préjuger de conclusions ultimes quant à la rédaction du cycle, on peut donc déjà parler d'une action guerrière de Gédéon et de ses trois cents compagnons, laquelle aurait, par la suite, reçu un « tissu conjonctif » sacral dépendant de conceptions religieuses et théologiques précises. En attendant, et la suite de l'histoire le montrera, leur action commune ne sera l'objet d'aucune justification divine nouvelle, en dehors des cris de guerre invoquant le nom de YHWH, même si un autre récit sacré (8, 9), dans le prolongement de celui-ci, renforce un peu plus le « providentialisme » de la préparation et de la réussite de cette action.

CHAPITRE XII

LE RÊVE DU MADIANITE

(7, 9-15)

Cet ultime « récit sacré » dans le cycle de Gédéon est à vrai dire mixte : à la manière du récit de la destruction du sanctuaire de Baal (6, 25-31), il présente une partie de récit proprement sacrée et une autre qui peut en être détachée. Qui plus est, nous trouvons là en ouverture une expression presque totalement semblable à celle qui ouvre le récit de la destruction du sanctuaire de Baal :

Et voici qu'en cette nuit-là YHWH lui dit... (7, 9a ; cf. 6, 25.) [1]

Le message que reçoit Gédéon est complexe : il est fait d'un *ordre* (« Lève-toi, descends au camp, car je l'ai livré en ta main »), d'un *conseil* (« si tu crains de descendre, descends avec Pura, ton serviteur, vers le camp ») et d'une *confirmation* (« et tu entendras ce qu'ils disent. Après quoi tes mains seront raffermies et tu descendras dans le camp » [2]). De ce fait, le message ne paraît pas

---

1. Il est courant et même banal de faire ce rapprochement, bien que de façons diverses. Cf. Moore, p. 204, Burney, p. 180 et 194, Lagrange, p. 134. Soggin préfère s'en tenir à l'incertitude de la détermination de cette nuit (p. 123), ce qui nous paraît plus sage, étant donné l'élaboration de cette partie du cycle, ce que confirme Richter (1963) à sa façon en constatant que l'intervention de Dieu (ou son discours) ne peut ici être rattachée immédiatement à rien (p. 202).
2. C'est à cette occasion que Richter (1963) fait un excursus sur « Die Gottesrede » (p. 205-207). Constatant, comme nous le faisons, l'absence de toute indication de circonstance ou de mode, il dresse surtout une liste de cas bibliques semblables lui permettant d'aboutir au constat d'un « Stilmittel ». En fait il reprend la distinction traditionnelle des interventions divines, directes ou avec médium, avec ou sans *mal'ak*, avec ou sans mention du ciel, et servant à déterminer l'appartenance des récits à E ou à J. Notre travail vise à montrer que l'on ne peut se satisfaire totalement de ce type d'« explication » qui n'est en fait qu'un constat. Et même si, à la fin de son excursus, Richter reconnaît que le cadre 7, 9-11a et 7, 22 assure l'interprétation théologique de l'histoire (p. 207),

exclusivement ou immédiatement ordonné aux événements qui
suivent l'exécution de l'ordre, même s'il ne lui est pas étranger
(« et il descendit avec Pura, son serviteur, à l'extrémité des
avant-postes qui étaient dans le camp » 7, 10b).

S'il est aisé de faire abstraction du « refrain » sur « Madian,
Amaleq et les fils de l'Orient » (7, 12) que nous avons déjà
rencontré [3] et qui ne s'impose nullement ici, il est plus difficile
d'admettre l'enchaînement des faits et des données [4]. En effet, à la
complexité du message divin reçu par Gédéon correspond celle
des faits dont ce message est apparemment à l'origine ou qu'il est
censé expliquer.

La construction actuelle du récit fait apparaître que Gédéon
ayant obéi à l'ordre de YHWH d'approcher le camp madianite y
entendra, à la dérobée, le récit du rêve d'un soldat à son camarade,
rêve confirmant que YHWH a bien promis de livrer Madiân entre
ses mains. En réalité, différentes propositions peuvent être consi-
dérées dans une autonomie plus ou moins grande.

L'ordre donné par YHWH de descendre au camp de Madiân
avec son serviteur Pura, celui-ci apparaissant dans l'histoire pour
la première et la dernière fois [5], est parfaitement logique étant
donné la situation et le futur coup de main : il s'agit d'espionner
un camp ennemi de façon à mener contre lui une action efficace.

---

le problème du processus rédactionnel et des procédés mis en jeu pour créer ce
cadre et pour « faire parler » Dieu, n'en demeure pas moins un problème auquel
l'historien, même théologien, demeure confronté.

3. Cf. ci-dessus, chap. IX et ci-dessous, chap. XXIII.

4. Malgré l'opinion de Soggin : « Le texte de cette section semble en bon état. »
(P. 123.)

5. L'apparition de ce personnage amène à se poser la question sinon d'un cycle
Gédéon-Pura, du moins d'une tradition dans laquelle Pura devait apparaître
comme le compagnon du héros principal. Ce motif du compagnon du héros est
suffisamment courant dans la culture universelle (cf. Burney rappelant un passage
similaire de l'*Iliade*, X, 220 sq., p. 213) à commencer par la Bible elle-même (cf.
Saül et son serviteur, 1 S 9, 3-10 ; David et Jonathan, Élie et Élisée, etc.) pour
permettre de penser qu'il y a là la trace d'une source de ce cycle. Le problème que
pose l'évocation de ce personnage dans notre perspective d'analyse et de distinction des récits est celui de sa disparition rapide à l'intérieur même de ce récit. Pura
appartient exclusivement à l'introduction du récit (7, 10) et en particulier au
discours de YHWH. À partir de l'arrivée de Gédéon auprès du camp madianite
(7, 13) et jusqu'à son retour au camp d'Israël (7, 15), il ne sera jamais question
de ce compagnon. Lagrange rappelle l'introduction, dans la Vulgate, de *solus* au
v. 10 : Dieu dirait donc à Gédéon d'aller explorer *seul,* et que s'il craint d'aller
seul, qu'il prenne alors son servant d'armes... (P. 134.) Il donne par ailleurs la
même référence que Burney à l'*Iliade*.

Un tel ordre n'implique nullement l'éventualité d'un récit de rêve, même si Gédéon sera rassuré par « ce qu'ils disent ». Ainsi peut se rétablir l'enchaînement des propositions :

> Et Gédéon vint (près du camp) [...] ;
> puis il revint au camp d'Israël ; et il dit : « Levez-vous, car YHWH a livré en votre main le camp de Madiân ! »
> (7, 13a, 15b.)

Autrement dit, Gédéon, sur ordre ou non de YHWH, est allé espionner le camp ennemi d'où il revient en s'étant rendu compte de la possibilité de l'attaque et donc de la stratégie à adopter. Pour cela, il encourage ses hommes avant d'organiser cette stratégie (7, 16 sq.).

Le récit de rêve étant momentanément exclu, se révèle un procédé rédactionnel semblable à celui relevé à propos du récit de le destruction du sanctuaire de Baal : une action d'observation du camp à attaquer est placée sous l'ordre direct de YHWH grâce à un récit sacré réduit à une intervention surnaturelle nocturne. Comme dans le cas de la destruction du sanctuaire, Gédéon ne dit rien, seule est mentionnée sa soumission à l'ordre. Du même coup, une banale action d'espionnage se trouve sacralisée, ce que semble confirmer le propos même de Gédéon témoignant auprès de ses hommes de sa certitude que le camp de Madiân sera livré entre leurs mains (7, 15) sans que pour autant ne s'impose un lien organique entre ce propos et l'ordre de YHWH.

Aussi se pose dès maintenant la question du lien des propositions concluant le récit (7, 15) :

> Et voici que Gédéon entendit le récit du rêve et son interprétation
> et il se prosterna
> et il alla au camp d'Israël
> et il dit : Levez-vous, car YHWH a livré en vos mains le camp de Madiân.

Comme nous le disons un peu plus loin, si la prosternation de Gédéon se justifie après et en lien avec le récit du rêve qu'il signifie ou symbolise, rien n'impose de lien avec les deux propositions qui suivent : il y a manifestement rupture entre « l'épée de Gédéon » évoquée dans le récit du rêve et les « mains » des compagnons de Gédéon, même si l'on peut invoquer la pédagogie du chef de guerre à l'égard de ses soldats... En fait, le propos de Gédéon à ces derniers peut très bien relever d'un autre récit indépendant de ce récit de rêve. Nous avons affaire là à des éléments comparables à des pierres de mosaïque qui, formant aujourd'hui un ensemble relativement harmonieux, n'en auraient pas moins appartenu à un autre ensemble et pourraient se retrouver ailleurs. Ainsi se marquerait sans difficulté une coupure entre la prosternation de Gédéon et son « retour » au camp d'Israël.

De son côté, le récit de rêve du soldat madianite présente donc tous les caractères d'une unité rédactionnelle isolable [6].

Et voici qu'un homme racontait un songe à son compagnon ; il disait : « Voici le songe que j'ai eu : il y avait une miche de pain d'orge tournoyant dans le camp de Madiân, elle arriva jusqu'à une tente qu'elle heurta et fit tomber, elle la renversa de haut en bas et la tente tomba. »
Son compagnon répondit et dit : « Ce n'est rien d'autre que l'épée de Gédéon, fils de Joash, l'homme d'Israël : l'Élohim a livré en sa main Madiân et tout le camp ! »
Or, dès que Gédéon eut entendu le récit de songe et son interprétation, il se prosterna... (7, 13b-15a trad. Dhormes.)

Il est évidemment tentant de faire jouer ici un argument qui est de poids en d'autres lieux, dans l'épisode de la toison notamment : la désignation d'« Élohim » en place de YHWH utilisé au début (7, 9) et à la fin du récit par Gédéon (7, 15). Mais tout invite à la prudence : employé ici seul avec l'article, il témoigne en fait d'une exigence de cohérence ou de vraisemblance culturelle ; les deux Madianites étant des païens, ils ne pouvaient connaître ni désigner YHWH, mais au mieux « le dieu » des Israélites [7].
À cette particularité de la désignation d'Élohim, finalement explicable, s'ajoute la précision, également unique dans le cycle de

---

6. Le récit de rêve est de toute façon suffisamment avéré comme genre littéraire particulier dans toutes les littératures anciennes pour que soit ici justifié un isolement d'analyse. Cf. E.L. EHRLICH, *Der Traum im Alten Testament*, 1953 ; M. LICHTENSTEIN, « Dream-Theophany and the E Document », 1969 ; A.L. OPPENHEIM, *The Interpretation of Dreams in the Ancient Near East*, 1956 ; A. RESCH, *Der Traum im Heilsplan Gottes*, Deutung und Bedeutung des Traums im A.T., Herder, Fribourg-Bâle-Vienne, 1964 ; *Les songes et leur interprétation*, 1959 ; W. RICHTER, « Traum und Traumdeutung im A.T. Ihre Form und Verwendung », *Bibl. Zeit.*, NF 7, 1963, p. 202-220 ; A. WICKENHAUSER, « Doppelträume », 1948, p. 100-111.
7. Cf. Moore, p. 206, Burney, p. 180, Lagrange, p. 136. Cf. Dhorme : « Dans la bouche du Madianite, on évite de placer le nom de YHWH, d'où l'emploi d'Élohim » (Bible de « La Pléiade », I).

Gédéon : « homme d'Israël ». S'il est difficile de voir là un argument supplémentaire pour désigner une source originale, elle renforce, dans l'état actuel du texte, la désignation par un étranger de l'origine et de la spécificité de Gédéon.

Plus surprenante est la désignation de Gédéon, « fils de Yoash ». Alors que cette désignation avait été utilisée par les gens de la ville à la recherche de l'auteur de la profanation du sanctuaire de Baal (6, 29), on ne la retrouve qu'à la fin du cycle (8, 32), dans un contexte d'ailleurs purement rédactionnel. Notons du moins qu'en style direct, une telle désignation se trouve placée, ici comme dans l'épisode de la destruction du sanctuaire de Baal, dans la bouche de païens[8].

Faut-il dès maintenant attribuer ce récit à la même source de tradition ? Ce serait sans doute hâtif : ce récit de rêve demeurait dans le contexte guerrier et par rapport à lui, le récit de la destruction du sanctuaire de Baal marquait la dérive que nous avons tenté de mettre en valeur[9].

Le rêve proprement dit repose naturellement sur le jeu d'un langage symbolique dont l'interprétation est claire : la victoire de Gédéon sur les Madianites. Mais ses composantes révèlent une certaine élaboration[10].

---

8. Selon Lagrange, « Il y a deux raisons de considérer comme glose "Gédéon fils de Joas" ; c'est que le Madianite ne doit vraisemblablement pas le connaître et que "homme d'Israël" ne signifie ordinairement que les gens d'Israël en groupe... » (p. 135). Cette seconde raison avait déjà été donnée par Moore (p. 206). Avec une autre raison, Soggin aboutit à la même conclusion : « Un Madianite pouvait difficilement connaître le nom et le patronyme de son adversaire... » (p. 124). Si la désignation de Gédéon « fils de Yoash » soulève un problème qui ne peut être résolu qu'au vu de l'ensemble du cycle, le langage tenu par le Madianite, avec ce qu'il peut paraître avoir « de tardif et d'erroné » (selon Moore, p. 206) ou d'« invraisemblable » (selon Burney, p. 214), est, à notre sens, explicable. Sans préjuger des conclusions qui ne devront être posées ou proposées qu'ultérieurement, nous pouvons déjà parler de la « scène » au sens où l'on parle d'une scène de tableau : le spectateur, en l'occurrence le lecteur, doit pouvoir le plus rapidement possible saisir le sujet représenté. Il y a là un artifice de récit tourné tout entier vers le lecteur, par-delà le souci de vraisemblance et malgré le respect de celle-ci dans l'emploi du mot Élohim ; cf. Soggin : « L'explication du rêve faite par l'interlocuteur de celui qui a rêvé est destinée bien sûr non pas au rêveur mais à Israël... » (p. 124).

9. Sur les désignations de Gédéon, cf. ci-dessous, chap. XXI.

10. En fait, de la même façon que tout rêve est de soi symbolique (cf. le truisme de Dhorme à propos du v. 14 : « Le songe est symbolique » !), de la même façon tout récit de rêve relève d'une élaboration ; cf. E.L. EHRLICH, *Der Traum im Alten Testament,* BZAW, p. 85-90. Il y a à évaluer le rapport qui peut exister entre le phénomène onirique et les élaborations narratives à l'intérieur d'un enchaînement de récits s'engendrant les uns les autres. Car le contexte dans lequel nous nous

Dans notre perspective propre d'analyse des récits, il faut tout d'abord noter que ce n'est pas le rêve du héros principal. Celui-ci apparaît en tiers, témoin indiscret et silencieux, désigné d'ailleurs symboliquement par l'interprète (« Ce ne peut être que l'épée de Gédéon... » 7, 14). En tant que récit, le rêve a donc pour caractéristique d'impliquer des héros dont il inverse, en quelque sorte, les représentations traditionnelles : ceux qui portent l'« action », celui qui a eu le rêve et le raconte, et celui qui l'interprète, sont en réalité les *héros secondaires* que signale ici leur anonymat, tandis que le héros principal ou les héros principaux, en l'occurrence Gédéon et son serviteur Pura, restent silencieux et cachés. Corrélativement, les héros secondaires ignorent totalement l'« utilité » de leur propre « action »[11].

Le rêve repose maintenant sur un jeu de symboles qui doivent être décryptés. Pour ce faire, un interprète apparaît ici, compagnon du soldat madianite. Ce rêve implique un élément proprement symbolique, la galette de pain d'orge qui roule[12], et un élément de référence, identifiable, le camp madianite[13], l'énigme naissant de la conjonction de ces deux éléments.

L'interprétation qui résout l'énigme use également d'un langage symbolique : l'« épée de Gédéon »[14]. Elle serait à accepter sim-

---

situons nécessairement empêche d'envisager le récit de rêve en fonction exclusivement du *Sitz im Leben* qui l'a produit dans la rédaction biblique comme dans l'Antiquité en général. La psychologie des profondeurs, depuis Freud surtout, mais déjà chez Wundt aux travaux duquel Gunkel était attentif, a imposé une autre approche des récits anciens, qui ne peut être totalement ignorée (cf. FREUD qui, dans *L'Interprétation des rêves*, 1900-1913, cite ou analyse des rêves de personnages historiques, légendaires ou mythiques).

11. Rappelons que, selon la théorie gunkélienne du récit populaire, tous les éléments, sans exception, ont un caractère utilitaire : il n'y a pas de gratuité d'ordre esthétique ou de n'importe quel autre ordre dans ce genre de récit.

12. « Miche de pain d'orge » (Dhorme), « boule de pain d'orge » (Osty) ou « galette de pain d'orge » (Bible de Jérusalem). Il y a là de toute façon un hapax qui ne peut être correctement interprété en dehors du contexte et donc en fonction d'une « efficace » intelligence du récit.

13. De quelle tente s'agit-il ? Selon Moore, il ne s'agit pas de la tente de commandement, mais de « celle du narrateur » ; il ajoute cependant : « or, perhaps, in view of the symbolical character of the dream, to *a* tent. » (P. 205.) Sur les difficultés textuelles de la fin de ce v., Lagrange nous a paru faire un bon état de la question (p. 135). Quoi qu'il en soit, la pointe du rêve est clair, dans le sens d'un bouleversement, d'une mise à terre et donc d'une défaite de Madiân symbolisée, ainsi que le confirme l'interprétation du soldat.

14. Outre l'interprétation que nous donnons de cette expression et la question que nous posons d'en faire ou non un *objet de légende*, se pose effectivement la question de l'origine de cette expression. Nous nous retrouvons d'accord avec Moore lorsqu'il pense que c'est le v. 20 qui a pu commander ou introduire ici cette

plement comme telle, avec sa force poétique d'évocation, si la référence à l'épée ne revenait pas par la suite, sous la forme d'un cri de guerre : « Épée pour YHWH et pour Gédéon » (7, 20c). La proximité des deux évocations de l'épée associée à Gédéon, même si dans le second cas YHWH est mentionné, oblige à se poser la question de la nature ou de la signification de ce symbole.

Si, de fait, l'épée symbolise assez immédiatement la guerre, l'action guerrière et par conséquent la victoire de celui auquel elle est associée, n'y aurait-il pas là en outre utilisation ou récupération d'un objet de légende ? La Bible ne manque pas d'exemples où un récit intégrant plus ou moins artificiellement une formule tente de lui fournir une explication parce que l'origine ou la raison en a été perdue. Ainsi, le cri de guerre se trouverait fondé dans l'« interprétation » du rêve que donnerait le soldat à son compagnon, même s'il ne s'agit pas de la reprise rigoureuse du cri : ce serait la part énigmatique de son contenu (« épée pour Gédéon ») qui recevrait explication.

En tout cas, même si on ne peut établir une corrélation originelle entre l'interprétation du soldat et le cri de guerre, dans l'état actuel du texte, le rapprochement est légitime. Il place le lecteur dans cette ambiance guerrière où Gédéon est le personnage central. Paradoxalement, l'intervention de YHWH en préparation du rêve et de l'indiscrétion de Gédéon paraît moins s'imposer que la conviction rédactionnelle d'évoquer un chef de guerre auquel la victoire sourit avant même que le combat ne soit engagé, ne serait-ce qu'en raison de son courage et de son habileté, comme de son aptitude au commandement.

Enfin, le rêve décrypté se conclut sur la réaction sacrale de Gédéon : « il se prosterna ». Une telle réaction est tout à fait naturelle dans ce contexte où le rêve et son explication ne peuvent avoir qu'une origine divine [15]. Le geste de Gédéon ne doit donc

---

expression (p. 204 ; cf. également Burney, p. 214). Mais demeure entier le problème soulevé par ces considérations, celui de la constitution, « fabrication » ou « reconstitution » d'une scène dans un récit. Ces jeux de relecture et de rétroaction d'un récit à l'autre, d'emplois ou de réemplois d'objets de légende, ne peut que rendre plus aiguë la question qui sous-tend notre travail : avec quoi ou à partir de quoi écrit-on l'histoire ?

15. Il y a là un lieu commun sur lequel il n'est nul besoin d'insister ; cf. par ex. J. BOTTÉRO, *Mésopotamie. L'écriture, la raison et les dieux,* Paris, Gallimard, 1987, p. 133 sq. Mais les choses sont peut-être plus ambiguës en Égypte dans la mesure où le rêve ramène aussi au chaos (cf. « Les songes et leur interprétation dans l'Égypte ancienne », par S. SAUNERON in *Les Songes et leur interprétation,* Paris, Le Seuil, 1959, p. 19 sq).

pas être d'abord ou exclusivement considéré comme un geste de reconnaissance ou d'action de grâces, mais comme un geste d'adoration. Cependant le combattant ne perd pas de vue la signification ultime des choses : YHWH lui a annoncé et confirmé la victoire.

À partir de là, l'action guerrière proprement dite peut commencer. On serait tenté d'ajouter : enfin ! Car à considérer le chemin parcouru depuis le récit de vocation et *a fortiori* depuis l'annonce du sauveur impliquée dans l'introduction (6, 1-10), il a fallu atteindre près de la moitié du cycle pour que se réalise la promesse divine de salut en Gédéon.

Même si avec la convocation des tribus et des clans (6, 33-35) et l'épisode de la toison (6, 36-40), les choses paraissaient engagées, les deux récits que nous venons d'analyser confirment et retardent à la fois leur réalisation. Certes, à la différence des récits de l'offrande à l'Ange (6, 17-24) et de la destruction du sanctuaire de Baal (6, 25-32), ils ne sont nullement extérieurs ou étrangers à l'action du sauveur militaire et ne marquent donc aucune dérive. Ils ne retardent pas moins cette action, de sorte qu'on peut s'interroger sur la rigueur de leur opportunité !

La nature des faits − l'action que compte engager Gédéon −, exigeait sans doute la mise à l'écart ou le renvoi des 32 000 hommes, puisque trois cents pouvaient lui suffire. De même devait-il s'assurer de la situation, de la configuration ou de l'organisation du camp madianite. Son exploration d'espionnage avec un seul compagnon s'avérait donc à la fois plausible et nécessaire.

Or la sacralisation de ces deux actions préparatoires − la sélection des trois cents et l'espionnage du camp − allonge manifestement la narration, *retardant* par conséquent l'action principale.

Dans la perspective gunkélienne de l'évolution du récit populaire, le retardement est considéré comme le signe d'une maturation de l'esprit narratif qui cherche, dans la nouvelle notamment, à accroître le plaisir du lecteur (ou de l'auditeur), par le retard du dénouement. Mais la sacralisation relève d'un autre ordre en proposant un autre motif d'allongement ou de retardement : le motif religieux, voire théologique.

Autrement dit, les deux récits sacrés (ou sacralisés) que nous venons de lire ont non seulement pour tâche de placer YHWH à l'initiative et en position de responsabilité de la future victoire de

Gédéon, mais de l'introduire comme *héros* de cette histoire. Le truchement de Son intervention directe mais non précisée quant à son mode, et celui du rêve, en faisant de Lui un véritable acteur, relativise l'importance du personnage de Gédéon et ses qualités de stratège. Il ne s'agit plus d'augmenter le plaisir du lecteur ou de l'auditeur, mais d'accroître ou d'éclairer sa foi et sa confiance en Celui-là seul qui donne la victoire, de la même façon qu'Il a lui-même choisi son serviteur Gédéon.

On voit les problèmes que soulève un tel procédé quant aux « images » que le récit peut engendrer dans l'esprit du lecteur. Alors que le récit de l'action guerrière proprement dite sera circonstancié de manière réaliste, celui de l'intervention de YHWH dans le tirage au sort des trois cents hommes et dans l'ordre donné à Gédéon de se rendre au camp madianite, laissent l'esprit devant l'inconnu, l'imprécis ou l'inimaginable : « Alors YHWH dit à Gédéon... » ou : « YHWH dit à Gédéon... » ou : « cette nuit-là YHWH lui dit... ». Faut-il dès maintenant reconnaître que la raison religieuse se satisfait du simple « dire » alors que l'histoire (ou la légende) a besoin de détails précis engendrant un imaginaire ? Ceci relève d'une autre partie de notre étude, même si nous allons découvrir sans plus tarder le caractère détaillé, réaliste, de l'action guerrière de Gédéon à laquelle ces récits sacrés nous ont pourtant acheminés.

CHAPITRE XIII

L'ATTAQUE ET LA VICTOIRE

(7, 16-22)

Si, du point de vue de la « légende » militaire ou guerrière, le cycle de Gédéon est ou doit être en cohérence avec l'ensemble Jg 3, 7-16, 31, l'épisode de l'attaque du camp madianite (7, 16-22) le fait sans aucun doute entrer dans cette cohérence. Par là, Gédéon devient vraiment l'un de ces « héros » qui permettent de parler d'un « livre des Juges », dans ces chapitres qui nous conduisent d'Otniel à Samson. Ainsi ni la variété des données étudiées jusqu'ici, ni même la dérive de sens que nous avons constatée après le récit de vocation, n'affaiblissent la portée d'un projet auquel tout paraît aujourd'hui finalement ordonné. Et quelle que soit la complexité rédactionnelle des épisodes qui le prolongent, c'est bien cet épisode qui justifie le récit de vocation, comme il justifie par avance le bilan final de l'action de Gédéon, l'abaissement de Madiân devant Israël (8, 28).

Le récit qui nous intéresse maintenant est facilement délimitable. Certes, l'analyse des récits qui le précèdent immédiatement, la sélection des trois cents combattants (7, 7) et l'espionnage du camp madianite par Gédéon accompagné de Pura, nous a montré qu'ils n'étaient pas absolument indispensables à ce récit, même si eux-mêmes ne constituaient pas à eux seuls des unités particulières puisqu'ils étaient manifestement ordonnés à une action. Mais justement, assurant la préparation directe de cette action, ils permettent d'arguer d'une continuité entre eux et le récit proprement dit de l'attaque du camp madianite ; ainsi est-il difficile d'isoler celui-ci. Cependant la sélection des trois cents comme le récit du rêve, du fait même de leur allongement, en particulier par la sacralisation, paraissent suffisamment « enrichis » pour être isolables. Du même coup, ils peuvent être distingués à la fois l'un de l'autre et du récit de la bataille.

Car le retour de Gédéon au camp d'Israël après son action d'espionnage (7, 15), marque bien la fin d'un épisode antécédent après quoi s'ouvre un nouveau récit, précisément celui de l'attaque du camp madianite [1]. Dans ces conditions, on ne peut parler que d'une introduction générale (7, 1) sous laquelle se placeront trois récits, même si se posera la question des enchaînements actuels.

Si donc la désignation de l'introduction ou des introductions pose ici, comme en de nombreux autres endroits, des questions qui ne recevront pas de réponses décisives [2], la conclusion apparaît d'abord plus nettement. Le constat de la fuite de l'ennemi jusqu'en des lieux relativement éloignés (7, 22) appartient suffisamment à la narration biblique pour qu'il soit inutile d'insister : une action bien engagée trouve là son issue normale.

Cependant, à regarder les choses de plus près, on s'aperçoit que le verset qui précède immédiatement celui-ci pourrait aussi bien remplir ce rôle de conclusion : le « et tous ceux du camp se mirent à courir, en poussant des cris et en fuyant » (trad. Dhorme) offre une finale satisfaisante et suffisante à l'épisode [3]. Or, à partir d'une telle hypothèse, les déductions sont loin d'être négligeables.

Elle fait d'abord apparaître la différence entre les deux versets. Alors que le verset 22 fournit un certain nombre de précisions d'ordre géographique, le verset 21 ne fournit rien de semblable. D'autre part, le verset 22 *sacralisant* l'effet de la défaite madianite par l'introduction de YHWH fait ressortir la banalité de la première conclusion. Il y a donc dans ce dernier verset un double effet

---

1. Ainsi Lagrange place-t-il sous le titre « Défaite des Madianites » ses notes de l'ensemble 7, 16-22. Ce découpage n'est cependant pas unanime. Si Moore (p. 207) isole ainsi le récit, Burney intègre le v. 15 (p. 180). Le problème, dans un tel découpage, est celui de la division du v. 15. Il nous paraît, en effet, difficile de garder l'intégralité de ce verset pour l'intégrer au récit de l'attaque du camp madianite, seuls les deux derniers stiques (le retour de Gédéon et son ordre) pouvant servir d'introduction directe à ce récit. Rappelons que Richter (1963), place ce récit à l'intérieur d'un ensemble (7, 11b, 13-21), d'un *Traditionsstück* (p. 188 sq.), sans induire pour autant l'unité rédactionnelle.

2. À moins de s'en tenir au jeu des déplacements de stiques et de versets, ce qui ne résout nullement le problème soulevé par l'état actuel du texte ou du cycle.

3. Alors que la plupart des commentateurs et traducteurs voient sans difficulté la conclusion de l'épisode dans ce v. 22, même si Burney ne consacre pas moins de sept pages aux difficultés qu'il présente (p. 218-224), seul Richter (1963) nous a paru en faire une addition qu'il élimine de ce fait du *Traditionsstück* repéré en 7, 13-21. Dans ces conditions, la conclusion, ou du moins la limite primitive de l'épisode se trouverait dans le v. 21.

ignoré du verset 21, la sacralisation (ou « yahvisation ») et la toponymisation.

Dès lors, si l'on s'en tient au seul verset 21, arrachant le récit aux précisions fournies par le verset 22, on le rend à un anonymat caractéristique.

En effet, si une telle conclusion fait de ce récit et donc de l'épisode qu'il rapporte à la fois un chapitre de l'histoire d'Israël par la référence à des lieux, et une page édifiante de l'action de YHWH [4], le seul verset 21 rend en quelque sorte le récit à une origine « légendaire » *(Sage),* celle qui tient à l'action d'un héros fameux, en même temps qu'elle l'arrache, paradoxalement, à une autre forme de récit populaire, le récit sacré *(Legende).*

Ce constat de possibilité d'une double conclusion, renvoie au récit lui-même qui, de l'intérieur, doit témoigner de son unité et par conséquent de la nature et du statut de ces deux conclusions. Mais se manifestent ici, dans le corps du récit, à la fois une réelle continuité de fil et d'action, en même temps qu'une certaine confusion narrative [5].

En principe les choses sont claires. Le récit conduit le lecteur d'une préparation directe de l'action à cette action proprement dite (la surprise du camp madianite) et à ses effets immédiats (la panique et la fuite des ennemis). Autrement dit, Gédéon ayant organisé ses combattants, réalise avec un plein succès ce qu'il avait prévu. Trois actes partagent donc un récit dont rien apparemment ne vient troubler la ligne conductrice, à la différence de la plupart des récits rencontrés jusqu'ici.

Mais une difficulté surgit. Elle tient à l'ensemble des gestes que Gédéon demande à ses trois cents d'accomplir et que la plupart des traductions s'ingénient à rendre plausibles, alors qu'il y a là

---

4. Cette réintroduction de YHWH au terme d'un récit qui l'ignore comme acteur exclusif, renvoie naturellement à la préparation de l'attaque dans la sélection des trois cents sur son ordre direct (7, 2-7) et à l'invitation faite à Gédéon d'aller espionner le camp madianite (7, 9-10). S'il y a de la *Legende* dans ces deux cas, on peut considérer que le v. 22 constitue en quelque sorte la conclusion d'une *Legende* englobante dont le récit proprement dit de l'attaque du camp madianite ne relève pourtant pas.

5. Cf. Moore, p. 207, Burney, p. 180. Lagrange, avec Moore et Burney, se réfère à l'objection fondamentale faite par Budde (p. 60), à savoir qu'« il est impossible de tenir une trompette d'une main et de l'autre un flambeau dans un pot vide, ce dernier point exigeant les deux mains. De plus on ne peut en même temps sonner de la trompette et crier » (p. 136). Alors que Soggin reprend ces objections et constate « certaines tensions » dans ce récit, pourquoi affirme-t-il pour commencer qu'il s'agit là « d'un texte probablement ancien, transmis avec soin » (p. 126) ?

manifestement, au stade rédactionnel que nous atteignons, une impossibilité[6]. Comment, en effet, avec deux mains par combattant, tenir une torche et un pot de terre destiné à cacher momentanément cette torche, puis briser ce pot tout en tenant la torche et sonnant du cor ?

En fait le problème n'est pas insoluble si l'on décompose l'état actuel du texte. Un premier verset (7, 16) distingue bien les différents objets :

Et il [Gédéon] divisa les trois cents hommes en trois corps
et il donna *des cors* dans leurs mains à tous
et *des cruches vides*
et *des torches* au milieu des cruches.

Or, les deux versets qui suivent (7, 17-18) ne mentionnent plus les torches ni les cruches, mais seulement les cors :

Et il leur dit : « De mon côté vous regarderez et vous ferez comme moi et quand moi j'arriverai à l'extrémité du camp, alors comme je ferai ainsi vous ferez,
et je sonnerai du cor
et tous ceux qui (seront) avec moi
et vous sonnerez des cors vous aussi tout autour du camp
et vous direz : "Pour YHWH et pour Gédéon !" »

À ces versets qui constituent la préparation de l'action (ou son acte premier) succèdent naturellement des versets qui racontent l'action proprement dite. Si nous continuons de fixer notre attention sur les cors, les cruches et les torches, quelques observations s'imposent. Dans cette action, les cors apparaissent les premiers *avant que* ne soient brisées les cruches, au risque, rappelons-le, de demander au lecteur de se représenter un geste impossible à accomplir avec deux mains (7, 19) :

Et Gédéon arriva
et les cent hommes qui étaient avec lui à l'extrémité du camp

---

6. Ainsi Dhorme rendra-t-il plausible sa traduction par une note qui explique qu'« on brise les cruches pour en retirer les torches qui resteront dans la main gauche, tandis que la trompette reste dans la main droite... » (Bible de « La Pléiade », I, sur Jg 7, 20.) Ni Osty, ni la Bible de Jérusalem, ni la Traduction œcuménique de la Bible ne relèvent la difficulté. Cf. aussi la note additionnelle (1920) de Burney, p. 180.

au commencement de la veille du milieu comme on venait de relever
les veilleurs
et ils sonnèrent des cors
et ils cassaient les cruches qui étaient dans leurs mains.

Comme convenu, tous les hommes de Gédéon à ce signal firent
ainsi qu'il leur avait été ordonné. Remarquons cependant que les
cent hommes qui étaient avec Gédéon constituant un premier
corps d'intervention et ayant déjà été mentionnés, il est étonnant
que le verset suivant (7, 20) parle des « trois corps », alors qu'il
paraîtrait plus logique de ne parler que des « deux autres »[7], de
ceux qui n'étaient pas avec Gédéon. Cette remarque en entraîne
d'autres quant à la composition de ce verset :

Et les trois corps sonnèrent des cors
et ils brisèrent les cruches
et ils saisirent de la main gauche les torches
et dans la main droite les cors pour en sonner
et ils crièrent : « Guerre pour YHWH et pour Gédéon ! »

À la mention, abusive en l'occurrence, des « trois corps »
s'ajoute un jeu de précisions qui, paradoxalement, ajoute aux
questions déjà posées : pourquoi tant d'explications en cet endroit
quant au maniement des torches « de la main gauche » et des cors
« de la main droite »? Étant donné la difficulté de la chose,
Gédéon, lors de la préparation de l'action, n'aurait-il pas dû
lui-même expliquer les gestes à ses hommes? Mais si l'on prend
quelque recul par rapport à l'action racontée avec tant de détails,
on est en droit de déduire qu'il s'agit là de l'*explication* d'un
rédacteur saisi par la difficulté qui trouble le lecteur d'aujour-
d'hui... La résout-il pour autant? Il tente tout au moins de rendre
plausible un ensemble de gestes qui reste malgré tout impossible !
Ce qui, sur ce point, peut paraître une pure hypothèse reçoit sa
confirmation dans les deux derniers versets (7, 21-22), dont la fin
marque le dernier acte de l'action de Gédéon et de ses hommes.

---

7. Depuis Budde jusqu'à Soggin, il y a un accord pour noter que ces versets
sont « surchargés ». Pour la critique textuelle proprement dite, cf. Lagrange,
p. 137, même si la référence — alors traditionnelle — aux documents E et J ne nous
paraît guère satisfaisante. Signalons que c'est en particulier à cause de ce passage
que Richter (1963) tire la conclusion que dans le cycle de Gédéon, la multiplicité
et la différence de traditions obligent à prendre chacune d'elles selon une histoire
propre (cf. p. 188-189).

Il n'est plus question alors ni de cruches ni de torches, mais *seulement* de cors :

> Et il s'arrêtèrent chacun sur place autour du camp
> et se mirent à courir tous ceux du camp
> et ils poussaient des cris
> et ils fuyaient ;
> et les trois cents sonnaient du cor
> et YHWH tourna l'épée de chacun contre l'autre dans tout le camp et le camp s'enfuit jusqu'à Beth-ha-Shittah, vers Sarédah et jusqu'au bord d'Abel-Meholah près de Tabbath. (Trad. litt. et Dhorme pour 7, 22.)

Par conséquent se confirme la distinction entre les cors d'une part, les cruches et les torches de l'autre, puisque celles-ci n'apparaissent plus ici. Il y a donc un traitement particulier de ces objets, tantôt global et incohérent, tantôt exclusif de deux sur trois. Tantôt un ordre d'énumération « ajoute » les cruches et les torches aux cors, tantôt celles-là sont simplement omises. Or, Gédéon remet *d'abord* des cors à ses compagnons (7, 16), de la même façon que les cent hommes *commencent* par sonner du cor et cassent ensuite les cruches (7, 19).

Au milieu du récit (7, 20), une « explication », laborieuse et finalement peu convaincante avec la mention des « trois corps » quand il n'aurait dû être question que de deux, marque l'ultime mention des cruches comme des torches, — les cors, comme nous l'avons dit, continuant de jouer leur rôle jusqu'à la fin du récit.

Dans ces conditions, il paraît hautement vraisemblable que les différentes mentions des cruches et des torches relèvent d'*additions,* l'action se suffisant par ailleurs avec l'utilisation de cors.

En effet, tel que le texte se présente aujourd'hui, il est relativement aisé de faire disparaître cruches et torches sans attenter au fil du récit ni surtout à l'efficacité de l'action de Gédéon, quitte à faire perdre à celle-ci un pittoresque élément de dramatisation. Le récit peut se lire ainsi :

> Et (Gédéon) divisa les trois cents hommes en trois corps
> et il donna des cors dans leurs mains à tous...
> et il leur dit : de mon côté vous regarderez et ainsi que moi vous ferez
> et quand moi j'arriverai à l'extrémité du camp et comme je ferai ainsi vous ferez ;
> et je sonnerai du cor
> et tous ceux qui (seront) avec moi

et vous sonnerez des cors vous aussi tout autour du camp
et vous direz : « Pour YHWH et pour Gédéon ! »
Et Gédéon arriva
et les cent hommes qui étaient avec lui à l'extrémité du camp au
commencement de la veille du milieu comme on venait de relever les
veilleurs
et ils sonnèrent des cors...
et ils crièrent : « Épée pour YHWH et pour Gédéon ! »
et ils s'arrêtèrent chacun sur place autour du camp
et se mirent à courir tous ceux du camp
et ils poussèrent des cris
et ils fuyaient
et les trois cents sonnaient du cor... »

Mais si les cruches et les torches s'avèrent finalement ajoutées et inutiles, comment expliquer leur présence dans le récit actuel ?

L'hypothèse qui s'impose est celle qui propose la fusion de deux traditions : un rédacteur aurait joint à un « récit cors », soit un « récit cruches et torches », soit les restes d'un tel récit [8]. Du même coup, il accentuait le caractère pittoresque de l'épisode sans pour autant garantir plus d'efficacité à l'action proprement dite. Mais ce faisant, il imposait aux compagnons de Gédéon des gestes impossibles à accomplir avec deux mains seulement !

Ainsi se trouverait résolue une difficulté traditionnelle et d'autant mieux qu'une lecture quelque peu pertinente du texte montre le « plaquage » d'objets, les cruches et les torches, sur une action qui, en fin de compte, peut très bien s'en passer autant du point de vue rédactionnel que du point de vue réaliste.

Dès lors, le récit ainsi simplifié, ou plus exactement purifié, ne perdrait rien de sa force essentielle. Il assurerait en outre cette traditionnelle rigueur biblique dans l'art du condensé au service d'une action qui ne relève pas seulement de la naïveté du récit populaire mais de la meilleure stratégie militaire, ancienne ou moderne : celle de la surprise de l'ennemi par un attaquant inférieur en nombre et en puissance, mais ayant l'avantage de l'initiative et de l'audace.

Quelle est alors la véritable conclusion de ce récit ? Au début de ce chapitre, nous avons laissé entendre qu'une conclusion était lisible dans le simple constat de la fuite des ennemis (verset 21)

---

8. Ainsi Burney fait explicitement relever la tradition des cruches et des torches de J, attribuant celle ces cors à E, peut-être sous l'influence de Jos 6, 12 sq. (p. 181).

alors qu'une « seconde » conclusion apparaît au verset 22, avec tous les caractères de l'historicisation, par la toponymie notamment[9], à quoi est jointe une sacralisation par l'introduction du YHWH.

En fait, à reprendre l'ensemble du récit, rien ne permet d'aller dans le sens des précisions du verset 22. Même si YHWH est invoqué (dans le cri de guerre), même s'il s'agit d'un camp madianite, toute l'action est rapportée de telle sorte que le mérite en revienne à Gédéon, chef de guerre en Israël, certes, et à ce titre, fidèle de YHWH ; mais elle l'est de façon à ce que tout soit concentré sur l'action proprement dite, sans que des précisions de lieux n'interviennent.

Dans ces conditions, les choses sont claires : le récit est un récit des guerres de Gédéon[10], relevant à proprement parler d'un « cycle Gédéon » et qui aurait pu appeler une tout autre conclusion que celle qui est aujourd'hui imposée après la conclusion banale et normale (verset 21) ou n'en point appeler du tout. L'ajout de l'actuelle conclusion (verset 22) en l'historicisant et sacralisant rétroactivement, lui fait remplir une tout autre fonction à l'intérieur du cycle, loin du récit populaire ou de la légende *(Sage)* classique[11]. Entrant plus précisément dans un cadre historique[12], du fait de ces précisions de lieu, il devient aussi un véritable récit sacré *(Legende)* du fait de l'introduction de YHWH comme responsable direct[13].

Ainsi l'actuelle conclusion ne peut-elle apparaître qu'ajoutée, non sans intention évidemment, même si elle n'appelle pas immé-

---

9. Faut-il rappeler qu'employer le terme « historicisation » n'induit aucune « vérité » de type historique ? Il s'agit de désigner d'abord un processus qui tend à dépasser le simple stade légendaire. Sur les difficultés de cette toponymie, cf. Soggin, p. 127.

10. Et pas nécessairement des « guerres de YHWH » comme le dénonçait déjà Moore (p. 210) ; cf. ci-dessous, chap. XXIII et n. 11.

11. Nous avons tenté de préciser les catégories dans un cadre historique dans *La Bible à la naissance de l'histoire* en parlant de « légende royale » (cf. p. 159-167 ; 359-367). À notre sens, ce récit relèverait d'un type semblable à celui de la légende royale de Saül, David ou Salomon, dans la mesure où elle engage un personnage « en historicité » déjà loin des héros ancestraux du type d'Abraham ou surtout de Jacob, la conclusion du v. 22 confirmant une sorte de dérive vers une *Koenigslegende* davantage que vers une *Koenigssage*.

12. Ou plus exactement un « projet historien » ; cf. ci-dessous, chap. XXV.

13. Par cette introduction de YHWH, on peut considérer, comme nous l'avons déjà fait remarquer (cf. ci-dessus, n. 5) que l'ensemble ouvert par son intervention dans la sélection des trois cents (7, 2 sq.) reçoit effectivement là sa conclusion, de la *« Legende »* à la *« Legende »*.

diatement la formule attendue dans le cadre du livre des Juges :
« Ainsi Madiân fut abaissé devant les Israélites. » Celle-ci viendra
plus tard (8, 28). En fait l'aventure guerrière de Gédéon ne fait
que commencer, même si ce qu'il va maintenant réaliser est dans
le prolongement de cette victoire.

CHAPITRE XIV

SUITE OU ACTIONS NOUVELLES ?

(7, 23-8, 3)

Comme nous l'avons dit dans le chapitre précédent, la suite de l'épisode de la surprise du camp madianite (7, 16-22) maintient le lecteur dans la cohérence de cette surprise réussie. Autrement dit, jusqu'à la fin du cycle nous n'aurons pas à constater de dérives de sens ou d'action comparables à celles constatées à la suite du récit de vocation. Est-ce à dire que les faits rapportés à partir de maintenant ne posent aucun problème rédactionnel ? ou qu'ils sont tous en lien organique avec l'épisode de la surprise du camp ennemi ? Déjà l'addition de la conclusion (7, 22) révélait une autonomie caractéristique du récit qu'elle cherchait, pour ainsi dire, à réduire.

Cet épisode a pourtant un prolongement dans l'écho direct des préparatifs du coup de main avant la sélection des trois cents. Pour ce faire, Gédéon avait convoqué les gens d'Asher, de Zabulon et de Nephtali qui étaient alors « montés à sa rencontre » (6, 35). Or, après le coup de main, « les gens d'Israël se rassemblèrent, de Nephtali, d'Asher et de tout Manassé, et ils poursuivirent Madiân » (7, 23).

Cette dernière énumération des alliés de Gédéon est évidemment différente de la première : alors que pour l'appel aux armes (6, 35), Manassé était traité à part, il est intégré aux deux autres groupes de combattants pour la poursuite des Madianites (7, 23) ; à l'inverse, Zabulon est omis pour cette poursuite. En outre, si Abiézer, du clan de Manassé, est précisé pour l'appel aux armes et se trouve convoqué avant « tout Manassé » (6, 14b), il n'est plus évoqué par la suite. Il n'y a donc pas ici reprise en refrain ou en sommaire d'un état des troupes d'abord convoquées ; il s'agit plutôt d'une autre tradition qui ne contredit pas les premières données. Corrélativement, il ne sera plus question ni des uns ni des autres jusqu'à la fin du cycle [1].

Si ces noms de tribus et de clans d'Israël reviennent très peu dans l'ensemble du cycle, leur répétition dit à la fois trop et trop peu. Elle dit trop par rapport à la simple exigence d'une mise en situation introductive ; elle dit trop peu dans la mesure où les noms de ces tribus revenant à deux ou trois reprises en des moments décisifs, on aimerait en savoir plus sur le rôle de ces tribus, d'autant plus que tel nom est tantôt mis à part, tantôt mêlé à d'autres (Manassé), et tel autre tantôt donné, tantôt supprimé (Abiézer et Zabulon) [2].

Une hiérarchie s'impose pourtant. À partir du récit de vocation, la première place est donnée à Manassé, tribu du héros ; elle voit corrélativement son clan désigné, Abiézer [3], le père de Gédéon étant « Yoash d'Abiézer » (6, 11 ; cf. 6, 24). Ainsi le fil du cycle conduit, pour l'identification de Gédéon, de son clan, Abiézer, à sa tribu, Manassé. Parallèlement, pour la guerre à mener contre Madiân, Gédéon commence par « grouper derrière lui » Abiézer avant que « tout Manassé » ne se rassemble (6, 34-35). Notons à ce sujet que son investissement par l'esprit de YHWH a pour effet immédiat la convocation d'Abiézer. Ce clan ne sera pourtant plus cité dans la suite de l'histoire guerrière proprement dite.

Comme nous l'avons vu, les autres tribus, Asher, Zabulon et Nephtali n'apparaissent qu'au moment des préparatifs immédiats de la guerre contre Madiân (6, 35). Mais si nous pouvons supposer que les trois cents qui participèrent au coup de main contre le

---

1. Richter (1963), après avoir noté le parallèle entre 6, 33-35 et 7, 23-24, relève les mêmes différences que celles que nous relevons, ce qui empêche naturellement d'aller trop dans le sens du parallèle ou du doublet (p. 117). Plus loin, il présente une table des formules similaires entre les deux textes (p. 175-176), ce qui l'amène à parler d'un *Schema* là où nous parlons de « sommaire ».

2. Sur ce problème des tribus dans le cycle de Gédéon comme dans le livre des Juges, signalons l'intéressante étude critique de N.P. LEMCHE, « Is There Anything New in Gottwald's Understanding of Israelite Tribal Society in the Period of the Judges ? » in *Early Israel,* Leyde, Brill éd., 1985, p. 300 sq.

3. Sur Manassé et Abiézer, cf. ci-dessous, chap. XXIII. Il nous paraît difficile — ce que font la plupart des commentateurs, Moore et Soggin en particulier —, de fonder de réelles objections à partir de ce verset par rapport à d'autres ; (ainsi, Moore considère comme inconciliable l'information de 7, 23 avec 8, 1 ; p. 213). Dans la mesure où l'on accepte non seulement le caractère composite de cette partie du cycle de Gédéon, mais aussi le genre « sommaire » (ou le *Schema* selon Richter) de ce genre d'information, le débat nous semble assez vain. Burney (p. 181-182) ne nous paraît guère mieux inspiré quant à ses attributions aux documents J. et E. Il est clair qu'après le v. 23, nous avons affaire à une « tradition Éphraïm ».

camp madianite furent sélectionnés dans ces tribus, la masse que leur convocation provoquait, 32 000 hommes (7, 3b), est très vite mise à l'écart. À aucun moment en tout cas, lors du coup de main, elles ne sont mentionnées.

On les retrouve pour la poursuite des Madianites en déroute (7, 23). Mais comme nous l'avons déjà signalé, Zabulon manque alors à l'appel et il est difficile de déduire quoi que ce soit de ce silence qui n'est par ailleurs nullement expliqué. Le plus prudent est donc de conclure à une différence de traditions, prudence insatisfaisante cependant dans la mesure où ce silence renvoie à un autre silence, celui qui fait omettre la tribu d'Issachar dans la convocation des tribus par Gédéon. Or, cette tribu est géographiquement enclavée entre Manassé, Zabulon et Nephtali [4] !

Enfin, ces constats butent sur le fait qu'après la simple affirmation de la poursuite des Madianites par « les gens d'Israël » rassemblés « de Nephtali, d'Asher et de tout Manassé » (7, 23), il ne sera plus question désormais que d'Israël ou simplement des « trois cents ». On est donc proche ici du sommaire, voire du refrain, qui pose la double question de sa valeur informative et de sa signification dans l'ensemble du cycle.

Plus conséquente est la mention des « hommes d'Éphraïm » en suite immédiate de la mention de ces tribus (7, 24). Non seulement elle dit quelque chose de ce groupe, mais elle introduit de nouveaux héros dans l'histoire, deux chefs de Madiân, Oreb et Zéeb, dont nous n'avions nullement entendu parler jusqu'ici.

Cette fois, c'est la tribu territorialement au sud de Manassé qui est convoquée et, nous le verrons ultérieurement, selon une logique géographique qui s'impose.

Ainsi, après avoir été invité par voie de messager à « descendre à la rencontre de Madiân » et s'être vu confier la responsabilité d'une action précise, « occuper les points d'eau jusqu'à Bet-Bara et le Jourdain » avant que Madiân ne le fasse (7, 24) [5], Éphraïm

---

4. Une telle « omission » ne doit pas nous faire oublier la reconnaissance et donc la répartition *idéale* des tribus à une époque relativement tardive. À notre sens, l'argument du silence est ici moins que jamais valable. Il nous suffit de le constater pour déduire qu'Issachar ne concernait nullement l'état de la rédaction du cycle à des époques plus anciennes.

5. Burney souligne cependant que le récit, du moins dans sa source, visait à montrer qu'à Abiézer seul devait revenir le mérite de la déroute de Madiân (p. 182). Mais ici aussi, on se heurte à des problèmes de toponymie. La Bible de Jérusalem parlant de « points d'eau » force, à notre sens, le texte. Il s'agit plus

ajoute à l'accomplissement de sa mission la capture des deux chefs de Madiân, Oreb et Zéeb, et leur exécution (7, 25).

L'action rebondit alors : devant leur efficacité ou l'importance de leurs succès, les hommes d'Éphraïm manifestent leur mécontentement de n'avoir pas été convoqués *avant* le début des hostilités. Autrement dit, ils n'ont pas fait partie des tribus appelées à la guerre avant l'épisode de la toison (6, 33-35). Leur amertume se calme sur l'hommage que Gédéon rend à la supériorité de leur action. L'incident se clôt en même temps que le récit dont Éphraïm est l'objet et le sujet, une autre action s'ouvrant ensuite, tandis qu'Éphraïm, comme les autres tribus, disparaît de l'horizon du cycle [6].

Par-delà le constat premier d'une ligne assez pure de récit, la question se pose de la dépendance ou de l'indépendance de l'épisode par rapport à l'action contre le camp madianite et donc par rapport à la fuite des Madianites en déroute. Car rien, dans l'état rédactionnel actuel, ne permet de voir un lien quelconque entre ces deux épisodes, aussi ténu soit-il, hormis celui de la construction rédactionnelle.

Dans ces conditions, nous aurions affaire à un autre chapitre de l'action guerrière de Gédéon contre les Madianites, « la montagne d'Éphraïm » entrant comme héros dans cette action [7].

Si la capture des chefs madianites relève d'abord de l'heureux hasard en faveur d'Éphraïm et de son efficacité, l'existence de ces chefs n'en pose pas moins question. On peut certes prendre simplement acte de la chose qui narrativement ne soulève pas de problème. Mais tant du point de vue de l'économie générale du

---

généralement des « eaux », à entendre peut-être dans le sens de « cours d'eau ». Mais de quels cours d'eau s'agit-il dans cette région, qui puissent constituer un obstacle sérieux aux Madianites en fuite ? La difficulté est soulevée par Lagrange (p. 141). Budde pensait déjà que le Jourdain, deux fois mentionné en 7, 24, était une addition destinée à rendre plus vraisemblable le récit (et ce qui le prolonge).

6. Cf. Lagrange : « L'unité de ce petit morceau (7, 23-8, 3) n'est contestée par personne, si l'on excepte le v. 23 et en partie le v. 25... » (p. 140). Les objections de Soggin (p. 129-130), ne nous paraissent guère soutenables. Richter (1963) a une tout autre position. Mettant à part les v. 23-24, il voit un ensemble en 7, 25-8, 3 qui se subdivise en deux *Narratives* (la seconde à partir de 8, 1) (p. 207-210). Nous arrivons aux mêmes conclusions mais par des approches différentes.

7. La question sera aggravée avec le surgissement des deux chefs madianites, ainsi que le signale Moore (p. 215), qui notait aussi l'illogisme du retard dans la poursuite de Madiân, dû à l'affaire qui « comes too late after the capture and death of the chiefs ».

cycle que de celui qu'évoque le principe onomastique, il n'en va pas de même.

Tout d'abord, le fait que ces deux chefs nous étaient jusqu'ici inconnus, tend à renforcer l'autonomie de cet épisode par rapport à celui de la surprise du camp. D'autre part, leur capture comme leur exécution typiquement « guerrière », entre dans le jeu d'une série d'actions caractéristiques des différents juges. De ce fait, l'autonomie de l'épisode par rapport aux précédents, comme par rapport aux suivants n'a rien d'étonnant dans l'ensemble 3, 7-16, 31.

Mais c'est l'onomastique qui, une fois de plus, nous oblige à nous poser quelques questions qui vont rebondir sur l'épisode lui-même et donc sur la mention de ces fameux chefs madianites.

On nous précise, en effet, que « les gens d'Éphraïm... tuèrent Oreb au Rocher d'Oreb [8] et Zéeb au Pressoir de Zéeb » (7, 25b). Gunkel et ses maîtres folkloristes nous ayant trop habitués à inverser l'ordre proposé ou imposé par les récits, il nous est difficile d'agréer simplement ces lieux comme étant ceux de l'exécution de deux personnages dont ils porteraient *naturellement* les noms [9] ! Car il ne s'agit pas seulement du destin cruel de deux chefs ennemis, mais au moins autant, sinon davantage de deux lieux-dits, *le Rocher* d'Oreb et *le Pressoir* de Zéeb.

Autrement dit, il ne s'agit pas seulement de reconnaître que ce rocher et ce pressoir portent les noms d'Oreb et de Zéeb *parce que* ces deux « chefs madianites » y furent exécutés, mais bien plutôt de revenir à la question que pose la dénomination de ces lieux-dits [10].

Contrairement à l'illusion qu'engendre ce genre de récit, « au

---

8. Signalons que « Oreb » est cité par Is 10, 26 (« YHWH Sabaot [...] frappa Madiân au rocher d'Oreb. ») Il ne nous semble pas nécessaire, comme le fait Moore (p. 214), de déduire qu'Isaïe « suit une tradition différente » : l'expression prophétique peut très bien symboliser en Oreb tout Madiân et sa défaite.

9. L'« explication » de Lagrange paraît là singulièrement plate ou naïve : « Le "Rocher d'Oreb" (le corbeau) était particulièrement célèbre par le désastre de Madiân, Is. 10, 26 ; il y avait sans doute aussi un lieu nommé le "pressoir de Zéeb" (le loup) ; ce sont les noms des deux chefs de Madiân » (p. 141). Cf. Soggin (p. 129), qui va dans le sens de l'étiologie à la suite notamment de Richter (1963) (p. 208).

10. Il est naturellement difficile de faire abstraction du sens littéral de ces deux noms de chefs, Oreb signifiant « corbeau » et Zéeb, « loup ». À moins d'invoquer l'analogie « totémique » (cf. cependant Burney, p. 226), ce que rien n'autorise, le « Rocher du corbeau » et le « Pressoir du loup » résonnent trop universellement et donc trop banalement pour qu'on s'attache par trop à la personnalisation et à la personnalité de ces deux chefs, fussent-ils madianites.

commencement » il n'y eut pas nécessairement l'exécution par les gens d'Éphraïm de deux chefs madianites du nom de Oreb et de Zéeb. À la question vraiment initiale qu'ils posent, pourquoi ces noms de « Rocher d'Oreb » et de « Pressoir de Zéeb », répond précisément notre récit. En un mot, nous sommes là en présence d'une étiologie et dans l'ordre du récit, typiquement, d'une « légende historique » *(historische Sage)*[11].

Par conséquent, rebondit la question de la nature en même temps que celle de la valeur de l'information de cet épisode des chefs madianites. L'association de leur nom à un rocher et à un pressoir nous renvoie en un domaine, celui de la légende, qui par son étiologie essentielle, et pas seulement extrinsèque ou additionnelle comme dans le cas des étiologies explicites des conclusions de récit, ne laisse pas intact le projet historien d'abord imposé.

Ainsi, dans l'ensemble de l'épisode de la convocation des gens d'Éphraïm et de leur interception des eaux (7, 24-25), s'impose la distinction entre cette interception et l'exécution des deux chefs madianites : cette exécution, non prévue dans la mission confiée aux gens d'Éphraïm par Gédéon, peut être mise en doute quant à son appartenance organique à l'action guerrière de Gédéon. Elle peut dès lors être reversée au dossier de l'étiologie et de ce que celle-ci révèle en matière de récit : la légende ou des catégories de légendes.

Mais la seconde partie du récit — les remontrances des gens d'Éphraïm (8, 1-3) à Gédéon —, peut d'abord s'élever en objection contre cet isolement de l'épisode de l'exécution des chefs madianites et contre son éventuelle élaboration étiologisante, puisqu'il va être fait clairement allusion à cet épisode (8, 13)[12].

Disons tout d'abord que le reproche encouru par Gédéon ne lie pas davantage ce récit que le récit précédent — l'interception des eaux — à la préparation du coup de main contre le camp madianite avec les trois cents. Sa formulation le place simplement dans l'action générale de Gédéon contre Madiân, l'épisode de la surprise du camp ne constituant qu'un épisode parmi d'autres. Ainsi le reproche d'Éphraïm ne renvoie pas nécessairement à cette

11. Cf. GUNKEL, *Genesis* (1910), p. XX, § 6, et P. GIBERT, *Une théorie de la légende*, p. 78 et 274.

12. Rappelons que Richter (1963) voit là un autre récit ou une autre séquence narrative (p. 207 sq.)

action, pas plus sans doute que dans sa généralité même, la convocation des tribus avant l'épreuve de la toison n'était exclusivement contraignante par rapport à la surprise du camp madianite [13].

Pourtant ce nouvel épisode a l'air de contredire ce que nous venons de proposer quant au caractère étiologico-légendaire de l'épisode de l'exécution des chefs madianites, puisque Gédéon assure les gens d'Éphraïm de son admiration pour cette action « incomparable », incomparable en tout cas avec ce que lui-même a fait avec Abiézer (8, 2) [14].

Mais ici comme en d'autres endroits, s'impose de distinguer soigneusement les *données* du récit et l'*ordre* de ces données.

L'introduction (8, 1) constitue très normalement une sorte d'« action de présentation » sans laquelle rien ne pourrait être dit. Suit une proposition interrogative : « Qu'ai-je fait à présent en comparaison de vous ? » (8, 2a), proposition qui est reprise un peu plus loin sous une forme légèrement différente : « et que pouvais-je faire en comparaison de vous ? » (8, 2d). Ces deux formes encadrent une expression évoquant symboliquement l'action des Éphraïmites : « Le grappillage d'Éphraïm ne vaut-il pas mieux que la vendange d'Abiézer ? » (8, 2b), ainsi que le rappel de leur capture des chefs madianites placée sous référence divine. Mais on doit noter la dénomination de Dieu : « *Élohim* a livré en votre main les chefs de Madiân, Oreb et Zéeb. » (8, 2c.) On s'en doute : une telle dénomination ne pourra pas être ignorée.

Si l'état rédactionnel actuel, nous l'avons vu, intègre bien la succession de ces propositions, celles-ci n'en restent pas moins isolables les unes par rapport aux autres. Si le double questionnement de Gédéon (« Qu'ai-je donc fait en comparaison de vous ? » 8, 2a, 3b) pose effectivement question, les deux autres propositions sont plus facilement repérables dans leur autonomie.

À notre sens, c'est la comparaison entre le « grappillage

---

13. Le jugement « moralisant » sinon moralisateur de Lagrange (p. 142) à propos d'Éphraïm qui redouble de mauvaise grâce avec Jephté (12, 1-6) après en avoir manifesté à Gédéon, ne prouve rien. Quant à nous, nous n'écarterions pas trop vite la remarque de Wellhausen voyant un doublet entre ce passage et celui concernant Jephté. Cf. Moore, p. 216 et Burney, p. 226.

14. Même si Budde voit dans la précision de 8, 2 l'affirmation de l'action d'Abiézer (et non des trois cents), après notre analyse de l'attaque du camp madianite, il nous semble que cette objection tombe. Le récit de l'attaque relève de la « légende de Gédéon » ; ici nous avons affaire à une autre tradition qui n'exclut nullement la symbolisation d'Abiézer (sinon de Gédéon lui-même) à travers ces trois cents (cf. Moore, p. 216 et Lagrange, p. 142-143).

d'Éphraïm » et la « vendange d'Abiézer » qui est au centre de l'interrogation, constituant en quelque sorte le noyau du récit ainsi élaboré [15]. Autrement dit, nous devons nous demander si nous n'avons pas affaire ici à un objet de légende, en l'occurrence un dicton, et comme tel, originellement indépendant du récit dans lequel nous le recueillons aujourd'hui. Utilisé ici à titre de comparaison ou d'image, il relèverait soit d'un *Sitz im Leben* agricole disant la différence de fertilité entre deux territoires, soit plus sûrement d'une symbolisation déjà passée dans l'usage mettant en valeur les gens d'Éphraïm au détriment des gens d'Abiézer, indépendamment de tout fait particulier. Repris ou récupéré dans ce récit, ou bien il trouverait là, en fonction étiologique, son « origine » historique, ou bien il fournirait une confirmation pittoresque au propos de Gédéon apaisant des Éphraïmites à cran.

Mais à reprendre la mention des chefs madianites, Oreb et Zéeb, sur l'ensemble de l'épisode, force est maintenant de constater qu'il peut parfaitement être traité à part, non seulement de l'interception des eaux, mais aussi de l'épisode de l'altercation entre les gens d'Éphraïm et Gédéon.

En effet, l'explication ou plus exactement l'explicitation de l'utilisation de ce dicton par le rappel de la capture des deux chefs madianites (8, 2-3) ne s'impose pas davantage que cette capture ne s'imposait un peu plus haut par rapport à l'interception des eaux. Supprimons ce rappel, et nous obtenons une sorte de célébration générale par Gédéon, au moyen d'un dicton, de l'action d'Éphraïm après un reproche :

> Qu'ai-je fait à présent en comparaison de vous ? Le grappillage d'Éphraïm ne vaut-il pas mieux que la vendange d'Abiézer ?... (8, 2.)

La répétition de la question (en 8, 3b) pourrait soit appartenir au texte ancien, soit relever d'une convenance rédactionnelle après l'addition de l'évocation de la capture des deux chefs madianites. Car cette évocation intrigue par sa dénomination de Dieu [16]. Même si, du point de vue de la critique textuelle, elle n'est

---

15. Sur ces expressions et les références dans l'A.T., cf. Burney, p. 227 ; (cf. aussi Lagrange, p. 142).

16. Elle est cependant variable, la Septante et la Vulgate ayant lu « YHWH » (cf. Burney, p. 227 ; Lagrange, p. 142 ; Dr. J. SCHREINER, *Septuaginta-Massora des Buches der Richter,* Rome, 1957, p. 22). Si nous négligeons le récit du rêve du Madianite (7, 14 ; cf. ci-dessous, chap. xv), c'est pour la deuxième fois que nous

pas aussi avérée que les autres, ne pourrait-elle justifier le caractère additionnel de ce rappel de l'action des Éphraïmites, permettant de voir l'application du dicton à un récit qui n'en avait d'abord nul besoin ?

De ce fait, l'exécution des deux chefs madianites serait bien à réduire à l'étiologie de deux lieux-dits, un souci rédactionnel tardif justifiant le rappel de l'« événement », mais selon une tradition particulière, en « Élohim ».

Ainsi la particularité de cette tradition, et donc de la dénomination divine, ne peut qu'encourager à la distinction de trois épisodes originellement indépendants : l'interception des eaux entrant dans la chronique guerrière ou relevant d'une tradition propre à Éphraïm, l'exécution des deux chefs relevant manifestement d'une étiologie légendaire, et l'altercation entre Gédéon et les gens d'Éphraïm utilisant un objet de légende dont elle rend compte par sa mise en série avec les deux autres épisodes [17].

On peut certes conclure à la cohérence de ces récits dans le cadre de l'action guerrière de Gédéon contre Madiân. Mais il est non moins manifeste qu'une ou plusieurs opérations rédactionnelles ont contribué à joindre plus ou moins fortement entre eux des récits et leurs motifs qui s'avèrent finalement indépendants les uns des autres.

---

trouverions dans le cycle de Gédéon une telle dénomination. L'épisode de la toison avait évidemment l'avantage de présenter un véritable ensemble pour cette dénomination, tandis que nous n'avons affaire là qu'à une seule mention, et qui plus est dans la bouche même de Gédéon, dans un récit qui n'est, par ailleurs, pas particulièrement sacral.

17. On comprend dès lors la perplexité dans laquelle peut plonger ce récit, ainsi qu'en témoigne Soggin : « Le but que cette notice se fixe n'est pas évident, si ce n'est l'explication de deux noms liés à la région de la montagne d'Éphraïm et l'affirmation qu'Éphraïm est la plus importante de toutes les tribus. Une telle affirmation reflète par ailleurs sa position plus tardive, tandis qu'ici, nous l'avons vu, c'est une déclaration purement verbale, voulant "sauver la face" et ne pas créer à Gédéon des difficultés avec d'autres groupes. Le tout ferait donc penser à une composition relativement tardive ; peut-être écrite d'après les traditions d'Éhud, avec à sa base le souvenir d'un litige entre Éphraïm et Manassé sur des questions de répartitions du butin ; ce litige est donc résolu par l'acceptation de la part du premier des explications du second. Maintenant le récit est totalement, bien que de façon précaire, inséré dans les traditions du cycle de Gédéon » (p. 130.).

CHAPITRE XV

LES MENACES DE GÉDÉON

(8, 4-21)

Gédéon arriva au Jourdain. Il le passa avec les trois cents hommes qui étaient avec lui, épuisés par la poursuite. *(8, 4, trad. Dhorme.)* [1]

L'épisode d'Éphraïm avait fait oublier les trois cents compagnons de Gédéon. On les retrouve au terme de cet épisode, mais pour la dernière fois, Gédéon agissant par la suite comme héros principal sans que soient fournis des détails sur ces compagnons de combat. En outre, cette ultime allusion aux trois cents renvoie à la finale de la surprise du camp madianite dont elle paraît la suite normale : Gédéon aurait poursuivi les Madianites avec ses trois cents jusqu'au Jourdain et au-delà, à tel point que tous en étaient harassés [2].

---

1. Ce verset présente quelques difficultés textuelles que signalent la plupart des traducteurs et commentateurs : cf. notamment Lagrange (p. 143) et Dhorme. Il est aussi noté qu'il se rattache à 7, 23 (cf. Lagrange) sans que cela ne s'impose vraiment.

2. En réalité, établir un lien avec la finale de l'attaque du camp madianite ne peut que poser à nouveau la question de cette finale. Autrement dit, faudrait-il rattacher 8, 4 à 7, 21 ou à 7, 22 ? Le verset 22, avec sa toponymie, aussi énigmatique soit-elle, peut effectivement conduire Gédéon et les trois cents à poursuivre les Madianites jusqu'au Jourdain. Mais nous avons vu (cf. ci-dessus, chap. XIV, n. 3) que ce verset pouvait être additionnel et ne point constituer la conclusion normale ou originelle de l'épisode. Le verset 21 n'implique nullement, quant à lui, cette poursuite. On voit donc, ici comme en d'autres lieux, la fragilité d'hypothèses reconstitutives de liens originels entre récits aujourd'hui coupés. Du coup resurgit la question posée par la critique textuelle de ce verset, en particulier dans ses derniers mots : les trois cents sont-ils « épuisés et poursuivants » ou « épuisés et affamés » selon la lecture de plusieurs manuscrits de la Septante ? En ce dernier cas, le problème ne serait plus celui d'un lien possible ou non entre cet épisode et la fin de l'attaque du camp madianite, mais celui de l'« appel » des récits suivants. Quoi qu'il en soit, l'élégante habileté de Dhorme et de la Bible de Jérusalem à traduire « épuisés par la poursuite » ou « harassés par la poursuite » n'est guère défendable. Osty garde « épuisés et affamés ».

On ne peut pourtant aller trop loin dans ce sens. Du seul point de vue de la cohérence de la partie du cycle qui s'ouvre ici, le constat de la fatigue des combattants introduit davantage de nouveaux récits qu'il ne se rattache à de précédents; et aussi rédactionnel que soit le procédé, il assure la transition avec une nouvelle série d'événements[3].

En fait, le cycle oriente maintenant la guerre contre Madiân vers une autre phase où apparaissent deux personnages, Zébah et Çalmunna, désignés comme « rois de Madiân », et où se dessine naturellement un autre espace géographique[4].

Pas plus que les chefs Oreb et Zéeb, ces rois ne nous étaient connus avant la déroute du camp madianite. Ils surgissent donc soudainement, alors qu'ils auraient dû faire partie de la mise en situation de l'ennemi au début du récit. En effet, donner l'état des troupes, de leur organisation et surtout de leur commandement, ainsi qu'il est fait pour Israël avec Gédéon, n'est-ce pas ce qui s'impose en premier lieu dans la loi du récit? Toujours est-il que nous n'apprenons l'existence de ces personnages, des rois pourtant! qu'*après* la défaite de leur camp. De plus, ils portent des noms peut-être ironiques dans leur symbolisme − littéralement « sacrifice » et « protection refusée » − pour aggraver la question de l'origine et de la nature des textes où ils s'illustrent[5].

---

3. Apparemment, un événement ou un ensemble d'événements, tournant autour de la capture de deux rois madianites, occupera le lecteur jusqu'à la fin du cycle. Ce jeu rédactionnel apparaîtra plus contraignant, les échos d'un épisode à l'autre contribuant à donner l'illusion d'une unité de récit qui n'est en réalité que le produit d'une unification seconde. C'est bien selon cet esprit que Moore (p. 217 sq.) traite les versets 4 à 27 du chapitre 8. Burney adopte une division un peu plus restrictive (8, 4-21). Il est plus difficile d'évoquer ici Richter (1963), fidèle à sa pratique des « petites unités ». Notons cependant qu'il prend acte de 8, 4-21 (p. 117 sq.).

4. Il sera question de deux cités, Sukkot et Penuel. Le problème le plus délicat est soulevé par l'emplacement exact de la première, discuté depuis toujours et récemment encore contesté (cf. R. DE VAUX, *Histoire ancienne d'Israël*, t. II, 1973, p. 122). Comme notre recherche est essentiellement dans l'ordre du récit, nous traiterons des références à ces cités comme d'un donné.

5. Si Lagrange (p. 143-144) note le symbolisme du nom de ces rois (« sacrifice » et « protection refusée »; « sacrifice » et « ombre errante » selon Dhorme) et récuse la réaction qui, profitant d'un tel symbolisme, suspecterait « la réalité des personnes », Moore voit dans ces noms *an inept witticism* et une ironique perversion de prononciation (p. 219 et 218). Plus prudent, Burney parle de « modifications tardives » de noms dont la forme originale ne peut qu'être « hardiment... conjecturée » (p. 228 et 229). En réalité, ces noms renvoient un écho manifestement arabe. *Zebah* est identique au sud-arabique *dbh* qui signifie également « sacrifice ». On le trouve comme anthroponyme sous les formes *dbhm, dbhn* en qatabanite et sabéen (cf. C. LANKESTER HARDING, *A Index and Concordance of*

Une telle onomastique et une telle carence dans l'information se justifient aisément par le point de vue qui est celui des rédacteurs : un point de vue israélite, et plus étroitement le point de vue de l'histoire d'un héros israélite, Gédéon, les ennemis n'étant conçus et donc intéressants qu'« au service » de ce héros et de ce qu'il représente, Israël et son droit [6].

De fait, les épisodes qui suivent celui de la surprise du camp madianite, l'engagement d'Éphraïm et leur querelle (7, 23-8, 3), ont confirmé une sorte de « collection » ou de mise en série d'actions plus ou moins indépendantes dont le lien était naturellement le héros Gédéon. Il n'y a donc pas à se laisser impressionner outre mesure par le caractère « royal » des deux personnages qui entrent maintenant en scène : ils ne sont là que pour mettre une fois de plus en valeur Gédéon — leur caractère royal, même tardivement révélé, renforçant la valeur du héros et de son action. Se confirme ainsi une hiérarchie de données mises en place dès le récit de vocation : le salut d'Israël, l'élection divine d'un sauveur, Gédéon, et l'action de ce sauveur au service d'Israël. Tout le reste suivrait nécessairement, mais ne ferait que suivre, rois ennemis compris [7].

Si, en dehors d'une résonance proto-arabe de leurs noms, on ne peut rien savoir de ces rois qui surgissent tout à trac, le contexte dans lequel ils le font est assez significatif. En s'en tenant seulement à l'histoire qu'ils occupent, on constate qu'ils contribuent à l'élaboration de l'une des séquences les plus longues de ce cycle (8, 4-21) [8], comme si l'affrontement de Gédéon avec ces person-

---

Pre-Islamic Arabian Names and Inscriptions, Toronto, 1971, p. 248). Il est plus difficile de s'engager à propos de *Salmuna'* qui renvoie peut-être à un théophore de *slm*, nom divin connu par les inscriptions araméennes de Teima (cf. L. HAR-DING, *op. cit.,* p. 375). M. A. Caquot nous a suggéré l'interprétation suivante : *slm* (nom divin) + *mn'* signifierait en arabe « *salm* a protégé ». S'ouvrent ainsi pour ce passage sinon pour l'ensemble du cycle de Gédéon, d'autres espaces culturels et linguistiques témoignant de contacts d'Israël avec les aires proto-arabes du Sud à l'un ou l'autre moment de la rédaction de ce cycle.

6. Un critère de cet « israélitocentrisme » est peut-être dans l'exagération manifeste du butin pris sur « les rois de Madiân » (8, 26 ; cf. Moore, p. 217).

7. Si l'on ne peut qu'approuver, chez Soggin, la mise en valeur de « l'initiative de Gédéon, [l'absence de] trace d'une réélaboration théologique substantielle [et] la probable authenticité et ancienneté de cette section » nous paraissent des opinions fortement contestables (cf. p. 134).

8. Pour des motifs différents de ceux de Burney (notamment son attribution à E), nous retenons cette « unité », ne serait-ce qu'en vertu de la mort des deux rois, même si demeure en suspens la prise des croissants de chameaux par Gédéon.

nages avait justifié la constitution d'un lot de récits, lesquels, pris aujourd'hui dans un ensemble rédactionnel autrement orienté, avaient vu du même coup leur importance affaiblie.

Car le sort de ces rois apparaît désormais lié à des tiers qui particularisent dans leur sens des récits dont ces rois sont les héros malheureux. S'ils sont, en effet, destinés à tomber aux mains de Gédéon, le récit de leur capture (8, 10-12) se trouve désormais encadré par deux épisodes complémentaires qui rapportent le défi opposé par les gens de Sukkot et de Penuel à Gédéon (8, 4-9), et la façon dont celui-ci, tenant une promesse engageant le sort de ces rois, se vengera durement de ces gens (8, 13-17).

Quelle que soit l'origine de l'allusion aux trois cents qui ouvre cette série de récits (8, 4)[9], et qui assure au moins une cohérence rédactionnelle avec l'épisode de la surprise du camp madianite (7, 22), il faut reconnaître que dans l'état actuel du texte elle introduit très bien l'épisode du défi des gens de Sukkot et de Penuel (8, 5-9).

Géographiquement, le récit laisse le lecteur dans la cohérence des récits précédents : la montagne d'Éphraïm, la poursuite des Madianites en direction du Jourdain, le « détour » par Sukkot et Penuel ne faisant pas dévier de l'itinéraire de ces récits[10]. D'autre part, la demande faite par Gédéon aux gens de Sukkot est parfaitement plausible ; nous restons là dans la logique d'une armée en campagne demandant à ceux qu'elle défend ou protège de lui assurer le vivre[11]. Le refus de ces gens, pour lamentable ou

---

9. Pour Richter (1963), 8, 4 fait partie de l'unité 8, 10-13, du moins comme introduction (p. 230 sq.).

10. C'est en tout cas ainsi que l'entend la rédaction finale de cette section, quels que soient par ailleurs les problèmes soulevés par l'emplacement de ces cités (cf. Soggin, p. 131 et 132). Il n'y a donc ici aucune dérive de sens, ce qui n'exclut nullement ce que l'analyse — et donc l'isolement — des épisodes relatifs à ces cités amènent à conclure.

11. Se pose évidemment ici la question de la « relation » des gens de Sukkot avec Gédéon : s'agit-il de compatriotes (et coreligionnaires) ou d'« étrangers » ? Cf. R. DE VAUX, *op. cit.* : « Le refus des gens de Sukkot et de Penuel [...] s'explique suffisamment par la crainte de représailles de la part des Madianites lorsque Gédéon aurait repassé le Jourdain. On y a vu aussi l'expression de jalousies tribales : les deux villes auraient été habitées par des Makirites (et Makir avait été supplanté par Manassé), ou par des Benjaminites, ennemis d'Éphraïm (et de Manassé). Ce sont des conjectures, Sukkot est comptée comme une ville de Gad (Jos 13, 27), lorsque cette tribu s'étendit vers le nord dans la vallée du Jourdain. Les habitants de Sukkot (et de Penuel) seraient des Gadites. Mais la question est de savoir si ces deux villes étaient alors des villes israélites [...]. On ne peut pas exclure que Penuel et Sukkot aient été, non pas des villes israélites, mais des enclaves cananéennes de Transjordanie... » (p. 122.)

incompréhensible qu'il soit, est également loin d'être invraisemblable. Est de même vraisemblable le fait qu'ayant essuyé un refus auprès des gens de Sukkot, Gédéon se soit rendu près de là, à Penuel. Essuyant le même refus, il aurait alors menacé de vengeance les gens de cette ville comme il avait menacé ceux de Sukkot. Or, malgré cela, le récit soulève quelques questions.

Si le châtiment promis aux gens de Sukkot (8, 7), une fustigation des chefs et des anciens, sera effectivement appliqué au retour de Gédéon (8, 16) dans les limites de la menace [12], il en va tout autrement avec le châtiment parallèlement promis aux gens de Penuel, puisqu'il sera notablement aggravé. En effet, alors que Gédéon les avait seulement menacés de détruire une tour (8, 9), il ajoutera le « massacre des habitants de la ville » (8, 17).

On pourrait invoquer là le feu de l'action ou de la colère vengeresse. Mais alors pourquoi ne pas avoir annoncé un tel massacre au moment du refus des habitants de la ville, le rédacteur gardant la totale maîtrise de l'harmonie de son propos ? À lecture immédiate, il y a là manifestement deux poids deux mesures : alors qu'à Sukkot, Gédéon ne châtiera par fustigation que les chefs (selon 8, 6) et les anciens, soit soixante-dix-sept hommes (selon 8, 14.16), à Penuel, non seulement il détruira la tour, mais massacrera, semble-t-il, *tous* les habitants.

Naturellement, l'allusion à cette fameuse tour ne peut que retenir l'« attention littéraire » [13]. N'aurions-nous pas affaire là à une étiologie visant à rendre compte à Penuel d'une tour très probablement en ruine ? Dans cette perspective, le détour de Gédéon par cette ville, en doublet du détour par Sukkot, aurait eu effectivement cette fonction : rendre compte de la tour en ruine de Penuel. Dès lors s'expliquerait l'« addition » du massacre des habitants : dans la mesure où la seule destruction de cette tour pouvait paraître étrange ou insuffisante, un rédacteur aurait cru aller dans le sens de la cohérence de l'histoire en « ajoutant » ce massacre [14].

---

12. Dans notre proposition de lecture de ces deux épisodes, nous nous écartons de la plupart des commentateurs, dont la perspective est historiciste.

13. Même si Moore en fait une forteresse (p. 221). Lagrange rappelle la fortification de Penuel par Jéroboam (cf. 1 R 12, 25). Soggin, de son côté, rappelle qu'il pourrait aussi s'agir d'un sanctuaire (p. 132).

14. Budde proposait de supprimer l'allusion au massacre (soit 8, 17b). Lagrange (p. 147) tente de rendre ce massacre vraisemblable sinon légitime en arguant d'une résistance des gens de Penuel. Notons que rien dans le texte n'autorise une telle déduction.

En tout cas, que ce soit dans le cas du détour par Sukkot ou dans celui du retour de Gédéon dans cette ville pour mettre sa menace à exécution, l'épisode de Penuel est manifestement *en doublet,* le châtiment qui fait la seule différence étant trop particulier, exagéré en l'occurrence, pour ne pas attirer cette « attention littéraire ».

Ainsi, dans l'état actuel du texte, l'épisode des rois de Madiân est fortement entremêlé à une suite relativement complexe de données et d'épisodes.

Après ces faits (8, 4-9), eux-mêmes très divers, depuis l'allusion à la fatigue des trois cents jusqu'à la double menace de Gédéon contre les habitants de Sukkot et ceux de Penuel, et avant d'en arriver à l'exécution de cette menace (8, 16-17), s'entrecroisent des données de différente nature.

Nous obtenons tout d'abord (et enfin !) quelques informations sur les deux rois madianites, Zébah et Çalmunna, lesquels se trouvaient avec 15 000 hommes au Qarqor (8, 10) [15]. Si ce « nom propre » est aujourd'hui cartographiquement introuvable, c'est sans doute qu'il faut l'entendre selon un sens premier, de « sol plat » ou de « plateau » ou de « plaine ». Dans ce lieu en tout cas, les débris d'une armée de 120 000 hommes, y compris des « fils de l'Orient », avaient cru trouver un abri. Aussi, notre texte dit laconiquement que Gédéon défit cette armée (8, 11) [16]. Mais le doublet de cette annonce (8, 12c), après la capture des deux rois, laisse deviner que nous avons affaire là à un regroupement de traditions, morceaux récupérés en une sorte de sommaire.

Le retour de Gédéon à Sukkot et à Penuel pour la mise à exécution de ses menaces est préparé par un curieux incident dont il est aujourd'hui difficile de rendre pleinement compte. Ayant saisi un garçon de Sukkot auquel il demande les noms des chefs et des anciens de sa ville, celui-ci consent à écrire les soixante-dix-sept noms concernés [17] !

---

15. Il n'y a pas à s'attarder sur la manifeste exagération des chiffres donnés par le récit, Lagrange en faisant remarquer (p. 145) « le caractère de glose » étant donné qu'il s'agirait de combattants « censés tombés morts dans une bataille qui n'a [...] pour ainsi dire pas eu lieu ».

16. Pour les problèmes de critique textuelle soulevés par ce verset, cf. Burney, p. 230-231.

17. Si l'on argue parfois de ce texte, comme le fait Lagrange (p. 146-147), pour affirmer que l'usage de l'écriture était alors plus répandu qu'on ne pourrait le croire, la question demeure de la réaction du garçon. Craignait-il de parler ? la

Notons qu'au moment de son arrivée à Sukkot, Gédéon est désigné comme « fils de Yoash », ce qui n'était pas précisé lors de son premier passage (8, 4). Sans y insister pour l'instant et toujours dans la perpective du principe onomastique, une telle précision ne peut être négligée. Dans le portrait de Gédéon, il y aura donc à voir si n'est pas indiquée là une tradition particulière.

Après l'exécution de la menace et ses problèmes propres de récit dont nous avons déjà parlé, nous parvenons à la dernière étape du récit concernant le sort des deux rois madianites. Là encore, des informations nouvelles sont données : Zébah et Çalmunna avaient assasiné des frères de Gédéon au Tabor (8, 18-19). Du même coup nous apprenons le nom de son fils aîné, Yéter (8, 20), lequel, jeune encore, n'acceptera pas de tuer les deux rois madianites. C'est donc Gédéon lui-même qui s'en chargera, sur le « conseil » ou la « demande » des intéressés (8, 21a) !

Il n'y a rien à dire ici sur la conduite de ce dernier récit, sinon qu'il nous renvoie à des incidents ou événements ignorés jusque-là et qui furent sûrement déterminants, pour cette tradition, dans la vindicte de Gédéon contre ces rois. Il suffit pour l'instant de noter que si nous avons eu l'air, par ce dernier récit, de renouer avec le continu ou la cohérence de l'évocation d'une figure guerrière conforme au modèle des figures de l'ensemble 3, 7-16, 31, demeure cette diveristé de genres littéraires qui, de la seule allusion ou du sommaire jusqu'au récit constitué, n'exclut pas non plus l'artifice de l'étiologie, ainsi qu'à notre sens en témoigne l'intervention de Gédéon à Penuel.

En fin de compte, il faut une fois de plus constater ce qui ne peut apparaître que comme une sorte de recours à des procédés difficilement conciliables avec l'idée que nous nous faisons de l'histoire. Certes, en intégrant Penuel et Sukkot, les rédacteurs du cycle de Gédéon ne croyaient sûrement pas trahir un projet attendu de leurs lecteurs : l'histoire n'était sans doute pas pour eux aussi exclusive que pour nous de ce type d'explication qui liait des

mise par écrit s'explique-t-elle par le nombre de gens à désigner ? mais cette liste n'est-elle pas trop longue pour que le garçon ait pu la connaître par cœur ?, etc. Burney profite de l'occasion pour faire un important excursus à propos de *The use of writing among the Israelites at the time of the Judges* (p. 253-263) ; encore faudrait-il que le garçon ait bien été israélite, ce qui n'est nullement sûr.

lieux aux artifices de l'étiologie et réciproquement, des étiologies à l'amnésie dont tel lieu pouvait être frappé dans ses étrangetés (une tour en ruine par exemple, ou quelque dicton...). On peut même considérer qu'ils témoignaient par là de ce que devait être pour eux l'une des fonctions de l'histoire (l'explication), c'est-à-dire la nécessité de rendre compte aussi bien des lieux où avaient pu se dérouler tels événements que de ces événements.

Une fois de plus, à travers la richesse apparente de l'information, se confirment non seulement le caractère composite du cycle, mais aussi une grande habileté d'intégration de données. Celles-ci, aussi diverses soient-elles et quelles que soient l'origine et l'intention dont elles relèvent, créent l'impression d'une cohérence de comportement de la part des héros et une continuité dans l'enchaînement des différents événements mis en lien de cause à effet.

La fin de l'histoire ne pourra que renforcer ces constats, en particulier au terme de l'épisode des rois de Madiân − la prise des « croissants qui étaient au cou de leurs chameaux » (8, 21b) −, la transition étant, là encore, aussi habile qu'artificielle.

CHAPITRE XVI

UN POIDS DE RELECTURE : ÉPHOD ET ROYAUTÉ

(8, 22-27)

L'exécution des deux rois madianites par la main de Gédéon s'achevait sur un détail qui pouvait paraître étrange, la prise par le même Gédéon des croissants qui étaient au cou des chameaux de ces deux rois (8, 21c). Il pourrait n'y avoir là que réaction de vainqueur et notation d'un fait de guerre somme toute banal si elles ne constituaient une transition avec l'ultime épisode de ce cycle, la fabrication de l'éphod d'Ophra (8, 27), qui intégrera non seulement de tels croissants, mais un véritable butin (8, 24-26).

Plus questionnante encore est l'insertion, entre la finale du récit de l'exécution des deux rois (8, 21) et le récit de la fabrication de l'éphod (8, 24-27a), d'un incident d'ailleurs très brièvement rapporté, la demande faite à Gédéon par « les gens d'Israël » de « dominer » sur eux (8, 22-23). Ainsi nous trouvons-nous aujourd'hui devant deux épisodes entremêlés[1], d'ailleurs facilement repérables, dont les relations réciproques sont évidemment très faibles, pour ne pas dire immédiatement inexistantes. Si, de ce fait, la proposition de « domination », tout en étant justifiée (« puisque tu nous as sauvés de la main de Madiân ») reste allogène en cet endroit, l'épisode de la fabrication de l'éphod, avec sa pointe étiologique, est-elle aussi intégrée qu'il y paraît d'abord en ce même endroit ?

Dans l'état actuel du texte, la demande faite par Gédéon d'« un anneau de butin » (8, 24) est rattachée à celle faite par des

---

1. Dans la mesure où l'on rattache la fabrication de l'éphod à la prise des croissants des cous de chameaux (8, 21b).

« hommes d'Israël » que Gédéon « domine »[2] sur eux (8, 22). En effet, en s'abstrayant de cette dernière demande, on ne verrait pas immédiatement à qui s'adresserait celle de l'« anneau de butin », même si le contexte général permet de penser à ses compagnons ou à ceux qui ont pris part au butin, ou encore plus simplement à Israël. Il y a manifestement là une unification rédactionnelle de deux épisodes que tout invite par ailleurs à séparer. De fait, dans l'état actuel du cycle, si l'on exclut ce lien, on est contraint de rattacher l'épisode de la collecte du butin pour l'éphod à la plus proche mention d'Israël, de son armée ou de ses compagnons : les gens d'Éphraïm (8, 3) !

Mais cet épisode de la demande d'un anneau de butin constitue à lui seul une unité de sens que nous pouvons, pour l'instant, abstraire de celui de la demande de « domination », ce qui, dans une perspective gunkélienne, devrait nous permettre d'en percevoir la nature originelle.

Dans le récit de l'exécution des deux rois madianites, la mention des « croissants » des cous de chameaux (8, 21d), constitue aujourd'hui une sorte de « mot-appel » par rapport à la liste des éléments de butin recueillis par Gédéon (8, 26). Il y a là, artificiel certes, un procédé rédactionnel qui n'est pas à négliger totalement. De toute façon, le langage dominant est un langage de guerre qui ramène le lecteur à ce qui précède la demande de « domination » (8, 22-23), tant il est vrai qu'il n'y a pas de guerre sans butin ni de butin sans guerre !

Mais la pointe du récit n'est évidemment pas dans le bilan d'un tel butin. Ce bilan est à la fois encadré et motivé, d'une part, par une demande inattendue de Gédéon (« donnez-moi chacun un anneau de votre butin » 8, 24) et, d'autre part, par la fabrication d'un éphod commandité par le même Gédéon (8, 27). En outre, au cours du récit, un nouveau nom d'« ennemis » ou en tout cas de vaincus d'Israël apparaît, les Ismaélites (8, 24d)[3], considérés comme détenteurs particuliers d'« anneaux d'or ». Enfin, le récit

---

2. Les Israélites « offrent la royauté sans le mot, peut-être avec intention ». (Lagrange, p. 149.) L'usage de la racine *mashal* au lieu de *malak* « semble être conscient dans ce passage et dans le suivant, 9, 22... » (Soggin, p. 139.)

3. Moore émet l'hypothèse d'une glose (p. 231). Burney (p. 236) envoie son lecteur à une note introductive (sur 6, 1) établissant les liens entre Madianites et Ismaélites... (p. 184.) Même idée chez Lagrange (p. 150). Le simple constat de Soggin (« Ismaélites : terme interchangeable avec Madianites dans la généalogie de Gen 25, 1-6 », p. 139) ne rend pas la solution du problème plus acceptable.

se clôt sur un jugement en dépendance de la fabrication de cet éphod placé dans la ville de Gédéon, Ophra (8, 27a) :

Tous les Israélites se prostituèrent derrière cet (éphod), qui devint un piège pour Gédéon et pour sa maison. (8, 27b, trad. Dhorme.)

Quelle que soit la continuité rédactionnelle (ou de cohérence, ou de vraisemblance) que l'on puisse voir entre la guerre contre les Madianites et la prise d'un riche butin, ce récit de la fabrication de l'éphod ne laisse pas d'évoquer d'autres questions, d'autres intentions, que sa constitution même permet de repérer.

Il est clair tout d'abord, comme nous venons de le dire, que l'évocation de ce riche butin est doublement provoquée, par la demande de Gédéon et par la fabrication de l'éphod. Mais à son tour, la fabrication de cet objet religieux renvoie à la fois à un culte et à la ville que nous connaissons depuis le début de l'histoire de Gédéon, Ophra.

Autrement dit, et pareil constat dépasse le simple jeu d'hypothèse au terme d'un cycle qui l'a motivé à plusieurs reprises, il y a tout lieu de croire que nous nous trouvons encore devant un procédé *étiologique.* Ce récit de la fabrication de l'éphod ne servirait de rien moins qu'à expliquer la présence de cet éphod à Ophra, sinon le jugement de « prostitution » qui le suit, même si nous n'en avons rien su jusqu'ici. Ainsi opterions-nous là, dans cet épisode, pour une *légende cultuelle* aussi intégrée soit-elle à l'aventure guerrière de Gédéon.

Naturellement l'étiologie dont il s'agit n'est pas une étiologie de raccroc, extérieure au récit proprement dit et comparable à l'étiologie de l'autel d'Ophra d'Abiézer (6, 24) ou à celle du nom de Yerubbaal (6, 32). C'est tout le récit qui *fait* l'étiologie et pas simplement la formule conclusive qui lui resterait extérieure. Car ce caractère étiologique, en plus de la mention de l'objet, l'éphod, et de la ville, Ophra, trouve confirmation dans la faiblesse du lien qui rattache cet épisode à ce qui le précède et à ce qui le suit.

En effet, malgré l'habileté rédactionnelle, rien ne contraint Gédéon à faire cette demande de l'anneau de butin : ni en principe la proposition de « domination » ni même le fait guerrier du butin considérable. D'autre part, si, dans l'état actuel du texte, l'évocation de l'éphod aboutit au jugement négatif sur Israël et sur la maison de Gédéon, ce jugement est lui-même contredit par la

phrase qui le suit (8, 28) comme, un peu plus loin, par le rappel
de la mort de Gédéon « après une heureuse vieillesse » (8, 32).

Ainsi, tant la fabrication de l'éphod et l'évocation de son culte
à Ophra que le jugement négatif qui clôt le récit, se trouvent au
mieux en addition par rapport au contexte, au pire en contradiction avec le bilan de l'action de Gédéon (8, 28.34-35). Si à cela
on ajoute sa réaction « édifiante » à la demande de domination sur
Israël (8, 23), pourtant justifiée par sa victoire sur Madiân, on
aboutit à la plus totale incohérence et à une incompréhensible
narration.

Rappelons enfin l'évocation de ces Ismaélites dont il n'a jamais
été question jusqu'ici. Faut-il voir là un témoin d'une autre tradition littéraire et historique à l'intérieur de ce cycle ? Mais cela ne
ferait qu'aggraver un peu plus la difficulté du récit. Par contre, si,
une fois de plus, on accepte de reconnaître là du procédé étiologique, s'il s'agit d'expliquer l'origine ou la présence de l'éphod du
sanctuaire d'Ophra [4], si en fin de compte, comme le principe
onomastique nous l'a appris, l'association des noms de Gédéon et
d'Ophra suffit à justifier soit une simple conclusion étiologique,
soit la constitution d'un véritable récit, l'épisode de la collecte du
butin et de la fabrication de l'éphod entre dans la cohérence
globale du cycle de Gédéon et même magistralement : comme
guerrier Gédéon peut récupérer le butin et comme le *champion du
culte* que nous avons découvert dans le prolongement de son récit
de vocation (6, 17-32), il peut fabriquer un éphod.

Notons au passage que la mention d'Ophra nous permet de
repérer une inclusion sinon sur l'ensemble du cycle, du moins sur
l'ensemble des épisodes qui concernent directement Gédéon :
alors que le premier récit, le récit de vocation, s'ouvre aujourd'hui
par une mention d'Ophra où apparaît l'Ange de YHWH (6, 11),
ce récit se clôt sur la même mention (8, 27), preuve supplémentaire si besoin est de l'importance du principe onomastique dans
ce cycle.

Concluons pour l'instant sur le caractère malgré tout allogène
de l'épisode, aussi habilement inséré qu'il soit. Car s'il est possible
que l'histoire primitive ait conservé le souvenir d'un riche butin et
d'un butin spécifique [5], il apparaît également qu'une telle histoire
est manifestement relue en fonction d'un objet, l'éphod, dont il

---

4. Sur l'éphod comme sur le sanctuaire d'Ophra, cf. ci-dessous, chap. XXII.
5. Encore que Wellhausen, Budde et Moore voient là des gloses tardives, même
s'ils sont en désaccord sur les parties du verset à considérer ainsi.

fallait rendre compte et qu'on peut donc considérer comme *objet de légende*.

Mais la « relecture » est plus flagrante encore dans l'épisode que nous avons jusqu'ici contourné, celui de la demande de « domination » (8, 22-23). Manifestement additionnel, sans lien explicite avec le contexte immédiat, il aurait pu, certes, constituer un autre épisode de ce cycle après l'exécution des rois madianites, s'il n'était pas aussi artificiellement continué par le récit que nous venons d'étudier. En tout cas, comme nous l'avons fait remarquer plus haut, le contexte immédiat dans lequel il est aujourd'hui pris peut aisément s'en passer.

Il est évidemment difficile de lire ce récit en faisant abstraction de la complexe histoire de la monarchie d'Israël tant dans ses origines que dans sa réalisation, et il est aussi difficile de ne pas voir dans ce très bref épisode de la vie de Gédéon un effet rétroactif de cette longue histoire par ailleurs largement racontée dans les livres de Samuel et des Rois et reprise, commentée, célébrée ou critiquée par prophètes, psaumes et livres de sagesse [6].

Plus immédiatement, l'élection à Sichem d'Abimélek « fils de Yerubbaal » comme roi (9, 1-6), invitera inévitablement à voir quel lien le récit de cette élection peut entretenir avec ce récit [7]. Pour l'instant, nous retiendrons sa constitution même et sa place.

Son caractère allogène se marque d'abord dans la désignation des interlocuteurs de Gédéon. Les « hommes d'Israël » n'ont plus été mentionnés depuis la poursuite de Madiân à la suite de

---

6. Il n'y a donc rien d'étonnant à ce que Soggin notamment fasse de ce passage un texte de « la version pan-israélite » (p. 139). « Ce passage semble donc manifestement être une interpolation d'une époque plus tardive, avec une idéologie semblable à celle de 1 S 8, 1 sq. et 10, 17-27. Ceci rend possible le fait que ce passage appartienne aussi à la dernière étape du Dtr : DtrN ... » (Id.) L'explication que donne ici Soggin pour justifier l'emploi du verbe « dominer » *(mashal)* au lieu de « régner » *(malak)* nous paraît discutable : il se serait agi de marquer « l'idéal théocratique » qui, selon le Deutéronome, serait caractéristique de l'époque pré-monarchique, laquelle ne reconnaîtrait qu'à YHWH le pouvoir de *melek !* Personnellement nous pensons, à la suite de F. CRÜSEMAN, *Der Widerstand gegen das Königtum* (WMANT, 49, Neunkirchen, 1978, p. 50 sq.) que l'attribution de ce titre de roi à YHWH est quelque chose de tardif. Ce qui confirmerait finalement le caractère tardif de ce passage, selon J.A. EMERTON, « Gideon and Jerubbaal », *JTS*, NS 27 (1976), p. 289-312. Cf. aussi T. VEIJOLA, *Das Königtum in der Beurteilung des deuteronomischen Historiographie*, AASF, B198, Helsinki, 1977, p. 100-103.

7. Le problème est évidemment posé par Richter (1963), p. 235.

l'épisode de la surprise du camp (7, 23), puisque nous avions eu ensuite affaire aux « hommes d'Éphraïm » (8, 24), puis à ceux de Sukkot (8, 4) et de Penuel (8, 8). Et malgré l'allusion à « Israël » à propos de l'épisode de l'éphod qui suit, on est ici forcé de convenir, par cette désignation des interlocuteurs de Gédéon, de l'isolement du récit.

Pourtant la demande de domination qui est faite à Gédéon la rattache organiquement à l'ensemble du cycle : c'est en effet parce qu'il les a « sauvés de la main de Madiân » que les hommes d'Israël lui font cette demande. À ce titre, nous restons dans le contexte du cycle et dans son esprit.

On peut discuter de la pertinence ou de la vraisemblance d'une telle demande. Qu'il suffise ici de reconnaître qu'elle n'avait rien d'incohérent ou d'absurde dans le contexte historique, social et politique d'Israël, même si on peut se demander quelle était la nature exacte de la domination proposée comme de ses limites malgré l'invitation à la fidélité dynastique.

Mais c'est la réponse de Gédéon qui pose le plus question.

Nous avons déjà parlé de réaction « édifiante » ; précisons : religieuse et sacrale, voire théologique. Elle renvoie directement à YHWH seul désigné pour « dominer » sur Israël[8]. Or un tel propos n'est pas unique dans la Bible. Il inaugure même une sorte de thème à suivre à travers le premier livre de Samuel comme à travers les Psaumes et les prophètes. C'est pourquoi nous pouvons parler ici soit d'une formule de credo ou de « catéchèse », soit d'une conception théologique, toutes catégories qui ne peuvent que rendre le propos de Gédéon à la fois plus fort dans sa signification et plus étranger à ce cycle.

Dans le cadre de l'étude des divers matériaux qui le constituent aujourd'hui, un tel récit pose sans aucun doute une des questions les plus aiguës. Il nous faudra donc apprécier à sa juste mesure le caractère manifestement additionnel de sa présence et tenter de l'expliquer alors que nous ne pouvons, pour l'instant, que prendre acte de ce caractère[9]. Nous avons fait allusion au lien qu'il pourrait entretenir avec l'épisode de la royauté d'Abimélek (9, 1-6). Nous allons voir que ce lien se trouve renforcé par la finale complexe de l'ensemble du cycle, finale qui présente aujourd'hui

---

8. Cf. Moore, p. 230 et Burney, selon lequel il y a là l'écho d'une pensée prophétique postérieure au viiie siècle (p. 235).
9. Cf. ci-dessous, chap. xxiii.

un entremêlement de caractères particuliers et d'éléments typiques
des cycles de Juges dans l'ensemble 3, 7-16, 31 [10].

*
*   *

D'une certaine façon nous en avons terminé avec la suite des
récits qui constituent à proprement parler le cycle de Gédéon. Ce
qu'il nous reste à en dire appartient à la réflexion que nous
poursuivons sur l'écriture de l'histoire, la clôture du cycle, par les
formules conclusives, nous y faisant entrer dès le prochain chapitre qui ouvrira la seconde partie de notre travail.

Or, dans la perspective d'une histoire portée par une action, en
l'occurrence l'action guerrière de Gédéon contre les Madianites,
les deux derniers récits de ce cycle, la demande de la domination
et la fabrication de l'éphod d'Ophra, se révélaient rédactionnellement tout au moins, étrangers, extérieurs ou allogènes. Ainsi se
confirmait de façon ultime pour ainsi dire la question que nous
avons été contraint de nous poser à plusieurs reprises au cours de
notre analyse, celle de l'appartenance de tel et tel récit à un
ensemble cohérent, organique. Sans doute n'y a-t-il là qu'exercice
et terme banals dans une pratique d'exégèse critique. Sans doute
la cohérence d'une histoire n'est-elle pas nécessairement ni exclusivement assurée par une rigueur absolue d'enchaînements, par
une convergence totale d'informations. Et comme en tout lieu
historique, nous aurons à nous interroger sur le degré de confiance
que nous pouvons accorder à ce que ce cycle présente de meilleur
dans ce sens [11]. Mais il nous a si largement révélé des « dysharmo-
nies » rédactionnelles, des épisodes si manifestement étrangers à
d'autres cohérences et en particulier à la cohérence de l'ensemble
3, 7-16, 31, que nous pouvons déjà conclure, sinon à la présence
de plusieurs cycles en lui, du moins à une multiplicité de traditions
qu'il a eu de la peine à intégrer. Qu'en est-il dès lors d'un projet
historiographique digne de ce nom ?

Comme nous l'avons déjà signalé, on ne peut contester l'habileté des ultimes rédacteurs dans l'art de l'unification : paradoxalement, à certains moments, la difficulté de l'analyse n'a pu que le

---

10. Cf. ci-dessous, chap. xx.
11. Cf. ci-dessous, les chap. xviii et xxi à propos de Gédéon, d'Ophra et des
Madianites.

confirmer. Mais c'est précisément cet ensemble de divergences d'un fil directeur, de dérives de sens, de souci étiologique, de récits allogènes, qui constitue actuellement le cycle de Gédéon. Il n'est pourtant pas insensé. Aussi, après l'effort analytique mené jusqu'ici avec l'intention d'assurer le sol le plus ferme possible à une recherche sur l'intentionnalité historienne, il est temps de passer maintenant à un autre stade de notre travail, à cette partie réflexive qui en constituera précisément la seconde partie.

DEUXIÈME PARTIE

L'ÉLABORATION
HISTORIOGRAPHIQUE

CHAPITRE XVII

CLÔTURE ET OUVERTURE D'UN CYCLE

Au terme du deuxième chapitre de cette première partie [1], nous avions laissé en suspens un certain nombre de textes et notations diverses qui constituaient, en introduction, le cadre du cycle. Pour ce faire, nous avions argué de l'extériorité ou du caractère allogène de tels de ces textes et notations. En effet, dans la perspective qui est la nôtre − rechercher les conditions de l'écriture de l'histoire −, il convenait d'abord de dresser l'inventaire du matériau explicitement constitutif de cette histoire, du « cycle de Gédéon » en l'occurrence [2]. Or, par rapport à cet ensemble auquel ils fournissaient une introduction, ces premiers textes et notations étaient trop développés et faits de véritables digressions pour être immédiatement retenus. Cela valait en particulier pour l'évocation du prophète suscité par YHWH (6, 7-10) en lieu et place du « sauveur » caractéristique de l'ensemble 3, 7-16, 31, mais aussi pour une partie des informations fournies avant que n'apparaisse, et donc tardivement, le nom de Gédéon (6, 11) : ces informations reviendraient d'ailleurs à plusieurs reprises au cours du cycle, alors que la fonction d'un cadre rédactionnel est de fixer une fois pour toutes quelques données suffisantes. Ce n'est qu'une fois achevée l'analyse et donc l'inventaire des composantes du cycle que pouvaient être reprises ces données d'introduction.

Mais ce phénomène d'extériorité n'est pas propre à l'introduction ; il marque aussi la conclusion. Si nous trouvons là les formules attendues sur la défaite des ennemis et donc la réussite

---

1. Cf. ci-dessus, chap. II, p. 33.
2. Rappelons aussi que dans une perspective gunkélienne, nous avons donné priorité à la prise en considération du héros comme qualifiant premier du cycle, quelles que soient les implications (additions diverses, dérives de sens, etc.) constatées ultérieurement et susceptibles d'en modifier totalement la nature.

du juge (8, 28) comme sur le retour d'Israël à l'infidélité (8, 33) [3], d'autres données se mêlent à ces formules, qui renvoient soit à ce qui a été dit dans le cycle, soit à ce qui le suit, faisant subir un certain allongement au schéma habituel d'une conclusion de cycle [4].

C'est pourquoi la prise en compte du cadre général auquel nous consacrons ce chapitre, va nous ramener à cette introduction après nous avoir fait étudier la conclusion qui s'impose en premier selon l'ordre rédactionnel suivi jusqu'ici. Du même coup, scellant comme tel l'ensemble du cycle de Gédéon, ce cadre dira déjà le principe ou la volonté d'unité indispensable à une lecture et donc à une récupération historienne de ses différentes composantes.

Le caractère embrouillé de cette conclusion, aux limites parfois franchies de la contradiction, oblige à distinguer entre ses données. Disons qu'en plus de celles caractéristiques d'une conclusion de cycle à l'intérieur de l'ensemble 3, 7-16, 31, cette conclusion en présente trois autres types : les données qui renvoient à la cohérence du cycle, celles qui constituent des informations particulières plus ou moins inattendues, et celles qui reçoivent leur explication ou légitimité de la suite de ce cycle, l'histoire d'Abimélek (9, 1 sq.).

En ce qui concerne les éléments caractéristiques d'une conclusion dans l'ensemble 3, 7-16, 31, rappelons qu'ils répondent à ceux de l'introduction. Ainsi, à l'évocation du mal commis aux yeux de YHWH par les Israélites qui souffrirent pour cela pendant sept ans des mains des Madianites (6, 1), fait l'écho l'abaissement de Madiân « devant les Israélites » dont « le pays fut en repos pendant quarante ans, aussi longtemps que vécut Gédéon » (8, 28). De même, l'évocation du juge vainqueur fait écho à l'attention de YHWH aux cris des Israélites opprimés (6, 6), même si le « sauveur » ne sera pas immédiatement suscité. Enfin, la notation selon laquelle « après la mort de Gédéon, les Israélites

---

3. Même si ce n'est pas encore pour l'instant notre préoccupation, signalons que Moore voit dans ce verset comme dans l'ensemble 8, 30-35 « la charpente deutéronomique du livre » (p. 234), remontant, dans cette reconnaissance, jusqu'à 2, 12 sq. et 3, 7. Richter (1964) limite davantage ici l'œuvre deutéronomiste : il s'agit de 8, 27b.33-35 (p. 109-110).
4. Force nous est de constater les différences de découpage que proposent Moore : 8, 24-27 et 8, 30-35, Burney : 8, 28 ; 29-32 ; 33-35, Lagrange : 8, 28-35, Richter (1964) : 8, 27b.33-35 et (1963) : 8, 29-32. Il est clair que notre découpage dépend d'autres perspectives.

recommencèrent à se prostituer aux Baals » (8, 33), maintient le lecteur dans la cohérence de l'ensemble 3, 7-16, 31 qui relie conclusion et introduction d'un cycle à l'autre [5].

Mais cette conclusion marque aussi des ruptures par rapport à l'introduction.

En lui reconnaissant comme « limite supérieure » le constat de l'abaissement de Madiân » (8, 28), la première rupture est dans l'évocation de « Yerubbaal, fils de Yoash » (8, 29a) [6]. Alors que Gédéon vient d'être nommé sous ce seul nom (8, 22d), comme il l'avait été en tout premier lieu au début du récit de vocation (6, 11), la conclusion rappelle une dénomination qui, pour apparaître à plusieurs reprises au cours du cycle, n'en est pas moins rare et relativement tardive. Thème étiologique extérieur à la fin de l'épisode de la destruction du sanctuaire de Baal (6, 32), le nom de « Yerubbaal » était explicitement « synonymisé » avec celui de Gédéon en introduction de l'épisode de la surprise du camp madianite (7, 1). Et au terme, dans ce qu'on peut considérer comme l'ultime conclusion du cycle, apparaît un véritable nom double, Yerubbaal-Gédéon (8, 35) [7].

Alors que le nom de Yerubbaal n'est en général associé qu'au seul nom de Gédéon, il est dit ici « fils de Yoash », exactement comme Gédéon quelques lignes plus loin (8, 32a) et comme le même Gédéon avait été tout normalement présenté au seuil de son histoire (6, 11). Par là, la conclusion ajoute manifestement à l'identité et à l'identification du héros, même si, pour une part, elle intègre des informations données au cours du cycle.

Ces constats d'ordre onomastique sont en quelque sorte renforcés par ceux qu'impose la toponymie. Dans cette conclusion, en effet, Ophra d'Abiézer, évoqué à propos du tombeau de Gédéon — qui est en fait « le tombeau de Yoash, son père » (8, 32) — renvoie au début du récit de vocation, non seulement pour Ophra et Abiézer, mais aussi pour Yoash (6, 11). Aucun rapprochement

---

5. Cf. « le *pragmatisme* à quatre termes : péché, châtiment, pénitence, délivrance » de Lagrange (p. xxv) déjà perçu par Dom Calmet au xviiie siècle.

6. Cf. Moore, p. 233. Budde supposait un déplacement de verset et suggérait de mettre 8, 29 après 8, 8. Lagrange voyait dans ce verset « le début de l'histoire privée de Gédéon » (p. 152).

7. Pour Moore, il y aurait une sorte de contamination par le début du chapitre 9 qui utilise le seul nom de Yerubbaal (p. 236), la situation même de ce verset, au terme ultime du cycle de Gédéon, expliquant cette contamination ; opinion que reprend Lagrange (p. 154).

explicite n'est donc fait entre Yerubbaal et Ophra. Or Ophra ou Ophra d'Abiézer fait également écho à des éléments internes du cycle.

Lieu de l'autel érigé par Gédéon au terme, étiologique, du récit de l'offrande à l'Ange (6, 24c), c'est aussi le lieu de vénération d'un éphod d'après le tout dernier épisode (8, 27). Devenant le lieu du tombeau de Gédéon, un motif de type cultuel est ainsi ajouté aux deux précédents explicitement semblables. Or Yerubbaal est totalement étranger à ces évocations, de sorte qu'on peut déjà conclure à une convergence entre Gédéon, Yoash, Ophra et Abiézer, qu'onomastiquement ne présente nullement Yerubbaal [8]. Mais en retour, c'est la conclusion qui établit un lien entre Yerubbaal et Yoash (8, 29), et en tout dernier lieu avec Gédéon (8, 35 ; cf. 7, 1).

Si ce nom ne présente que des attaches relativement faibles à l'intérieur du cycle, il en présente de non négligeables avec ce qui suit immédiatement. Et là, la conclusion du cycle est d'autant plus troublante qu'elle dépasse manifestement son rôle, non seulement de conclusion selon les règles de l'ensemble 3, 7-16, 31, mais aussi par rapport au cycle lui-même.

Alors qu'absolument rien jusque-là n'avait évoqué la vie matrimoniale de Gédéon, nous apprenons tout à coup « qu'il eut soixante-dix fils, issus de lui car il avait beaucoup de femmes. Sa concubine qui résidait à Sichem lui enfanta, elle aussi, un fils auquel il donna le nom d'Abimélek » (8, 30-31) [9], et ce, juste après qu'il eut été dit que Yerubbaal était « fils de Yoash » (8, 29). Il pourrait n'y avoir là qu'une information, importante certes, mais pas autrement motivée sur le destin du héros si l'onomastique, une fois de plus, ne nous forçait à dépasser le simple cadre informatif et du même coup le cadre proprement dit du cycle de Gédéon.

Cette fois, en effet, c'est hors cycle que nous sommes renvoyés. Tant « Sichem » qu'« Abimélek » assurent ici une sorte de transition avec l'histoire suivante dans laquelle le nom de Yerubbaal surgit à nouveau et où Ophra mais aussi Baal-Berit (cf. 8, 33) sont également mentionnés :

---

8. Sur l'implication de cette association de noms, cf. ci-dessous, chap. XVIII.

9. Il y a un véritable motif des dizaines de fils (et de petits-fils) dans le livre des Juges : 10, 4 ; 12, 14 ; cf. l'insistance en 9, 2.5.18.24.36. A propos de la concubine, Moore et Burney font le rapprochement avec les relations de Samson et de la Philistine.

Abimélek, fils de Yerubbaal, s'en vint à *Sichem* auprès des frères de sa mère et il leur adressa ces paroles, ainsi qu'à tout le clan de la maison paternelle de sa mère : « Faites donc entendre ceci, je vous prie, aux notables de *Sichem :* que vaut-il mieux pour vous ? Avoir pour maîtres soixante-dix personnes, tous les fils de *Yerubbaal,* ou n'en avoir qu'un seul ? Souvenez-vous d'ailleurs que je suis, moi, de vos os et de votre chair ! » Les frères de sa mère parlèrent de lui à tous les notables de *Sichem* dans les mêmes termes, et leur cœur pencha pour *Abimélek,* car ils se disaient : « C'est notre frère ! » Ils lui donnèrent donc soixante-dix sicles d'argent du temple de *Baal-Berit* et *Abimélek* s'en servit pour soudoyer des gens de rien, des aventuriers, qui s'attachèrent à lui. Il se rendit alors à la maison de son père à *Ophra* et il massacra ses frères, les fils de *Yerubbaal,* soixante-dix hommes, sur une même pierre. Yotam cependant, le plus jeune fils de *Yerubbaal,* échappa, car il s'était caché. Puis tous les notables de *Sichem* et tout Bet-Millo se réunirent et ils proclamèrent roi *Abimélek* près du chêne de la stèle qui est à *Sichem.* (9, 1-6, trad. *BJ.*)

On doit tout d'abord remarquer qu'à la différence du cycle de Gédéon et de sa conclusion, Yerubbaal est associé dans ce texte, de façon indirecte, certes, mais explicite, à Ophra. Pour le reste, non seulement Gédéon n'est pas nommé, mais les liens entre ce texte et l'ensemble du cycle n'existent qu'avec la conclusion (8, 28-35). Un tel constat encourage à s'en tenir au respect du principe onomastique qui fait considérer les noms propres de lieux et de personnes, momentanément tout au moins, *comme des données indépendantes du contexte où on les recueille.*

D'où vient ce nom de Yerubbaal ? Pourquoi est-il si laborieusement rapproché, voire confondu avec Gédéon ? Est-il possible de faire de Yerubbaal un nom primitif témoignant d'un héros ancien en lien avec une religion dont nous pensons que la religion d'Israël, dans cette aire, a eu quelque mal à se dégager [10] ? Gédéon serait-il un autre héros dont le nom aurait servi à purifier celui de Yerubbaal, quitte à conserver ce nom et lui fournir une laborieuse et tardive explication (6, 32) ? Ou s'agit-il effectivement de deux personnages aux légendes aujourd'hui mêlées ou confondues et victimes de contaminations onomastiques ainsi qu'en témoignerait, dans son désordre même, la conclusion actuelle du cycle (8,

---

10. Cf. ce que nous avons dit à propos du sanctuaire de Baal en 6, 25 sq., ci-dessus, chap. v.

28-35) avec ses rapports complexes au début de l'histoire d'Abi-mélek [11]?

Corrélativemnt, l'accumulation des informations sur Abimélek dans le texte que nous avons cité (9, 1-6), ne force-t-elle pas à se demander jusqu'à quel point ce texte n'a pas commandé un jeu d'additions dans l'actuelle conclusion du cycle de Gédéon [12]? Car la mauvaise réputation dont vont être chargés Abimélek et les habitants de Sichem semble bien avoir contaminé les Israélites adoptant Baal-Berit (8, 33), voire Gédéon et sa maison se prosti-tuant devant l'éphod d'Ophra (8, 27) puisque rien, à l'intérieur du cycle, n'explique aussi lointainement que ce soit, de telles « dévia-tions ».

C'est pourquoi, nous semble-t-il, l'extension de la conclusion avec les informations que nous venons de relever ne peut s'expli-quer que par des causes extérieures. L'épisode d'Abimélek fournit une voie dans ce sens, beaucoup d'éléments plaidant objective-ment en sa faveur. Mais quelles que soient les thèses qui s'affron-tent sur l'élaboration de l'actuelle conclusion du cycle, une chose est sûre : la complexité rédactionnelle particulière dont a été l'objet l'histoire d'un héros de légende, fût-il juge, et à supposer qu'il ait été unique.

Ainsi se clôturait littérairement un cycle, sur un double jeu de formules, les unes renvoyant effectivement au passé d'un héros dont la réussite ne faisait pas de doute (8, 28.32), les autres ouvrant sur une tout autre histoire dont le jugement négatif ne pouvait que rejaillir sur le héros devenu ancestral (8, 30.31). Du même coup se marquait une dérive de sens par rapport à l'ensem-ble du cycle, mais aussi par rapport à l'introduction.

Car la clôture du côté de la conclusion renvoie naturellement à celle de l'introduction, étant donné le schéma des cycles dans l'ensemble 3, 7-16 31.

Dans le chapitre qui lui était consacré, le premier de cette partie

---

11. Se pose évidemment ici la question de l'origine et donc de l'ancienneté de cette histoire. L'une des plus anciennes du livre des Juges pour Moore (p. 238), témoignage sur la première occupation par Israël de Canaan pour Burney (p. 266), est-elle pour autant à dater d'*avant* les plus anciennes traditions concer-nant Gédéon ?

12. La contamination de la conclusion ultime du cycle de Gédéon par cette histoire ne fait pas de doute pour nous ; cf. Burney qui fait de 8, 29-32 l'« introduc-tion à l'histoire d'Abimélek » (p. 263) et de 8, 33-35 un « sommaire pour l'histoire d'Abimélek » (p. 266).

analytique, nous nous étions heurté à la difficulté d'établir à cette introduction une « limite inférieure », même si le récit de vocation (6, 11 sq.), malgré l'« hésitation » de sa propre introduction, offrait au moins par contrainte cette limite [13]. Mais la plus grande difficulté demeurait interne, tenant à deux éléments : la digression sur les ennemis d'Israël (6, 3b.5) et l'intervention du prophète (6, 7-10).

S'il est normal qu'une introduction fournisse les données indispensables à l'intelligence de l'entrée en scène de son héros, on peut cependant s'étonner d'une trop grande information, surtout lorsqu'une telle information se trouve répétée dans le cours du cycle. En effet, l'évocation assez circonstanciée des « ennemis d'Israël » (6, 3.5) renvoie à deux mentions similaires dans le cours même du cycle (6, 33 et 7, 12). Même si l'introduction se trouve par là légitimée dans sa relation au cycle, elle n'en pose pas moins question quant à sa composition et aux intentions des rédacteurs [14].

Plus délicate est la prise en compte de l'intervention du prophète (6, 7-10). Nous avons déjà dit les objections que présentait cette intervention tant par rapport aux schémas habituels de l'ensemble 3, 7-16, 31, que dans sa constitution même [15] : outre qu'elle prend la place du sauveur, en l'occurrence du juge dont le prophète retarde l'apparition, elle n'offre pas vraiment un récit puisqu'elle ne comporte ni conclusion ni surtout action, et se trouve essentiellement constituée par un « discours ». Mais surtout, elle ne rencontre aucun écho dans la suite du cycle, ni même dans la conclusion.

Comme pour certains éléments de la conclusion qui avaient besoin de l'histoire d'Abimélek qui la suit pour être expliqués, il faudra avoir recours à des données manifestement extérieures au cycle pour expliquer une telle intervention [16].

Ces constats, qu'il fallait oublier au seuil d'une analyse qui devait d'abord rendre compte de la nature, de la richesse et de la variété des matériaux constitutifs à proprement parler du « cycle de Gédéon », disent quelque chose de la constitution et de la nature de ce cycle. Mais cette analyse même a révélé trop de

---

13. Cf. ci-dessus, chap. II.
14. Il y a là de toute façon un caractère manifestement composite, cf. Moore, p. 178.
15. Cf. ci-dessus, chap. II.
16. Cf. Richter (1964), p. 97-107, pour lequel cet élément relève du DtrG.

digressions, d'incohérences, de contradictions et de dérives de sens à l'intérieur du cycle pour qu'on puisse s'abstraire définitivement de données d'introduction et de conclusion qui peuvent d'abord paraître extérieures, étrangères et donc additionnelles.

En réalité, ces données, tout en restant apparemment étrangères à la constitution d'un cycle seulement justifié par la personne (et la personnalité) d'un héros, contribuent, d'une façon ou d'une autre, à situer autrement ce héros. Par là s'affirme déjà une volonté rédactionnelle qui oblige à dépasser l'habituelle conception du cycle de légendes et des relations entre différents cycles. Comme la conclusion elle-même le dit, Gédéon n'est plus et ne peut plus être ce héros de légende auquel tout réussit et dont tous les actes seraient positivement jugés. Il relève désormais d'une autre catégorie. C'est pourquoi s'impose une nouvelle évaluation de ces données et par conséquent de leur hiérarchie.

Ainsi, dans la logique de l'ensemble 3, 7-16, 31 qui constitue en quelque sorte le *Sitz im Leben* de l'état actuel du cycle de Gédéon, trois composantes entrent comme naturellement dans la question de l'histoire et de l'historiographie qui commande notre perspective propre de recherche, *l'identité du héros, les lieux de son évolution et la nature de l'ennemi qu'il aura à affronter.* Après quoi nous pourrons aborder plus directement la question de l'historiographie du cycle de Gédéon.

CHAPITRE XVIII

GÉDÉON ET YERUBBAAL

À plusieurs reprises, Gédéon, qui est pourtant généalogiquement et géographiquement situé dès le début de son histoire (6, 11), apparaît en double en raison d'un autre nom, Yerubbaal [1].
Le fait d'un second nom et la façon dont il apparaît ne sont certes pas exceptionnels dans la Bible, depuis Abram devenant Abraham ou Jacob, Israël... Qu'à un moment donné de son histoire le héros reçoive un nom nouveau et que ce nom soit expliqué par une philologie réelle ou fictive, le lecteur de la Bible n'a pas à s'étonner. Mais ici, à la différence d'Abraham par exemple, Gédéon, qui se voit nommé Yerubbaal à la fin de la première partie de son cycle pour avoir détruit l'autel de Baal (6, 32), ne sera pas pour autant exclusivement nommé ainsi dans la suite de son histoire. Rappelé deux fois seulement, d'abord en synonymie explicite de « Gédéon » juste avant la bataille (7, 1) et à la fin du cycle (8, 29), « Yerubbaal » ne pourrait donc contribuer à désigner, par exemple par souci de précision, un « cycle Gédéon-Yerubbaal ».
À ces constats déjà relevés lors de la partie analytique [2], il faut ajouter celui d'une transition qui risque de revêtir maintenant une certaine importance, dans la désignation d'un fils de Yerubbaal, Abimélek, au seuil de l'histoire qui suit le cycle de Gédéon (9, 1).
À la fin du cycle, entre les versets où Yerubbaal est en synonymie de Gédéon comme fils de Yoash (8, 29 et 32), il est en effet question d'une concubine, qui « résidait à Sichem, et lui enfanta un fils auquel il donna le nom d'Abimélek » (8, 31). Ainsi s'établit

---

1. Jusqu'à Soggin, la plupart des commentateurs insistent sur le sens théophore du nom de Yerubbaal, détachant Baal d'une acception banale ou commune. Signalons cependant la position de Moore, contestée de façon peu convaincante par Lagrange (p. 161 ; cf. aussi p. 127-128), faisant de « *ba'al* une sorte de terme générique qui aurait pu être également le "support" de YHWH ». (P. 195.)
2. Cf. ci-dessus, chap. v.

une sorte de relais qui, de la désignation d'« Abimélek fils de Yerubbaal » (9, 1) s'en venant « à Sichem auprès des frères de sa mère », ramène le lecteur à un Yerubbaal *et* à un Gédéon fils de Yoash désigné à la fin du cycle précédent.

Ainsi, le lien qui se manifeste entre la fin de l'histoire de Gédéon et le début de celle d'Abimélek, en faisant rétroactivement résonner jusqu'à la fin de la première partie du cycle de Gédéon (6, 32) les échos du nom de Yerubbaal, fournit à l'idée d'une continuité entre le cycle de Gédéon et l'histoire d'Abimélek un argument non négligeable [3].

C'est pourquoi, dans la recherche de l'authenticité et de la signification de cette double appellation, Gédéon et Yerubbaal, s'impose de tenir compte, en point de départ, de la désignation de la filiation d'Abimélek [4] (9, 1) puisque la façon dont cette double appellation est pratiquée dans le cycle n'est pas immédiatement déterminante. De ce fait, si nous voulons faire avancer la question et tenir compte de ce donné de l'histoire d'Abimélek, c'est de l'hypothèse de deux héros originellement distincts désignés par ces deux noms qu'il faut partir.

À quelle conséquence aboutit immédiatement cette hypothèse [5] ? À la distinction de deux documents dont l'un relèverait du « héros » Gédéon, tandis que l'autre révélerait le « héros » Yerubbaal.

---

3. Le cadre de notre étude n'incluant pas l'histoire d'Abimélek, contentons-nous de rappeler, d'une part, que manque ici « le cadre dtr » caractéristique des cycles de l'ensemble 3, 7-16, 31, ainsi que la chronologie typique de ce cadre, et, d'autre part, que « nous avons affaire à un récit composé d'après les matériaux relevant de l'analyse et de la chronique » (Soggin, p. 145). Depuis Wellhausen et Budde, on s'accorde à reconnaître l'ancienneté des matériaux de cette histoire, même si « nous n'avons aucun texte en Israël ou ailleurs qui nous parle des événements rapportés ici » (Soggin, id.) Signalons cependant que selon F. CRÜSEMANN, *Der Widerstand gegen das Königtum*, WMANT, 49, Neunkirchen, 1978, p. 19-42, les v. 23, 25, 42, 43-54 révéleraient un noyau ancien.

4. L'onomastique ayant une certaine importance dans notre analyse, il n'est sans doute pas inutile de rappeler l'origine et l'étymologie du non d'Abimélek. Nom sémitico-occidental attesté à Ougarit *('abmlk)*, à el-Amarna *(abimilki)* et en Phénicie, il implique une filiation divine pour celui qui le porte. Il peut être interprété soit en « (Le Dieu de) mon père est roi », soit en « mon père est le (dieu) *malik* » (cf. Soggin, p. 146). Cf. aussi Moore, p. 235.

5. À notre sens, c'est L. DESNOYERS (*Histoire du peuple hébreu. Des Juges à la captivité*, t. I, Paris, Picard éd., 1922) qui a le mieux formulé cette hypothèse, déterminant un document G (Gédéon) et un document Y (Yerubbaal) (p. 392-397). Nous ne le suivons pas dans toutes les implications de sa thèse, en particulier dans son intégration au document Y de l'épisode de la toison qu'il rattache directement à 7, 1.

Pour commencer, il suffit de relever les textes qui imposent en quelque sorte le nom de Yerubbaal, l'adjonction au nom de Gédéon étant manifestement rédactionnelle. C'est le cas au début du chapitre 7 (« Yerubbaal qui est Gédéon, se leva de grand matin ainsi que tout le peuple qui était avec lui... ») [6], et à la fin du cycle (« Yerubbaal, fils de Yoash, s'en alla donc et demeura dans sa maison » 8, 29) [7].

Ainsi nous aboutissons à deux indices d'identité qui n'engagent pas grand-chose et laisseraient des traces quasi insignifiantes si la seconde mention (8, 29), celle qui fait de Yerubbaal un fils de Yoash, ne nous ramenait au début du cycle où Gédéon est ainsi présenté (6, 11). Or nous avions relevé à ce propos une sorte de *distance* entre Yoash et Gédéon, ce dernier n'étant pas immédiatement désigné comme le fils, au point de nous faire poser la question de la relation de l'actuelle introduction du récit de l'apparition de l'Ange de YHWH sous le térébinthe d'Ophra (6, 11a) avec la suite du récit [8]. Sur ce fond de questionnement, le principe onomastique nous avait révélé quelques ambiguïtés d'identité et d'intention rédactionnelle : quel était le véritable « héros », sinon du cycle, du moins de certaines de ses parties, Gédéon, Yoash ou la cité d'Ophra ? Dans ces conditions, l'ambiguïté d'identité entre Gédéon et Yerubbaal ne refléterait-elle pas celle de l'intention rédactionnelle de certaines parties du cycle ?

Si le début de l'histoire d'Abimélek exclut le nom de Gédéon pour ne retenir que celui de Yerubbaal (9, 1), il est intéressant de voir qu'en deux autres endroits, extérieurs il est vrai au livre des

---

6. La question de l'identité de Yerubbaal et de Gédéon dans ce verset est liée pour la plupart des commentateurs à l'intelligence du v. 8. Ainsi Moore se situe-t-il par rapport à Kittel pour rendre la combinaison du v. 8 avec le v. 1 responsable du « désordre » actuel du texte (p. 200). Burney voyait en 7,1 le témoignage du récit original de E et donc en Yerubbaal un témoignage de cette tradition, « R^{E2} » combinant selon lui Yerubbaal et Gédéon en 8, 35a tandis qu'ici il y aurait glose de RJE (p. 205 et 178). Signalons que Richter (1963, p. 186) relativise singulièrement cette « glose » de Yerubbaal, ce qui est peut-être sagesse en ce qui concerne ce début du chap. 7. Desnoyers fait de 7, 1, comme nous l'avons rappelé dans la note précédente, un témoin du document Y rattaché directement au récit de la toison (soit 6, 36-7, 1).

7. Conclusion du document Y pour Desnoyers (p. 393). Budde voyait dans ce verset la suite de 8, 3, tandis que Moore le situait quelque part entre 8, 3 et 8, 29, le rattachant à E (p. 233-234). De façon assez lâche, Soggin voit là une de ces « additions qui introduisent bien le chap. 9 et qui ne peuvent donc être dâtées » (p. 141).

8. Cf. ci-dessus, chap. III.

Juges puisqu'il s'agit des livres de Samuel, seul est également retenu le nom de Yerubbaal.

Dans le discours-testament qui est actuellement placé dans la bouche de Samuel après qu'il eut désigné Saül comme roi (1 S 12), le rappel de l'histoire condense l'étape des Juges en quatre noms, « Yerubbaal, Abdôn, Jephté et Samuel » (1 S 12, 11)[9]. D'autre part, lors du récit de la mort d'Urie au siège de Rabba, Joab, dans le message qu'il adresse à David, évoque la mort d'Abimélek désigné comme « fils de Yerubbaal » (2 S 11, 21).

Quelle que soit l'origine de ces deux textes, ils constituent un précieux indice quant au souvenir de Yerubbaal soit comme juge comparable à Jephté et Samuel, soit comme père d'Abimélek, l'intérêt étant que *ces deux allusions excluent l'évocation de Gédéon et une quelconque synonymie explicitée.*

Il est donc possible de conclure à une incontestable intelligence du personnage de Yerubbaal *indépendamment* d'un quelconque lien avec Gédéon, même si à son sujet peu de choses paraissent conservées ou récupérables dans ces deux textes des livres de Samuel comme dans l'actuel cycle de Gédéon.

Là-dessus vient inévitablement se greffer l'explication de la synonymie dans l'étiologie conclusive de l'histoire de l'altercation de Yoash avec les gens de la ville (6, 32). Claire, trop claire même, pourrait-on penser, une telle explication a naturellement pour fonction de lever tout doute quant à l'identification de Yerubbaal et à la possibilité d'une distinction d'avec Gédéon. Le caractère même de l'étiologie dont nous avons déjà parlé[10], l'artifice du récit qui emprunte sans doute un objet de légende, manifestent largement une rédaction consciemment explicative.

---

9. Avec mesure, Desnoyers tire argument de cette double référence aux livres de Samuel et de la parenté de composition entre 2 S 11-12 avec Jg 9 (p. 396). La difficulté tient cependant à la transcription des noms dans ces livres. En 1 S 12-11, faut-il voir en « Bedan » une « transcription » d'Abdôn ? C'est ce que suggère explicitement Dhorme (« La Pléiade ») et ce que pratiquent la plupart des traducteurs et commentateurs. Il nous paraît plus prudent de reconnaître en Bedan, à la suite de Stoebe (*Das erste Buch Samuelis*, KAT, 1973, p. 237), un « juge inconnu » d'une « tradition inconnue ». Du coup se trouve renforcée la particularité de la tradition de 1 S 12, 11 sur les Juges, qui ne coïncide pas avec ce que laisse entendre l'ensemble 3, 7-16, 31. Quant à 2 S 11, 21, la difficulté tient à la transcription même de Yerubbaal en Yerubbosheth. Selon Moore (p. 195) et à la suite de Wellhausen, Baudissin et Driver, il y a là une légitime « perversion » de nom. Il est vrai que le nom d'Abimélek limite ici en quelque sorte les risques de confusion ou de dualité de personne.

10. Cf. ci-dessus, chap. III.

Le rédacteur veut pour ainsi dire en finir sinon avec une confusion, du moins avec une incertitude de noms à laquelle il entend apporter une solution sans retour[11].

La question serait-elle par là entendue ? Malgré cette tentative, il nous paraît que l'ambiguïté liée au nom de Yerubbaal s'étend ici à Yoash. Celui-ci est-il le père de Yerubbaal ou de Gédéon ? Et le récit que nous avons identifié comme antécédent aux sacralisations successives dont il a été l'objet par les récits actuellement précédents (en 6, 11-24) — le récit de l'altercation de ce même Yoash avec les gens de la ville (6, 28-31) —, relèverait-il d'un cycle de Yerubbaal, voire d'un cycle Yoash-Yerubbaal[12] ?

De fait, du point de vue de la critique des sources comme de l'histoire des formes ou de la rédaction, demeure encore la possibilité de faire le relevé des récits, que leur nature, leur contenu, leur désignation de Dieu, en El-Élohim, ou encore leur référence à telle ou telle tribu d'Israël, nous ont amené à tenir en quelque sorte à distance d'un noyau du cycle, la guerre contre Madiân, et qui nous étant ainsi apparus allogènes pourraient relever d'un cycle Yerubbaal (ce qui reviendrait à attribuer le rôle religieux de Gédéon à Yerubbaal et à réserver le rôle guerrier à Gédéon).

À notre sens cependant, rien ne permet d'aller très loin dans cette voie. Gédéon est exclusivement mentionné, par exemple dans l'épisode de la toison (6, 36-40), comme il l'est dans des textes qui évoquent l'un ou l'autre clan ou tribu d'Israël jusque-là ignorés, tel Éphraïm (8, 24 sq.). Finalement Yerubbaal est très

---

11. C'est ici que nous nous séparons de l'interprétation de Desnoyers qui fait de 6, 25-32 une tradition Y. Notre distinction quant au caractère composite (par sacralisation) de ce récit nous empêche déjà de voir là une incontestable unité. D'autre part, il accorde un effet rétroactif trop contraignant à l'étiologie de 6, 32, ce qui nous paraît parfaitement contraire à ce genre d'étiologie : le nom de Gédéon aurait remplacé celui de Yerubbaal, justifiant l'effet étiologique ! Son commentaire, selon lequel certaines « retouches [...] s'expliquent d'elles-mêmes » fait apparaître la fragilité de ce type d'« évidence » (p. 394). Si l'on ne veut pas tenir une trop grande extériorité de ce verset étiologique par rapport au récit, les suggestions de Gray (1967) et de Soggin paraissent plus acceptables bien que demeurant à notre sens très fragiles. La remarque de Richter (1963) selon laquelle le contraste entre l'étiologie du v. 32 et le propos du v. 30 est « irréductible » (*hart*, résistant, inflexible) nous paraît plus sûre. Ainsi, nous tenons au caractère additionnel de cette étiologie avec ce qu'elle implique d'intention rédactionnelle ultime sur le point qui nous intéresse ici.

12. Si une telle hypothèse pouvait être démontrée, celle de Desnoyers, sur la base des documents G et Y devrait être complètement refondue, 6, 11-24 devant être ramené de G à Y, ce qui paraît très difficile étant donné la nature et sans doute la date du récit de vocation proprement dit (6, 11-16).

vite oublié après le début de la scène de préparation de la bataille
(7, 1).

En fin de compte, s'il est tout à fait plausible de parler d'un
cycle Yerubbaal dont il ne resterait aujourd'hui que quelques
traces non négligeables, ce n'est qu'au titre du souvenir archéolo-
gique à travers ce que le cycle de Gédéon veut bien nous en laisser
transparaître, même si nous ajoutons les allusions des livres de
Samuel. Qu'il y ait eu deux héros portant ces deux noms est sans
doute difficilement contestable ; que nous puissions en accorder
davantage à Yerubbaal que ce que nous permet de faire avec
quelque certitude la rédaction actuelle du cycle de Gédéon nous
paraît très hasardeux [13].

Dans l'état actuel du cycle de Gédéon, il est manifeste qu'aux
yeux des rédacteurs ultimes *c'est Gédéon et lui seul qui est de bout
en bout le héros porteur de l'histoire,* y compris dans la partie plus
religieuse du cycle (6, 11-40). S'ils concèdent un synonyme qu'ils
expliquent et rappellent à l'occasion, la rédaction est définitivement construite pour qu'il n'y ait pas de confusion possible et que
ne demeure aucune incertitude.

Dans la perspective qui est la nôtre, quelles conséquences ont
pour nous cette confusion et cette incertitude surmontées par la
rédaction du cycle ?

La désignation d'un personnage historique central soit dans une
époque, soit dans un cycle qui lui est consacré et qu'en tout cas
il domine, ne peut évidemment être sujette à caution. Les efforts
fournis par tel ou tel rédacteur du cycle de Gédéon pour réduire
justement les risques d'incertitudes quant à cette identité en
témoignent, fût-ce au double prix de l'artifice — étiologique — et
de la négligence de cohérence (avec le début de l'histoire d'Abimélek ou avec les allusions des livres de Samuel).

À ce stade cependant, un tel constat n'est pas déterminant de
l'historiographie. Pareil procédé se retrouverait dans n'importe
quel cycle de légendes, voire cycle romanesque, où l'habitude
d'accrocher différents récits de diverses origines à un seul nom de

---

13. À la suite de Desnoyers (p. 396-397), il est possible de faire relever d'une
rédaction judéenne l'histoire de Yerubbaal, l'histoire de Gédéon appartenant
davantage à des traditions du Nord ainsi que le laisse entendre l'état actuel du
texte, avec notamment ses indications géographiques. Mais là encore, la minceur
des données ne permet pas d'aller très loin dans ce sens.

héros est chose courante [14]. En ce sens, la réduction de Yerubbaal à Gédéon n'a rien de très étonnant.

Il n'en va évidemment pas de même dans une perspective historiographique. Pas plus qu'il n'est possible de confondre Louis XVIII et Charles X, aussi frères qu'ils aient été et proches dans la succession monarchique, il ne serait en principe possible de confondre Gédéon et Yerubbaal, à moins de faire d'un des deux noms le surnom du même personnage. L'explicitation de l'étiologie de la fin de la première partie du cycle (6, 32) témoigne précisément de cette intelligence des choses, de sorte que nous aurons affaire au début de la préparation de l'engagement avec les Madianites (7, 1) à un « Gédéon alias Yerubbaal » équivalent d'un « Yerubbaal alias Gédéon » [15].

La difficulté tient à ce que, malgré les précautions rédactionnelles prises et en raison de ces précautions dans ce qu'elles ont de perceptible, nous ne pouvons ignorer le procédé. De ce fait, nous sommes amenés à constater un « bricolage » de documents étrangers les uns aux autres, bricolage qu'un historien d'aujourd'hui considérerait comme abusif.

Si le constat s'impose objectivement, il ne pèse pas nécessairement de façon négative sur ses responsables. Car il est tout à fait possible que pour les ultimes rédacteurs, les deux personnages, Gédéon et Yerubbaal, n'en aient fait qu'un, étant donné surtout la pauvreté des souvenirs concernant le second. Dans une culture où les documents devaient être rares et encore plus fragiles qu'aujourd'hui, où l'histoire sortait péniblement de la légende, où de ce fait le sens critique et les possibilités qui lui étaient offertes, étaient nécessairement inférieurs aux nôtres, ce bricolage, avec ses habiletés rédactionnelles, était en fait le seul recours contre l'incertitude.

Mais par l'esprit de synthèse dont il témoignait, par le souci explicatif qu'il révèle, le procédé relevait d'un authentique souci historiographique. Car il ne s'agissait pas exclusivement de dresser la « légende » de Gédéon en intégrant à son cycle des lambeaux

---

14. C'est évidemment là une œuvre de reconnaissance des courants folkloristes tant français qu'allemands depuis le début du XIXᵉ siècle avec les frères Grimm et dont nous pouvons voir un point d'aboutissement conscient et élaboré dans l'œuvre d'H. POURRAT, *Gaspard des Montagnes* (à partir de 1922), avec aussi la part personnelle et inconsciente de l'auteur : cf. B. BRICOUT, *Le Peuple et la culture populaire dans le* Trésor des contes *d'Henri Pourrat*, 1987, *ad. inst. ms.*, p. 435-437 et 423-429.

15. Même si l'on ne peut totalement faire fi des remarques d'un Kittel ou d'un Moore sur l'ordre des termes.

d'un cycle non moins légendaire de Yerubbaal ; il s'agissait bien, comme en témoignent l'histoire d'Abimélek en suite directe de ce cycle et les transitions qu'elle implique, d'établir ce *tissu historique* couvrant le temps par des enchaînements de cause à effet, comme il s'agissait de montrer les ombres aussi bien que les lumières d'une histoire [16].

En effet, le rapprochement de Yerubbaal avec Gédéon est loin, à notre sens, de jouer en faveur de Gédéon. Si l'étiologie quelque peu laborieuse de ce nom (6, 32) apporte sa pierre au monument qu'elle contribue à lui dresser, le nom reste païen [17]. Mais surtout, par la contamination avec la trouble histoire d'Abimélek, ce rapprochement contribue à assombrir le voile déjà jeté sur la fin d'un intinéraire sévérement jugé en raison de l'éphod d'Ophra.

Par conséquent, aussi insatisfaisant que soit, historiographiquement parlant, le constat du processus qui a abouti à l'identification de Yerubbaal à Gédéon, nous sommes conduits à l'accepter comme signe d'une intention ou d'un projet historien. Mais l'allusion que nous venons de faire à Ophra, nous ramenant au principe onomastique que nous avions mis en valeur dans notre partie analytique, nous conduit maintenant à poser à nouveau la question du ressort de cette histoire. Est-ce vraiment ou exclusivement Gédéon ? Car le sanctuaire d'Ophra est trop présent sinon tout au long du cycle, du moins à des moments clé de cette histoire pour être totalement ignoré du point de vue du principe historiographique. Mais que ce soit par le truchement de Yoash ou par celui de ses références à un clan et à une tribu, l'évocation de cette cité nous amènera également à nous interroger, toujours d'un point de vue historiographique, sur l'environnement israélite de Gédéon.

De ce fait, nous aurons l'air de prendre en considération plus

---

16. Même s'il y a tout lieu de penser, comme nous l'avons rappelé à plusieurs reprises, que l'histoire d'Abimélek est pour l'essentiel plus ancienne que celle de Gédéon dans son ensemble, et donc plus proche de la chronique, le renversement de l'ordre historique des documents dans leur composition en faveur d'un ordre historique définitif appartient au travail non seulement légitime mais exigé de l'historien.

17. Du moins devait-il apparaître tel à l'Israël des dernières rédactions, dans le contexte des dénonciations prophétiques des cultes de Baal et autres divinités, même si, selon Moore (p. 195), le terme de *ba'al* a pu être commun et recouvrir le nom de YHWH. En tout cas, de l'étiologie du récit de l'offrande à l'Ange (6, 24) à l'ultime rédaction du récit de la destruction du sanctuaire de Baal (6, 25-32), tout était fait pour que le nom de Baal résonnât de façon païenne en opposition à YHWH (et à *YHWH-Shlm*).

rapidement que prévu la dimension sacrée de cette rédaction. Mais outre la contrainte apparente qui nous y oblige, précisons dès maintenant que cette dimension sacrée peut être de deux ordres et correspondre à deux stades bien distincts de la rédaction, celui du donné historique immédiat, tel que le révèle la réalité, par exemple, d'un sanctuaire et des pratiques qui y avaient cours, et celui qui relève de l'orientation rédactionnelle. Dans le cas du sanctuaire d'Ophra, quelle qu'ait été par ailleurs cette orientation rédactionnelle, nous devons tenir compte de données qui n'eurent d'abord pas grand-chose à voir avec cette orientation ; ce qui nous conduit naturellement, après l'examen du héros, à celui de son environnement géographique, social et religieux.

CHAPITRE XIX

OPHRA D'ABIÉZER OU OPHRA D'ISRAËL ?

Le principe onomastique, qui nous avait permis de rendre compte de la dérive de sens entre le récit de vocation proprement dit et celui de l'offrande à l'Ange de YHWH [1], nous avait également permis de saisir une certaine cohérence dans l'ensemble du cycle de Gédéon. Les liens de Yoash à Ophra notamment nous conduisaient du début à la fin de l'histoire jusqu'à la fabrication de l'éphod sur lequel devaient chuter Gédéon, toute sa maison et Israël (8, 24-27). Ainsi, le cycle de Gédéon, depuis l'introduction du récit de vocation jusqu'à cet épisode final offrirait, au nom du seul principe onomastique, une réelle cohérence.

Ainsi, après la question de l'identité de Gédéon, celle de son environnement immédiat, familial et social, conduit à s'interroger sur le rôle joué par les différentes déterminations de cet environnement quant à l'historiographie du cycle.

Deux raisons au moins invitent à ce nouvel examen, l'indispensable prise en compte de ce qui assure le *Sitz im Leben* d'un héros et de son action, et la détermination gunkélienne du rapport d'un récit à un lieu et d'un lieu à un récit [2], en quoi celui-ci peut éventuellement jouer pour celui-là un rôle étiologique. Dans quelle mesure les références du cycle de Gédéon à Ophra et à Yoash ainsi qu'aux différents lieux, clans et tribus, sans oublier le « tout Israël », contribuent-elles à l'élaboration historiographique du cycle ou lui font-elles au contraire obstacle ?

L'état actuel de la rédaction du cycle de Gédéon enserre pour ainsi dire l'histoire du héros entre deux informations parfaitement concordantes : d'une part, Yoash est dit appartenir au clan

---

1. Cf. ci-dessus, chap. IX.
2. Cf. P. GIBERT, *Une théorie de la légende, op. cit.,* p. 76, et GUNKEL, « Sagen und Legenden » in *RGG²,* col. 55.

d'Abiézer et être propriétaire d'un térébinthe à Ophra (6, 11) ;
d'autre part, ce même Yoash est dit avoir eu son tombeau à
« Ophra d'Abiézer » (8, 32). Cet enracinement local et clanique
se trouve en outre confirmé par deux fois au cours du cycle.
L'altercation de Yoash avec les gens de la ville (6, 28-31) nous a
appris que celui-là était propriétaire d'un véritable sanctuaire de
Baal, le tout, avec l'étiologie du récit précédent (6, 24) qui justifie
l'existence à Ophra d'un autel à YHWH, disant l'importance
sacrale de ce lieu. À quoi s'ajoute, juste avant l'évocation de la fin
de la vie de Gédéon, ce qu'on peut considérer comme l'enrichis-
sement du sanctuaire d'Ophra par un éphod (8, 27a).

Une telle précision et une telle cohérence d'informations ne
rendent évidemment pas compte de la partie proprement guerrière
de la tâche de Gédéon, laquelle exclut toute référence à Ophra,
même si, à la fin, l'éphod est dit avoir été fabriqué avec le produit
d'un butin guerrier [3].

Enfin, demeure la question de la particularité ou des limites du
champ d'évolution de Gédéon, que ce soit dans sa tâche sacrale
ou dans sa tâche plus proprement guerrière : du clan d'Abiézer de
la tribu de Manassé, Gédéon ne déborde guère une étroite zone
septentrionale, sinon pour poursuivre en direction du Jourdain les
Madianites défaits, même si, au passage, il a affaire à la tribu
d'Éphraïm (7, 24 sq.). Certes il a convoqué les tribus du Nord,
Manassé naturellement, également Asher, Zabulon et Nephtali (6,
35). Mais l'énumération de ces tribus reste liée à des « sommaires » (6, 33-35 et 7, 23 qui ignore Zabulon) qui n'égalent pas en
charge de signification comme d'information les récits proprement dits. À quoi s'ajoute l'évocation d'Israël.

En principe, cette évocation déborde toutes les autres déterminations familiales, claniques et tribales, puisqu'elle les inclut. Si
nous continuons, pour l'instant, à laisser de côté le cadre du cycle
(6, 1-10 et 8, 33-35, ou même 8, 28-35), il est intéressant de voir
comment le nom d'Israël apparaît au cours de l'histoire.

Pour cela, on doit distinguer les textes où il est fait mention
d'Israël au sens de *tout Israël,* sans les limitations de clans et de
tribus, et ceux où cette désignation est manifestement synonyme

---

3. Encore qu'il soit difficile de rattacher ce butin à la prise du camp madianite,
l'allusion aux Ismaélites (8, 24) distanciant un peu plus les choses même si elles
sont en quelque sorte rattrapées par une nouvelle référence aux « rois de Madiân »
(8, 26).

des seuls compatriotes ou proches alliés de Gédéon. Or cette distinction confirme un certain nombre de constats faits au nom d'autres critères.

Dans le premier type de textes, qui désignent Israël sans limites de particularités, on trouve le récit de vocation proprement dit qui fait manifestement porter à Gédéon une responsabilité concernant *tout* Israël : « ... tu sauveras Israël de la main de Madiân » (6, 14c). Juste avant cet ordre divin, Gédéon avait d'ailleurs rappelé sous mode négatif le *credo* qui implique la foi de tout Israël et pas seulement de son clan ou de sa tribu (6, 13).

De même, dans l'épisode de la toison, c'est bien encore de *tout Israël* qu'il s'agit et c'est tout Israël que Gédéon devra délivrer (6, 36).

Dans la préparation sacrale à la sélection des trois cents, YHWH donne comme raison de cette sélection le fait qu'« Israël pourrait en tirer gloire à (ses) dépens » (7, 2c). Après quoi, il faudra attendre la conclusion de l'épisode de l'éphod d'Ophra pour qu'il soit fait mention de la même façon de « tout Israël » (8, 27)[4].

À côté de cela, on trouve des allusions à Israël ou aux gens d'Israël en synonymie manifeste des groupes évoqués dans le cycle de Gédéon. Ainsi Gédéon « renvoie tous les Israélites » sous leur tente après la sélection des trois cents (7, 8), l'expression incluant manifestement les seules tribus qu'il avait convoquées auparavant (6, 34-35). Le propos est encore plus clair à l'occasion de la poursuite des Madianites après leur défaite puisque est donné le détail des « gens d'Israël », Nephtali, Asher et tout Manassé (7, 23).

On peut considérer de la même façon la qualification d'« israélite » dans la bouche du soldat expliquant le rêve de son compagnon (7, 14) : que « le fils de Yoash » soit « l'Israélite » n'implique pas nécessairement une généralisation négatrice d'une appartenance plus étroite à un clan ou à une tribu ; on peut penser que pour ce Madianite « Israël » représente le seul « tout » perceptible dont Gédéon fait partie[5].

Plus ambiguë est la désignation des « gens d'Israël » lors de la

---

4. Ces références constituent ce que Soggin considère comme la version « pan-israélite » du cycle de Gédéon, version qu'il juge plus tardive (cf. par ex. p. 115).

5. Ce qui peut donc relever d'un souci de vraisemblance de langage comme la désignation de « El » en place de YHWH ; cf. ci-dessus, chap. XII.

proposition de domination faite à Gédéon (8, 22). La situation actuelle de ce récit permet d'assimiler l'expression à la seconde catégorie de textes ; c'est dire qu'elle peut être entendue comme synonyme des tribus mises en scène à propos de l'attaque des Madianites. Mais le caractère additionnel du récit et surtout sa référence à une proposition de pouvoir qui dépasse manifestement le rôle d'un juge lié à un moment et surtout à l'un ou l'autre clan ou tribu, ainsi que l'écho qu'il fournit à la complexe histoire de la royauté en Israël, laisse planer un doute quant à l'exacte nature de cette désignation [6]. Cependant, comme nous l'avons vu, le caractère manifestement additionnel et quasi hors contexte d'un tel récit permet aussi bien de l'ignorer dans la seconde catégorie de textes que de l'inclure dans la première.

Quoi qu'il en soit de ce dernier cas, l'implication d'Israël dans sa généralité nous paraît confirmer ce que nous avions perçu à partir d'autres critères d'analyse, en particulier de la distinction du sacré et du profane : les allusions à un Israël concerné par toute l'histoire de Gédéon relèveraient quasi exclusivement des textes additionnels, notamment de ceux qui sacralisent le cycle par-delà une expression plus profane et sans doute plus originelle des événements.

Aussi, à ce point de notre réflexion, est-il possible de conclure que l'israélitisation totale du cycle relève de ces textes à dominante sacrale (6, 11-16, 36-40 ; 7, 2-7 ; 8, 27 ; et sans doute 8, 22-23), et plus précisément *yahvisante,* confirmant une sorte d'autosuffisance « profane » des autres récits, le récit de l'altercation de Yoash et des gens de la ville (6, 28-31) ainsi que l'ensemble des récits tournant autour de la surprise du camp madianite, jusque dans la poursuite par-delà le Jourdain.

Pour la perception du projet historiographique, un tel constat est d'une évidente importance. Il marque une fois de plus la distance qu'il peut y avoir entre un projet historiographique tardif marqué par la référence à YHWH et donc au Dieu d'Israël, et un autre projet antérieur, aussi incertain qu'il paraisse pour l'instant. Mais on peut déjà noter que la marque sacrale, telle qu'elle apparaît dans certains récits ou parties de récits, ne relève ou ne témoigne pas exclusivement ou nécessairement d'une époque « primitive », antérieure à tout projet historiographique digne de

---

6. Cf ci-dessus, chap. XVI.

ce nom, ainsi que la théorie folkloriste ou telle ou telle école d'histoire le laisse souvent entendre [7].

Tout Israël étant, d'une certaine façon, rendu à une partie ou à un stade de la rédaction du cycle de Gédéon qui ne lui aurait pas primitivement appartenu, demeure la question des localisations, parentés et appartenances claniques et tribales que comporte ce cycle.

À son début et à son terme comme dans son tissu interne, l'histoire de Gédéon apparaît aujourd'hui comme fixée par plusieurs allusions à Ophra, Yoash et Abiézer, fixations quasi symétriques, de la figure d'inclusion de toute l'histoire (6, 11 et 8, 32) aux diverses allusions de l'autel et de l'éphod d'Ophra (6, 24 et 8, 27), en passant par celles de la filiation de Gédéon par rapport à Yoash (6, 30 et 7, 14).

La question qui se pose est celle de savoir si ces désignations diverses relèvent de la critique littéraire ou de la critique historique.

La théorie gunkélienne du récit pourrait nous contraindre à voir, surtout dans ce jeu d'allusions locales, le procédé courant de l'étiologie témoignant de la légende historique. Ainsi, les différents récits qui mentionnent Ophra, son autel, son éphod et le tombeau de Yoash, relèveraient de la légende de sanctuaire fondant en origine sa légitimité.

Le cas paraît clair pour l'étiologie explicite concluant le récit de l'offrande à l'Ange de YHWH (6, 24). Pour cela, l'extrinsécité même de la formule dit trop grossièrement le procédé pour qu'on en soit dupe. On pourrait en dire autant de l'éphod, à ceci près que le jugement porté, sans doute tardivement et condamnant aussi bien la « maison de Gédéon » que « tout Israël » (8, 27), limite d'une certaine façon la fonction étiologique. Cependant, la possibilité du caractère tardif de ce jugement laisserait intacte l'autre possibilité d'une légende effectivement étiologique de sanctuaire.

Reste le récit de l'altercation de Yoash et des gens de la ville que nous avions établi comme texte-source des récits auxquels il sert maintenant d'issue. Si son étiologie conclusive est facilement éliminable (6, 32), demeure la possibilité de l'objet de légende qui

---

7. C'est ce qui ressort parfois du langage même de Gunkel dans sa conception des légendes cultuelles ; cf. P. GIBERT, *Une théorie de la légende*, p. 188 sq.

rend à nouveau ce récit artificiel[8]. Mais un donné particulier plaide en sa faveur.

Alors que tous les récits du cycle où nous pouvons reconnaître soit une sacralisation yahvisante, soit une israélitisation générale, les deux pouvant coïncider comme nous l'avons rappelé, témoignent d'une orthodoxie religieuse israélite sans faille, nous avons affaire là à une part d'information assez troublante.

À s'en tenir à l'ensemble du récit, en incluant même ce que nous avons considéré comme sa part tardive de « récit sacré » (6, 25-26), on recueille une curieuse information : l'Israélite Yoash, du clan d'Abiézer, de la tribu de Manassé, était tout uniment propriétaire d'un sanctuaire de Baal, fonctionnaire en quelque sorte du culte qui y était pratiqué et donc parfaitement idolâtre. Alors que l'ensemble du livre des Juges, à quoi n'échappe pas le portrait général de Gédéon, présente des héros de YHWH, il s'avère que le propre père de ce dernier n'était rien moins qu'adorateur du même YHWH et que son propre fils dut brutalement intervenir pour en finir avec ce culte païen.

Autrement dit, nous recueillerions là un ensemble de faits qui, malgré les sacralisations yahvisantes tardives, continueraient de laisser percer l'idolâtrie originelle sinon de tout un clan ou de toute une tribu, du moins d'une famille qui, pour accéder au culte de YHWH, eut à sortir progressivement ou brutalement selon le récit actuel, de cette idolâtrie.

Par-delà ou en deçà de l'étiologie caractéristique de tous ces récits de sanctuaire ou d'objets de sanctuaire, finirait donc par se révéler un authentique donné historique que son hétérodoxie même garantirait. Car on ne voit pas habituellement dans la Bible, surtout à partir de cette époque, la tranquille affirmation d'un culte idolâtrique à l'intérieur d'une famille israélite, même pour en dire la conversion. Si Israël a été tiré d'Égypte comme le reconnaît Gédéon dans le credo de son récit de vocation (6, 13), ce n'était certes pas pour qu'un rédacteur plus ou moins étiologisant reconnaisse tranquillement qu'avec la conscience aussi aiguë d'un tel salut le père de l'un de ses grands représentants et ce représentant lui-même aient commencé par vénérer Baal au point d'être les riches propriétaires d'un de ses sanctuaires.

Or, ce récit, rappelons-le, ne mentionne pas Ophra, mais seulement Yoash et Gédéon, les interlocuteurs étant simplement

---

8. Cf. ci-dessus, chap. v.

« les gens de la ville ». Dans le prolongement des isolements successifs que nous avons fait subir à la scène, on est en droit de se demander de quelle « ville » il s'agit. Dans ces conditions, pouvant négliger la détermination d'Ophra, de son sanctuaire, de son autel à YHWH et de son éphod, toutes choses auxquelles sont rattachés des récits à portée étiologique plus ou moins explicite, nous tiendrions là un souvenir historique, très réduit sans doute mais suffisant, dans lequel nous pourrions dépasser la fatalité étiologique [9].

Que Yoash en soit le héros ne pose aucune question, puisque nous n'avons pas de personnage de remplacement. Le seul doute qui subsisterait concernerait Gédéon, qui pourrait éventuellement avoir été Yerubbaal, tant le récit, lié à ce sanctuaire de Baal, permettrait de l'identifier [10]. Mais il y a, là aussi, seulement hypothèse possible étant donné l'état actuel du texte.

Ainsi, du point de vue de l'onomastique pure, le cycle de Gédéon prolonge ce que le livre de la Genèse a fait percevoir à Gunkel, cette fonction étiologique sur laquelle l'historien ne peut faire immédiatement fond si ce n'est d'un point de vue culturel. Nous voulons dire par là que le principe de lecture étiologique aboutissant à l'explication d'un monument, d'un lieu, d'un objet

---

9. Tout dépend naturellement de l'idée que l'on peut se faire de l'origine du culte de Baal tant en Israël que dans la famille de Gédéon. Comme nous l'avons dit dans le chapitre précédent, on ne peut totalement exclure une « relecture » de l'époque prophétique (et donc deutéronomique) qui aurait contribué à « idolâtriser » ce qui n'était peut-être qu'une expression primitive relativement banale ou commune du culte de YHWH. Dans ces conditions, notre hypothèse n'aurait plus aucun fondement, le remplacement même de *Baal-Shlm* par *YHWH-Shlm* relevant de cette relecture tardive. Demeurerait alors le souvenir d'une évolution dans les dénominations et donc dans la considération d'un sanctuaire enfin clairement « yahvisé », ce dont le rédacteur tardif rendrait Gédéon responsable. À ce propos, une question se pose : faut-il ou non identifier le « pieu sacré » de 6,25 au térébinthe de 6,11, ainsi que l'a suggéré M.A. Lemaire ? Dans l'affirmative, une telle hypothèse soulèverait sans doute plus de problèmes qu'elle n'en résoudrait. Cependant, nous sommes obligé de reconnaître qu'elle aurait pour elle la possibilité d'un processus d'élaboration narratif comparable à celui que nous avons nous-même rappelé à propos de l'autel de l'étiologie du récit de l'offrande à l'Ange (6,24) et de celui que construit Gédéon en lieu et place de celui de Baal qu'il venait de détruire (6,26-27). En ce cas, il y aurait là un indice de datation ou d'origine de l'épisode et sûrement de l'ordre de YHWH, par rappel ou écho de l'époque d'Ézéchias ou de celle de Josias... Signalons aussi l'hypothèse d'E.J. PAYNE faisant d'Ophra un sanctuaire madianite, ce qui rendrait encore plus vraisemblable, d'un point de vue israélite orthodoxe, le culte de Baal : « The Midianite Arc in Joshua and Judges », JSOT, SS 24, 1983, p. 163-172.

10. Rappelons que c'est là l'hypothèse de Desnoyers qui attribue ce récit à son document Y ; cf. ci-dessus, chap. XXI et n. 6 sq.

ou d'une coutume procède naturellement à l'inverse de ce que l'historien est en droit d'attendre : l'événement et le personnage sont placés *au service de* ces « objets » qui peuvent alors apparaître comme des « objets de légende » avec ce que cela entraîne soit pour l'authenticité des événements, soit pour l'existence même des personnages. De ce procédé et processus relèveraient également les récits qui mettent en scène Éphraïm et les différents épisodes de la poursuite des Madianites vers le Jourdain, ainsi que nous l'avons montré.

Dans ce sens, un historien ne peut, à notre avis, se fonder sur ces différents récits à étiologie explicite ou implicite, additionnelle ou non, du cycle de Gédéon. Ni le sanctuaire d'Ophra, ni son autel à YHWH, ni son éphod ne doivent être *certainement* liés à Gédéon. Celui-ci, destiné en raison d'autres titres à les fonder, à leur accorder leurs lettres de noblesse, ne reçoit d'eux qu'une part de légende *(Sage* ET *Legende)* avec toutes les incertitudes et tous les artifices du genre.

Si nous pouvons à la rigueur extraire une information sur la génétique de la religion yahviste dans le clan d'Abiézer ou dans la famille de Yoash, étant donné que cette information va trop à l'encontre de la pureté doctrinale ou de l'orthodoxie officielle de l'historiographie religieuse ultérieure d'Israël qui n'aurait pu la concevoir, c'est à peu près tout ce que nous pouvons faire en tant qu'historien.

De ce fait, l'onomastique à l'œuvre dans ce cycle, en faisant ressortir la dimension religieuse de l'action de Gédéon, dit en même temps la part légendaire, fût-elle sacralisante, de cette action et ce qu'elle a de difficilement recevable en histoire. Du moins témoigne-t-elle, dans le projet historiographique d'ensemble, d'un facteur d'intégration à un autre ensemble de données, celles concernant l'action guerrière de Gédéon où il n'est question ni du sanctuaire d'Ophra ni d'une quelconque action religieuse du héros, même si celui-ci est dit « fils de Yoash », ce qui, en l'occurrence, peut ne relever que d'une identification minimale.

Dès lors, il nous reste à examiner les implications de cette action qui exclut plus aisément ses propres additions sacralisantes, mais qui pose la question de la nature de l'ennemi auquel Gédéon et ses trois cent se trouvent confrontés.

CHAPITRE XX

MADIANITES ET AMALÉCITES

Selon l'ensemble 3, 7-16, 31, la désignation de Madiân dans le cycle de Gédéon comme l'ennemi envoyé par YHWH en châtiment du mal commis à ses yeux par Israël (6, 1) et dont le juge doit le libérer, relève de la norme des choses. Une telle désignation justifie le cycle au même titre que le juge sauveur ou libérateur, quels que soient les adjuvants qu'il recèle, le rôle de Gédéon constructeur d'autels par exemple.

Jusqu'ici notre étude a surtout mis en valeur ces adjuvants par rapport au motif central du cycle, la guerre à mener contre Madiân, ainsi que l'annoncent l'introduction générale actuelle (6, 1-6) et le récit de vocation (6, 11-16), même si, rappelons-le, leurs « explications » de cette invasion et de cette guerre restent différentes. En même temps, comme les multiples étiologies, objets de légende divers et interventions divines directes nous ont le plus souvent contraint à écarter d'un projet historiographique strict un certain nombre d'indications, on peut penser qu'avec ce motif central se manifeste enfin le noyau authentiquement historique d'un cycle composite dans ses genres d'expression. De fait, ainsi que nous l'ont déjà montré notre section analytique et la réflexion menée à travers les deux chapitres précédents, les données du cycle de Gédéon qui présentent le héros comme chef de guerre échappent pour une large part à ces contraintes étiologiques et sacrales, lesquelles peuvent éventuellement en être plus facilement abstraites qu'ailleurs. Et si tel ou tel récit de la poursuite de l'ennemi loin du champ de bataille (8, 24 sq.) révélait encore un procédé irréductiblement étranger à l'écriture historienne [1], nul doute que le récit de la surprise du camp madianite (8, 16-21), au centre de tout, résistait à ce genre de procédé.

C'est pourquoi il nous reste à examiner maintenant la nature de

---

1. À travers notamment le principe étiologique, cf. ci-dessus, chap. xv.

cet ennemi à vaincre, sans lequel il n'y aurait non seulement pas de cycle de Gédéon, mais non plus ces éléments étiologiques ou sacraux qui lui ont été raccrochés de différentes façons et à différents moments de son élaboration.

Dès les premières lignes du cadre du cycle comme de celles du récit de vocation, les choses sont claires : l'ennemi à abattre, d'où vient tout le mal d'Israël, est Madiân (6, 1.11-13). Et s'il n'est donné comme châtiment mérité que dans l'introduction du cadre (6, 1.6), si donc l'interprétation de son oppression sur Israël est totalement différente dans l'esprit de Gédéon (6, 13) comme dans celui de toute l'histoire de sa campagne militaire, sa désignation ne souffre aucune incertitude, c'est de Madiân qu'il s'agit, même si l'addition de trois autres noms d'ennemis, Amaleq, les fils de l'Orient et les Ismaélites, pose quelques questions.

Aussi, étant donné l'importance accordée à Madiân, nous commencerons par traiter des autres ennemis d'Israël, Amaleq, les fils de l'Orient et les Ismaélites, afin de nous étendre un peu plus longuement ensuite sur cet ennemi dominant.

À propos d'Amaleq, des fils de l'Orient et des Ismaélites, l'analyse du cycle avait manifesté deux choses : d'une part, que ces ennemis d'Israël n'étaient pas inconnus de livres antérieurs et postérieurs à celui des Juges ; d'autre part, que la mention de ces ennemis révélait des procédés littéraires particuliers qu'une perspective historique ne saurait négliger [2].

De façon générale, ces autres ennemis d'Israël n'apparaissent qu'incidemment, Amaleq et les fils de l'Orient *exclusivement* dans des textes assimilables à des *sommaires* (6, 1.33 ; 7, 12), et Ismaël comme *explication* de la nature d'un butin (8, 24), comme si des anneaux d'or n'étaient recevables que justifiés par la particularité de leurs propriétaires. Or jusqu'à la fin de l'histoire de Gédéon où ils surgissent, il n'a jamais été question d'Ismaélites.

Dans ce dernier passage, il s'agit, rappelons-le, de fournir l'origine d'un objet de sanctuaire, le fameux éphod d'Ophra, et de dire non seulement qu'il relève d'une initiative de Gédéon, mais aussi avec quel matériau il fut fait. La mention des Ismaélites entre donc dans le processus étiologique lié à l'éphod d'Ophra, même si cette mention reste difficilement explicable. Pourquoi les Ismaélites et non tel autre peuple ? Y avait-il une tradition qui les faisait

---

2. Cf. ci-dessus, chap. XII.

reconnaître à leurs anneaux d'or, ou inversement, qui associait anneaux d'or et Ismaélites [3] ? Le style du propos est ici caractéristique : il trahit une tradition de type folklorique bien plus qu'une information de type historique.

Dès lors, si une telle mention peut toujours permettre de déduire qu'entre autres campagnes, Gédéon dut en mener une contre les Ismaélites, le contexte immédiat dans lequel cette mention se trouve prise aujourd'hui, autant que le style de la mention, n'autorise nullement à l'affirmer comme un donné historique avéré. Il reste en tout cas insuffisant.

L'ennemi ismaélite étant ainsi éliminé, Amaleq et les fils de l'Orient offrent-ils plus de prise à l'historien ?

Dans les « sommaires » où nous les trouvons, ils ne présentent guère plus de substance que cet autre ennemi. On peut certes invoquer, pour les fils d'Amaleq notamment, d'autres références bibliques [4]. Mais les Ismaélites en bénéficient de plus prestigieuses encore, ne serait-ce que leur origine en Abraham (Gn 16, 10-12)... Pour les fils de l'Orient, par contre, nous avons déjà dû reconnaître qu'il y avait très vraisemblablment là une sorte d'hyperbole destinée à faire effet, le vague et l'exotisme de l'expression étant à peu près équivalents de ce que la tradition épique de l'aire française conserve en parlant, par exemple, des Sarrasins [5].

Ainsi donc, les lieux dans lesquels Amaleq et les fils de l'Orient sont mentionnés étant étroitement circonscrits, c'est-à-dire réduits à des allusions de sommaires, l'absence de leur participation effective aux différentes actions guerrières de Gédéon, y compris dans des récits d'élaboration étiologisante, tout porte à vider de contenu réel la seule évocation de ces peuples réduits à des noms, qu'ils soient ou non connus par ailleurs. De telles mentions, par leur répétition même, nous semblent là encore relever davantage du refrain d'épopée ou de l'effet poétique que de l'information historique.

---

3. Selon Lagrange, pour lequel « les Ismaélites n'appartenaient pas à la même branche que les Madianites (Gn 25, 2) », le terme est à prendre « comme synonyme de riches négociants des caravanes » (p. 150). Soggin rappelle le caractère interchangeable des Ismaélites avec les Madianites selon Gn 37, 25 sq. ; 31, 1 sq. (p. 139-140).

4. Amaleq et les Amalécites : Ex 17, 8-16 ; Nb 13, 29 ; 24, 20. Sur Amaleq figurant « l'archétype de l'ennemi d'Israël », cf. H. ROUILLARD, *La Péricope de Balaam (Nombres 22-24)*, Paris, Gabalda, EB, 1985, p. 448-451, qui, à notre avis, met bien au jour l'intégration « à un ensemble littéraire » avec tous les effets qu'une telle intégration implique ; cf. encore p. 465.

5. Cf. ci-dessus, chap. XII.

Avec Madiân et les Madianites, nous abordons cette dominante du cycle que nous évoquions au début du chapitre, au point de lui fournir presque au même titre que Gédéon sa substance et sa raison d'être, voire un principe de synthèse. L'adjonction d'Amaleq et des fils de l'Orient, qui pourrait paraître un moment affaiblir la portée d'une telle dominante, est largement compensée par l'importance de l'action guerrière de Gédéon qui n'aurait à aucun moment son explication si elle n'était provoquée par cet ennemi.

Pour commencer, on doit distinguer deux sortes de mentions de Madiân ou des Madianites : les mentions générales qui dans le cadre du cycle et dans les sommaires tantôt associent Madiân à Amaleq et aux fils de l'Orient, tantôt le désignent seul, et les mentions où Madiân est partie prenante de l'histoire et justifie, pour ainsi dire, l'intervention de Gédéon.

Celle-ci, nous l'avons vu, produisait deux types de récits, le premier représenté par le seul récit de la surprise du camp (7, 9-22), et le second par les récits qui, dans la poursuite des Madianites vaincus, se rattachent à des noms de chefs et de lieux manifestant, une fois de plus, des processus étiologiques (7, 23-8, 21). Si nous n'avons pas à revenir sur ces derniers étant donné tout ce que nous avons encore dit au chapitre précédent, reste pour nous, tel un noyau, le récit de la surprise du camp madianite (7, 16-21).

Ce récit est généralement tenu pour un modèle de stratégie militaire et étudié, aujourd'hui encore, comme tel. Si son caractère composite, avec la tradition des cors notamment, ne soulève pas de difficulté insurmontable [6], nous avons effectivement affaire à un récit cohérent de très haute vraisemblance et que rien, d'un strict point de vue d'historien, ne peut faire *a priori* rejeter.

La première question qu'il pose cependant est celle de son importance. S'agit-il d'un simple coup de main à portée limitée, ou d'une action décisive destinée à éliminer pour un temps un ennemi particulièrement dangereux ? L'état actuel du cycle opte clairement pour la seconde hypothèse (8, 28). Mais étant donné la nature et le contenu des récits qui illustrent la poursuite des Madianites jusqu'au-delà du Jourdain, on est naturellement en droit de s'interroger sur la véritable portée de cette action (7, 23 sq.).

La seconde question, beaucoup plus grave ou radicale, est celle

---

6. Cf. ci-dessus, chap. XIII.

de l'origine ici des Madianites. Si l'on en croit les différentes données des livres du Pentateuque, nous aurions affaire à des nomades du sud de la péninsule arabique [7]. Mais on peut penser aussi qu'ils venaient de l'est, là ou, selon le cycle de Gédéon, ce dernier va les repousser.

Si la seconde hypothèse rend plus plausible l'oppression d'Israël décrite par l'introduction du cycle, elle est loin de faire l'unanimité [8]. Et ici on ne peut ignorer le risque de pétition de principe à vouloir utiliser les données bibliques comme sources et moyen de vérification ou de confirmation d'autres données bibliques recevables comme informations postérieures.

En effet, les livres qui sont censés rapporter les plus anciennes traditions concernant Madiân, en l'occurrence les livres de la Genèse, de l'Exode et des Nombres, conduisent naturellement aux livres censés rapporter une histoire plus récente, tel le livre des Juges. Du coup ce dernier présenterait une information qui confirmerait en la prolongeant celle des ouvrages dont l'objet est chronologiquement antérieur. Les Madianites évoluant dans la Genèse, l'Exode et les Nombres, seront ainsi *reconnus* dans le livre des Juges qui confirmerait en l'enrichissant leur information. Dans le prolongement de cette perspective, les allusions rencontrées dans des recueils aussi tardifs que ceux des Psaumes (Ps 83, 10) ou des prophètes (Is 9, 3 ; 10, 26) apparaîtront naturellement comme l'évocation poétique ou symbolique de cet ensemble

---

7. Les données de la Genèse et de l'Exode sur lesquelles on s'appuie habituellement sont malheureusement soit divergentes (« en Arabie au-delà du golfe d'Akaba » pour Cazelles, ou encore « dans la péninsule sinaïtique », selon de Vaux), soit imprécises, et les témoignages extra-bibliques, égyptiens ou grecs, ne semblent guère plus probants (cf. H. CAZELLES, *Autour de l'Exode*, Paris, Gabalda, 1987, p. 248 ; et pour un état de la question, R. DE VAUX, *Histoire ancienne d'Israël*, Paris, Gabalda, p. 315-321).

8. Cf. l'exploitation particulièrement intéressante de cette hypothèse dans l'article d'E.J. PAYNE déjà cité, « The Midianite Arc in Joshua and Judges ». (Cf. ci-dessus, chap. XIX, n. 9.) L'article tend à montrer, à l'aide notamment de l'onomastique − qui fait d'Ophra un nom madianite − cette présence, au point de lui intégrer Gédéon ; ce qui expliquerait l'appartenance du sanctuaire de Baal à son propre père. Reconnaissons l'intelligence de l'hypothèse et, dans ses propres limites, de la démonstration. Nous ferons cependant deux remarques : d'une part, l'hypothèse comme la démonstration reposent sur des indices qui pour être multiples n'en sont pas moins minimes, laissant au lecteur l'impression d'une construction en château de cartes ; d'autre part, s'il fallait ramener Gédéon, sa famille et le sanctuaire d'Ophra dans le « camp madianite », il faudrait du même coup rendre compte de leur dérive dans le « camp israélite » que présente l'état actuel du cycle. Mais cela irait très bien dans le sens de notre propre thèse sur l'élaboration historiographique *par-delà l'exclusive exigence de vérité historique!*

d'informations « circulairement » garanties, du Pentateuque aux Juges et des Juges au Pentateuque.

Le problème que nous voudrions soulever ici et qui ne l'est pas spontanément, est celui de l'ordre de production de l'information et de son utilisation.

Quelle que soit, en effet, la confiance que l'on puisse accorder aux informations historiques des livres du Pentateuque[9], on ne peut faire abstraction du caractère nécessairement tardif de leur rédaction, dans une langue, selon une écriture et avec un art littéraire qui ne pouvaient absolument pas être contemporains de la plupart des personnages et des événements dont ils traitent. Du même coup, le livre des Juges ne peut que se voir rédactionnellement rapproché des traditions du Pentateuque[10].

Sans doute psalmistes, prophètes et poètes n'inventent-ils pas de toutes pièces des faits, des noms de personnes ou de peuples. Mais souvent conservatoires de simples mots et expressions, aphorismes divers, dont l'origine et le sens sont perdus, ils fournissent autant d'énigmes qu'ils ne confirment une information historique[11].

Dès lors, à côté de l'habituelle étiologie immédiate et explicite, on ne doit pas craindre de découvrir une étiologie beaucoup plus large, celle des *objets de légende* fournis par des auteurs tardifs comme les prophètes. Si rien ne permet de douter *a priori* de leur intention de faire allusion à un événement, à un personnage ou à un peuple historique, ni même de douter d'une information que nous n'aurions plus, il ne va pas nécessairement de soi que les informations dont nous disposons actuellement dans les livres historiques ou le Pentateuque aient été à la source de leurs

---

9. H. ROUILLARD, *op. cit.,* présente un bon état de la question à partir des données de Nb 22 (p. 35-39). À propos de sa reconstitution dans une perspective historique, on notera la tonalité conditionnelle.

10. C'est naturellement ce que ne pouvait que confirmer l'exégèse de la fin du XIXe siècle et du début du XXe qui, de Budde et Moore à Lagrange et Burney, faisait fond sur la théorie documentaire, reconnaissant J et E dans le livre des Juges comme dans le Pentateuque.

11. Par ex., que veut dire exactement Isaïe lorsqu'il évoque joug, verge et férule « brisés comme au jour de Madiân » (Is 9, 3) ? La plupart des notes et commentaires bibliques (cf., entre autres, BJ et Dhorme) renvoient à Jg 7-8... Sans faire de cette référence l'effet de l'oracle isaïen (dans une perspective étiologique), il nous semble trop rapide d'établir un tel rapprochement. Il reste possible, en effet, que pareille évocation dans la bouche d'Isaïe ou renvoie à d'autres faits ou relève d'une citation de type hymnique dont l'origine tant littéraire qu'historique nous serait inatteignable.

allusions. Nous ne devons pas exclure qu'en certains cas, ce sont ces allusions ou les évocations qu'ils répétaient qui ont fondé les rédactions plus détaillées de ces livres « antérieurs »[12].

Dans ces conditions, on ne peut que se demander si les Madianites du cycle de Gédéon sont aussi vraisemblables et avérés que leur massive présence le laisse supposer ici comme en d'autres endroits. Si nous ne pouvons recueillir des informations claires et exclusives dans les livres du Pentateuque, si une grande part de ceux-ci sont rédactionnellement proches du livre des Juges, si en fin de compte les origines géographiques de ces gens varient aussi considérablement d'une tradition à l'autre, entre sud et est, malgré les distances relativement faibles des lieux, est-il possible de faire fond sur de telles informations ? En bref, pour Madiân comme pour Amaleq et les fils de l'Orient, on ne saurait reprocher à un historien d'aujourd'hui de se demander s'il a affaire à un peuple réel, anciennement connu, ou à une sorte de mythe littéraire, même s'il ne peut réduire celui-ci à celui-là.

Que des bandes de pillards aient harcelé des groupes sédentaires sur des terres agricoles, il n'y a là que du très traditionnel et du très hautement vraisemblable. Et un Gédéon se cachant pour battre son blé afin de le soustraire à de tels pillards, accomplit, somme toute, un geste de prudence banal. Mais de là à désigner ces pillards d'un nom rendu prestigieux et terrifiant par des traditions diverses, il y a un pas que seuls peuvent franchir la poésie épique et l'imprécision du souvenir véhiculé par la tradition, que récupère plus ou moins tardivement l'historien en mal d'information[13].

Ainsi, dans le cycle de Gédéon, Madiân, s'il nous paraît un peu plus assuré qu'Amaleq, les fils de l'Orient et les Ismaélites, reste un nom à lourde charge de signification et non dénué d'un certain exotisme à l'époque des différentes rédactions du cycle de Gédéon. Utilisé ou réemployé pour les besoins de l'histoire, il dépend sans doute soit d'une contamination par les données du

---

12. Signalons qu'E.J. PAYNE, *op. cit.,* voit dans la si forte évocation des Madianites dans le cycle de Gédéon la volonté d'« un parallèle historique avec les événements » du temps du rédacteur, c'est-à-dire « de la dernière décennie du VIIe siècle avant notre ère et le début des années du VIe... » (P. 169 et 170.)

13. C'est pourquoi, par analogie, nous ferons nôtre ici l'expression d'H. ROUILLARD à propos de Nb 22, 4.7 : « La mention [...] des *zqny mdyn* serait donc l'un des rares cas où affleurerait, dans ce récit éminemment *littéraire,* un peu de réalité. » (*Op. cit.,* p. 39.)

Pentateuque, soit d'un réemploi de matériau de type littéraire (légendaire [14]).

De ce fait, l'ensemble du cycle de Gédéon, en révélant aux différents stades de l'analyse divers procédés de fabrication, n'assurerait pas davantage la véracité de données qui auraient semblé devoir d'abord mieux résister que les précédentes. Alors que Madiân paraissait plus solide qu'Amaleq et surtout les fils de l'Orient, tout compte fait et malgré sa massive et cohérente présence, il ne saurait davantage impressionner le lecteur que d'autres motifs de refrains épiques.

Faut-il conclure après cela que, selon une perspective historienne, rien en fin de compte, absolument rien ne tient dans le cycle de Gédéon? Ce cycle ne nous assurerait-il rien de plus que le résiduel d'un cycle de légendes par ailleurs invérifiable et aux procédés littéraires trop manifestes? Nous avons pourtant laissé entendre à plusieurs reprises que nous ne sommes plus ici dans le cycle de légendes, mais bel et bien dans un ensemble qui comme tel affiche un incontestable dépassement de la légende, dans la narration historique justement.

Même si nos analyses et réflexions semblent aboutir à un résultat analogue à celui de l'effeuillage d'un artichaut qui révélerait l'inconsistance d'un cœur, la désignation de l'ennemi vaincu par Gédéon en l'occurrence, à aucun moment cependant le contenu comme l'essentiel de l'expression ne nous rappellent les traits du cycle de légendes tels que le livre de la Genèse notamment les avait révélés à Gunkel.

Ainsi, nous maintenons qu'il y a là, dans le cycle de Gédéon comme dans l'ensemble des cycles 3, 7-16, 31, authentiquement *projet historien* ou *intentionnalité historienne*. Bien plus, il nous paraît que ce cycle, à la différence par exemple du cycle de Samson qui conserve des traits de mentalité épique et légendaire, manifeste plus que d'autres cette intentionnalité historienne.

Par conséquent, l'ultime question qui se pose à nous maintenant, celle du projet historien, se détache paradoxalement de la vérité historique au sens rigoureux du terme, en même temps que du projet épique ou légendaire.

---

14. Il va sans dire que nous employons ce qualificatif dans le sens complexe que lui a donné Gunkel, non exclusif de l'histoire.

CHAPITRE XXI

DE LA VÉRITÉ D'ISRAËL

S'il est un doute tardif dans notre culture occidentale, pourtant si critique en matière de lecture biblique, c'est bien celui qui peut frapper les informations que fournit la Bible. Jusqu'à ces dernières années, en effet, la plupart des « histoires d'Israël » comme des introductions à l'Ancien Testament relevaient d'informations immédiatement admises [1], tant il est vrai que « l'Ancien Testament est la seule source dont nous savons quel-

---

1. Il serait intéressant de dresser, de ce point de vue de la confiance historique, un tableau des « histoires d'Israël » depuis la première édition de la *Geschichte des Volkes Israel* d'EWALD en 1864, ainsi qu'un tableau des « introductions à l'Ancien Testament ». L'entreprise serait évidemment considérable. Ainsi, la dernière en date de ces introductions : *Das Alte Testament : eine Einführung* (1983) de R. RENDTORFF présente d'entrée « l'Ancien Testament comme source de l'histoire d'Israël » et prend immédiatement acte de la continuité historique établie par les différents livres pour conduire Israël de ses origines patriarcales jusqu'à Esdras et Néhémie, même s'il canonise le principe de multiples procédés d'écriture de l'histoire dans l'Ancien Testament. De fait, comme nous l'avons rappelé (cf. ci-dessus, chap. III, n. 5), c'est bien à un ensemble historique comme tel que nous avons affaire, même s'il intègre manifestement des moyens d'expression ou des genres littéraires dont ne peut se satisfaire un historien contemporain. En tout cas, il y aurait déjà fort à dire sur la façon dont sont traités les commencements de cette histoire. Les livres de la Genèse et de l'Exode peuvent-ils être pris en compte ? Si non, faut-il choisir entre le livre de Josué et le livre des Juges ? À titre d'exemple, il est caractéristique qu'un L. DESNOYERS ait écrit une *Histoire du peuple hébreu des Juges à la captivité* (Paris, Picard, éd., 1922). Sur une mise en question assez radicale de ces origines dans la Genèse, cf. notamment T.L. THOMPSON, *The Historicity of the Patriarchal Narratives* (De Gruyter, 1974). Quant au livre des Juges, cf. par ex. la prudence de Soggin : « si par ex. nous admettions la substantielle historicité des personnages mentionnés dans le livre (et c'est une hypothèse fondée sur des données incertaines)... » (P. 14.) Quoi qu'il en soit, et sans préjuger des nécessaires analyses qui vont suivre, il nous paraît fondamental en matière d'histoire biblique de souscrire aux règles de prudence émises par M.I. FINLEY en matière d'histoire grecque et romaine, tant ce qui vaut ici vaut là (*Sur l'histoire ancienne*, notamment les chap. II : « L'histoire ancienne et ses sources », p. 41-67, et III : « Comment les choses authentiques furent », p. 97-124).

que chose en ce qui concerne le cours et le contexte de (l')histoire (d'Israël) » [2].

Or nos précédents chapitres, le dernier en particulier, malgré la reconnaissance finale de l'intentionnalité historienne, n'ont pu que décevoir celui qui attend de l'histoire sinon une vérité absolue, du moins une vérité serrée au plus près dans l'établissement des faits comme dans l'ensemble des informations fournies. Dès l'ouverture du cycle de Gédéon, la désignation d'un ennemi précis, de ses procédés (6, 3-5), la situation dans laquelle il laissait Israël après son passage (6, 6a) et les parades qu'Israël tentait de lui opposer (6, 2b, 11b), proposaient pourtant toutes les apparences d'un bagage informatif parfaitement cohérent : de bout en bout, le cycle de Gédéon apparaîtrait porté, voire dynamisé, par le ressort de ces envahisseurs qui justifient, en fin de compte, l'essentiel de l'action de Gédéon et donc son souvenir. Mais cette information concernant l'ennemi d'Israël et ses procédés, nous l'avons vu, se heurte à des difficultés quasi insurmontables et ne permet de disposer que d'un mince résidu.

De ce fait, les données historico-géographiques du cycle ne semblent, à première vue, guère satisfaisantes pour l'historien. Elles posent trop de questions, résonnent trop d'un souci d'évocation facile ou immédiate, soit étiologiquement, soit par jeux de mots, pour pouvoir être prises en considération. Dès lors se pose une ultime question, celle de l'Israël même, ici mis en scène.

Sur ce point, le cycle de Gédéon est, pour ainsi dire, modeste. Comme dans la plupart des autres cycles de l'ensemble 3, 7-16,

---

2. R. RENDTORFF, *Das Alte Testament : eine Einführung*, p. 1. Notons que DE VAUX (*Histoire ancienne d'Israël*, t. II, *La période des Juges*, 1973), après avoir relevé les principales théories sur la composition du livre des Juges, manifeste, lui aussi, une certaine prudence à l'égard de ces « sources » que constituerait le livre pour l'historien : « De ces discussions, nous retiendrons seulement les résultats qui paraissent les plus assurés et qui importent davantage pour l'utilisation historique du livre. Il y avait des traditions sur les héros de la période antérieure à la monarchie qui avaient "sauvé" leur clan, leur tribu ou plusieurs tribus contre les attaques des Cananéens ou des peuples voisins. Transmises d'abord oralement, et parfois sous différentes formes, ces traditions devinrent, assez tôt dans l'époque royale, le bien commun de tout Israël et furent rassemblées dans ce qu'on peut appeler un "livre des libérateurs" [...] On conserverait d'autre part une liste de "juges" qui avaient exercé leur fonction dans certaines villes d'Israël pendant des temps déterminés. » (P. 13-14.) Puis de Vaux tente de rétablir une histoire de la rédaction qui aboutirait à l'époque post-exilique. On ne doit évidemment pas négliger de telles données, qu'elles paraissent contraignantes ou hypothétiques, pour apprécier la valeur historienne d'un tel livre. Les remarques de M.I. Finley (cf. n. 1), paraissent ici plus que jamais pertinentes.

31, le juge n'est rapporté qu'à une partie restreinte du peuple. La tribu de Manassé, le clan d'Abiézer, puis la ville d'Ophra limitent singulièrement l'espace du héros, espace qui ne sera franchi que pour les besoins de la guerre et de la poursuite de l'ennemi madianite.

Certes, on ne peut négliger, l'appel à d'autres tribus, Asher, Zabulon et Nephtali (6, 35), puis Éphraïm (7, 24), ni la rancœur de ces derniers (8, 1), tous éléments qui insèrent un peu plus le cycle de Gédéon dans l'histoire plus large des tribus d'Israël, sinon de l'ensemble de la nation. Mais du fait que les trois premières ne sont que nommées et n'agiront guère, du fait surtout de la sélection des trois cents combattants (7, 2 sq.) pour l'attaque du camp madianite, l'espace du cycle demeure finalement restreint. Cependant, à s'en tenir aux données de son cadre, en introduction et en conclusion, c'est bien de *tout* Israël qu'il s'agit tant dans le péché que dans le salut. Et si l'on ne peut totalement parler d'une contradiction entre ce cadre et le cycle, on est obligé de convenir ici d'un singulier rétrécissement de l'horizon, là de son élargissement.

Il y a donc des tensions entre l'*intégration du cycle* à l'histoire d'Israël, − une « grande » histoire −, et la *réalité,* modeste et limitée, rapportée par le cycle. L'historien doit donc apprécier ce jeu de tensions s'il ne veut pas voir singulièrement réduite la portée de cette histoire par rapport à ce qu'il en attendrait au vu de l'introduction.

Pour cela s'impose en premier lieu le repérage des termes, *Israël* et *Israélites* (ou *benei-Israël,* « fils d'Israël »), qui disent explicitement cette intégration à la « grande » histoire [3].

Comme nous venons de le rappeler, la mention d'Israël et des Israélites se présente d'abord dans les formules du cadre, en introduction (6, 1-8a) et en conclusion (8, 28-35), ce qui n'est naturellement pas fait pour nous étonner. Il n'est pas étonnant non plus de trouver cette mention dans le propos de YHWH et dans la réaction de Gédéon lors de l'épisode de la vocation (6, 14-15),

---

3. Par là se vérifie aussi un phénomène d'intégration analogue à celui de l'« israélitisation » de formes de récit et de motifs pouvant appartenir à la culture universelle : cf. P. GIBERT, *La Bible à la naissance de l'histoire, op. cit.,* l'« israélitisation » du conte des ânesses de Saül, p. 85-102. Le phénomène d'historicisation témoignant de la conscience historienne peut aussi bien se marquer dans l'intégration de chroniques locales que dans celle d'un conte.

le statut de ce genre de récit et, à l'intérieur du récit, cette séquence particulièrement, impliquant trop une théologie « nationale »[4].

De la même façon, lors de la proposition de la souveraineté à Gédéon (8, 22) et du jugement sur l'éphod d'Ophra (8, 27), on attribuera sans difficulté la mention d'Israël et des Israélites à ce genre de théologie.

Plus problématique est cette mention dans l'épisode de la toison (6, 36-37), dans celui de la préparation de la sélection des trois cents (7, 2), dans l'épisode du rêve du Madianite (7, 14-15) et dans l'évocation du rassemblement des « gens d'Israël » pour la poursuite des Madianites vaincus (7, 23).

Si nous tenons compte de l'isolement caractéristique de l'épisode de la toison, la mention de la délivrance d'Israël (6, 36-37) sans plus de précision ne fait que renforcer cet isolement et par conséquent dire la particularité d'un récit que nous avons déjà soulignée[5].

La même remarque vaut pour l'épisode du rêve du Madianite. S'il n'y a effectivement pas de difficulté pour celui-ci à caractériser « Gédéon, fils de Yoash » comme « l'Israélite » (7, 14), le retour de Gédéon « au camp d'Israël » (7, 15) fournit peut-être une précision quant à ce récit et à son indépendance par rapport à l'ensemble des récits où sont explicitement mentionnées quelques tribus. Alors que seuls les trois cents vont entrer en scène pour la prise du camp, n'y aurait-il pas là indication et confirmation d'une autonomie de cette séquence par rapport aux traditions mentionnant ces trois ou quatre tribus convoquées et rassemblées[6]?

Quant au discours préparatoire de la sélection des trois cents (7, 2), si YHWH dit redouter la vaine gloire d'Israël, notre propre analyse du récit faisant ressortir le processus de *yahvisation* de l'épisode, nous permet maintenant de renvoyer ce discours à une sorte de *hors-texte* auquel il appartient à la fois chronologiquement et catégoriellement. En ce sens, la mention d'Israël devient normale et confirme le caractère additionnel de la partie du récit dans laquelle elle se trouve insérée[7].

---

4. Quels que soient les principes de datation adoptés, il est manifeste pour nous que le témoignage d'une telle théologie dans ces récits ou allusions est tardif et appartient sinon aux derniers, du moins aux avant-derniers rédacteurs.
5. Cf. ci-dessus, chap. IX.
6. Cf. ci-dessus, chap. XII.
7. Cf. ci-dessus, chap. XI.

Ce sont donc « les gens d'Israël » servant à désigner et donc à regrouper Nephtali, Asher et Manassé (7, 23) qui posent évidemment la plus grave question[8]. Mais celle-ci peut recevoir ici une réponse en suite de notre discussion du choix de la conclusion de l'épisode de la surprise du camp.

Cette conclusion ne peut, en effet, se trouver qu'en 7, 22a ou 7, 22b. Avec la poursuite, nous entrons dans un autre épisode dont nous avons également montré la spécificité[9]. Si nous resaisissons maintenant cette mention des « gens d'Israël », force nous est de constater son isolement entre la conclusion de l'épisode du camp (en 7, 22a ou 7, 22b) et celui de l'épisode des Éphraïmites (7, 24 sq.). Or, comme la mention d'Israël n'est jamais associée, dans ce cycle, à Nephtali, Asher et Manassé, on peut conclure sans trop de risque à une rédaction tardive, peut-être déplacée ou à nouveau isolée du fait de l'épisode des Éphraïmites.

Ainsi, la mention d'Israël et des Israélites dans l'ensemble actuel du cycle, relève soit d'un caractère additionnel et donc rédactionnel nécessairement tardif, soit de récits indépendants et isolables, la particularité de l'aire d'évolution de Gédéon entre clan paternel et tribus voisines étant finalement sauve.

Cependant, aussi rédactionnelles, additionnelles, voire allogènes soient-elles, les récurrences d'Israël et des Israélites définissent un « espace » humain qui déborde désormais la simple histoire familiale ou tribale : c'est bien d'*un peuple,* aussi limité soit-il, qu'il s'agit ici, et le langage mis dans la bouche de Gédéon dans le récit de vocation et celui de la toison comme de ses interlocuteurs dit *finalement* cette conscience.

Un tel constat nous permet d'apprécier dès maintenant la « réécriture » qu'implique toute histoire. Produite à partir d'une idée suffisante de son objet, celle-ci est bien l'histoire du peuple d'Israël tel qu'on le concevait en un temps où il existait sur sa terre et comme nation, c'est-à-dire comme une entité nationale à laquelle on pouvait désigner des antécédents et des ancêtres, aussi divers et éparpillés fussent-ils.

---

8. À ce propos, on trouvera Soggin (p. 129) quelque peu léger puisqu'il se contente de ne voir là qu'une sorte de répétition sinon de doublet de ce qui avait été dit en 6, 35 et 7, 1. Lagrange (p. 140-141) pressent une « glose » et déduit « une poursuite opérée par des bandes contre ceux des Madianites dispersés qui erraient çà et là ».

9. Cf. ci-dessus, chap. IV.

Pourtant on ne saurait ignorer la part familiale qui constitue également ce cycle et donc le processus qui a permis un singulier élargissement de son horizon. Passé le récit de l'apparition de l'Ange de YHWH qui appelle Gédéon à la lutte contre Madiân *au nom d'Israël* (6, 11-17), les épisodes qui suivent, qu'il s'agisse de l'offrande faite à l'Ange (6, 18-24) ou de la destruction de l'autel de Baal (6, 27-32), nous ramènent à des préoccupations très particulières, d'ordre personnel ou familial. Là, Israël n'est jamais explicitement nommé. Dans un cas, Gédéon est présenté comme un constructeur d'autel dans la ville de son père (6, 24), dans l'autre comme le héros d'une quasi-farce dont ses compatriotes font les frais. Si l'intention religieuse apparaît sans difficulté, elle ne suffit pourtant pas à établir Gédéon à la hauteur du destin annoncé tant dans l'introduction générale du cycle que dans le récit de son appel par l'Ange ou par YHWH [10].

Là aussi, l'historien ou bien sera amené à négliger de telles informations qui ne révèlent pas grand-chose par rapport à l'essentiel d'une action destinée à faire exister un peuple comme tel (Israël victime de ses ennemis), ou bien constatera la diversité d'une écriture qui en aucun cas ne peut être considérée comme relevant d'une véritable intention historiographique. Il pourra sans doute puiser quelques informations, déduire, par exemple, que la religion d'Israël, à ses origines, a eu besoin de s'arracher par la violence à d'autres formes de culte, mais sans pouvoir aller au-delà d'un constat dubitatif des choses dans l'isolement d'un bref épisode et son étroite limitation géographique.

Pourtant l'histoire − voire l'historiographie − demeure comme étant celle d'un peuple et déborde ces limites d'écriture comme celles que le cycle, dans la précision des faits, se donne explicitement à travers Ophra et le clan d'Abiézer. Et l'enjeu indiqué dès l'introduction et confirmé au cours du cycle, est bien de portée

---

10. Il y a là une délicate distinction à faire. S'il est incontestable que l'association de Gédéon à des actes « héroïques » (au sens populaire de l'expression) renvoie à un contexte religieux, celui-ci, dans ses traditions anciennes, ne peut être confondu avec le contexte d'une théologie plus élaborée dont témoignent à notre sens le récit de vocation et *a fortiori* le cadre du cycle. Il est vrai, certes, que l'épisode de l'autel de Baal a reçu, grâce à la manifestation de YHWH (6, 25-26), une « sacralisation » seconde qui l'harmonise aujourd'hui avec la théologie du cycle. Mais le processus ne suffit pourtant pas à faire confondre l'action de Gédéon avec son action théologiquement relue en faveur de *tout Israël* à travers l'ensemble du cycle. Mais justement, la motivation théologique liée au destin d'Israël ne constitue-t-elle pas un puissant ressort historiographique ?

nationale : c'est finalement du salut d'Israël qu'il s'agit, et pas seulement d'intérêts familiaux plus ou moins étroitement conçus. Là encore, l'historien aura quelque mal à s'arracher au constat de la dimension folklorique, – ethnographique – de cette histoire. Le langage n'en est pas moins là qui entend dire que partout, dès le départ et *a fortiori* en conclusion, mais également tout au long du récit, de la désignation du héros, fût-il du « plus pauvre clan en Manassé » (6, 15), jusqu'à la poursuite de l'ennemi vaincu, c'est Israël qui est concerné.

Le jeu se fait ici par un habile entremêlement des mots et expressions. Si, dans notre analyse, nous avons surtout mis en valeur la particularité des données, l'enfermement des épisodes dans les limites étroites d'un lieu ou d'un fait sans grand retentissement, il a appartenu aux ultimes rédacteurs d'insérer ces données aux modestes dimensions ou de faible écho à l'intérieur d'une autre histoire, celle d'Israël. Pour cela, nous y reviendrons, la rédaction du cadre aura une particulière importance [11]. Mais on ne saurait non plus mépriser ces évocations d'Israël ou des Israélites qui, insensiblement et régulièrement, arrachent les différents épisodes du cycle de Gédéon à la particularité d'un cycle comme à celle d'un lieu ou d'un clan.

Ainsi, plus ou moins subrepticement, avons-nous réintroduit le principe onomastique. Certes, les lieux où nous relevons la mention d'Israël, sous quelque forme que ce soit, désignation du peuple, d'une partie du peuple ou qualification de Gédéon, ne semblent pas d'abord confirmer l'israélitisation totale ou absolue du cycle. Par rapport aux désignations particulières, soit d'Ophra, soit des clans et tribus recrutés par Gédéon, soit de tel épisode de la suite de la victoire, Israël n'apparaît qu'incidemment ou de façon allusive, laissant en dehors de lui ou de sa compréhension terminologique de larges pans du cycle. Mais si l'on nous permet une comparaison, nous dirons que ces différentes mentions sont analogues aux clous de fixation d'un tissu auquel il ne serait évidemment pas identifiables mais qui le maintiendraient en lui assurant une reconnaissance *actuelle.*

Un tel constat n'est évidemment pas secondaire. Dans la perspective de recherche qui est plus proprement la nôtre, il nous permet d'avancer dans la détermination d'un certain processus historiographique.

---

11. Cf. ci-dessous, chap. XXIII.

Si, comme nous l'avons dit à plusieurs reprises, l'histoire s'arrache au récit populaire, à la légende et à ses cycles, c'est en partie grâce à l'objet et au commanditaire que constitue pour elle une communauté supérieure à la famille, au clan ou à la tribu. En ce sens, la nation, aussi modeste soit-elle, dans son prodrome même, constitue bien l'objet de l'histoire telle qu'on la pratiquera et qu'on la pratique encore de nos jours, malgré les élargissements du concept. Dans ces conditions, Israël, aussi tardivement et artificiellement mentionné qu'il soit dans ce cycle, impose bien ce cycle à l'histoire.

Ce disant, nous ne garantissons ni ne restaurons la véracité des faits. Nous maintenons la plupart des épisodes dans la particularité d'un lieu, d'un clan, voire d'un héros, comme nous maintenons les différents genres littéraires, éléments additionnels, bribes plus ou moins extérieures ou étrangères, distingués et repérés ici et là, dans leur origine ou leur nature légendaire ou imaginaire. Mais du fait des mentions d'Israël injectées également ici et là, lieux, clans, tribus et héros sont en quelque sorte contraints d'entrer dans le cadre de l'histoire.

Ainsi, aboutissons-nous à une conclusion paradoxale mais qui relève d'un constat, celui d'un procédé qui nous paraît typiquement historiographique, dans l'intégration à un chapitre de son histoire par le nom propre d'une nation, de récits qu'une analyse peut dire éventuellement non historiques sans pour autant les arracher à l'intentionnalité historienne. Les chapitres suivants et notre conclusion devraient nous permettre de fonder un peu plus les implications d'un tel constat.

CHAPITRE XXII

DU SACRÉ ET DU PROFANE

S'il n'est plus nécessaire de revenir sur les critiques que nous avons fait porter au cycle de Gédéon en particulier au nom de la vérité, une meilleure connaissance du cycle, son analyse détaillée nous ayant permis de réduire notablement les objections qui s'imposent à une lecture immédiate, demeure l'objection la plus importante, celle des faits merveilleux avec ce qu'ils ont d'extraordinaire, c'est-à-dire d'invraisemblable et donc d'irrecevable pour l'historien. Ce caractère extraordinaire se trouve pour ainsi dire redoublé par l'absence de tout tiers témoin, absence qui ajoute à l'invraisemblable un insaisissable radical[1]. Or nous avions vu que les récits sacrés comme les récits mixtes occupaient dans le cycle de Gédéon une place non seulement importante, mais également décisive dans la mesure où ils portaient souvent l'explication des événements et assuraient la transition et donc la cohérence entre deux récits, sinon dans l'ensemble du cycle. Comment expliquer, en effet, *dans l'état actuel du cycle, la destruction de l'autel de Baal* (6, 28-32) *ou la sélection des trois cents combattants* (7, 1-8) *sans l'intervention divine ?* A fortiori *et de façon plus générale, comment expliquer* l'action de Gédéon sans l'épisode du « récit de vocation » (6, 11-17) ?

Nous avions vu également que ces interventions divines ou surnaturelles pouvaient être, en certains cas, relativisées. Lors de la destruction du sanctuaire de Baal ou même de la sélection des trois cents, l'épisode tenait fort bien et donc s'expliquait sans ces

---

1. Et ici on ne peut assimiler les récits aux « récits sacrés » *(Legende)* de la Genèse. La Genèse opte franchement, pourrait-on dire, en faveur du caractère théophanique quasi constant de l'histoire des patriarches. Récit d'origine, ce livre supporte mieux ce caractère que le livre des Juges qui porte déjà une histoire beaucoup plus prosaïque, laquelle ne peut tolérer la théophanie que dans la perspective d'un exceptionnel ou d'un extraordinaire qui sera de plus en plus celui des livres suivants, évangiles et Actes des Apôtres y compris.

interventions qui ajoutaient, gratuitement pourrait-on dire, leur note de sacralité[2].

Il n'en demeure pas moins, d'une part, que ces interventions occupent une place très importante dans l'ensemble du cycle, et, d'autre part, que le récit de vocation notamment entend bien fonder *toute* l'histoire ainsi rapportée, de sorte que ni ces interventions ni ce récit de vocation ne peuvent être supprimés ou mis entre parenthèses sans que la signification entière du cycle ne soit atteinte : c'est bien *parce que* YHWH l'a appelé que Gédéon, malgré ses réticences, est allé combattre efficacement les Madianites. Là se situe le cœur du problème, qu'il soit définitivement insoluble ou qu'au contraire, un authentique projet historien se trouve par là fondé, aussi paradoxal que cela puisse paraître maintenant.

Dans cette perspective de solution, étant donné le projet biblique d'ensemble, son *Mythos*[3], une distinction s'impose immédiatement et sans difficulté, la distinction entre sacré et profane. Une telle distinction n'est pas seulement justifiable par la référence actuelle à la prise de distance hérodotienne à l'égard du sacré ou du monde des dieux[4], mais d'abord par la façon dont le contenu même du cycle de Gédéon traite les deux domaines.

Il nous est, en effet, apparu que la dominante sacrée, aussi importante qu'elle soit, n'avait pas le caractère absolu et général auquel l'introduction (6, 1.6.7 sq.) obligeait à souscrire. Bien plus, elle pouvait être facilement abstraite d'un certain nombre de récits et données du cycle sans que ceux-ci en soient fondamentalement affectés. Ainsi se révélaient trois sortes de textes, ceux pour lesquels la référence sacrale était constitutive, ceux pour lesquels cette référence était d'une façon ou d'une autre additionnelle, et ceux enfin dont elle était totalement absente.

De façon générale, l'état actuel du cycle attribue à Gédéon deux rôles assez différents, celui de guerrier et celui de champion de culte. Curieusement, ce dernier rôle, qui se manifeste surtout dans

---

2. Cf. ci-dessus, chap. v et xi.
3. Ainsi que l'entend N. Frye dans *Le Grand Code.* La Bible et la littérature, Paris, Le Seuil, 1984.
4. Cf. H.-I. Marrou, « Qu'est-ce que l'histoire ? » in *L'Histoire et ses méthodes*, Paris, Gallimard, « La Pléiade », 1961, p. 7.

la première partie du cycle (6, 11-32)⁵, n'engendre pas que des récits de type sacré. Bien plus, l'élaboration du texte, telle que nous avons pu la percevoir au cours de notre analyse, révèle que le récit-source, l'altercation de Yoash avec les gens de la ville (6, 27b-31), n'impliquait pas nécessairement une référence sacrale conforme à l'idéal de la religion yahviste. Ainsi le récit pouvait-il conserver la mémoire d'un épisode accompli par un Gédéon accompagné de quelques compagnons et décidé à une action de destruction quasi gratuite, l'éventualité de la récupération rédactionnelle d'un objet de légende, un dicton, ne compromettant pas cette possibilité ni en tout cas cette intelligence des données⁶.

C'est naturellement le rôle guerrier de Gédéon qui exclut le plus aisément l'intervention sacrale. Centré sur le récit du coup de main contre le camp madianite (7, 16-21) dont la préparation et les conséquences constituent l'essentiel du cycle, ce rôle nous est apparu, au cours de l'analyse, comme constitué par l'*initiative* de Gédéon, quelles que soient par ailleurs la signification et l'importance du lourd appareil religieux qui s'y manifeste⁷. Le coup de main lui-même n'implique évidemment aucune manifestation directe de YHWH ni même une prière de Gédéon, le cri de guerre théophore (7, 16.20) relevant de la coutume guerrière la plus commune. Gédéon se montre là chef de guerre, intelligent et décidé, sans que son action et la préparation immédiate du coup nécessitent une quelconque référence religieuse.

À l'évidence pourtant, l'intention religieuse ou sacralisante des faits s'impose, depuis la préparation lointaine du coup de main avec la sélection des trois cents combattants (7, 2-7) jusqu'à l'espionnage préalable du camp ennemi (7, 9-15). Mais nous avions remarqué que les interventions divines, sacralisant au maximum les faits, leur restaient en quelque sorte *extérieures, ces faits et leur part de récit tenant très bien par eux-mêmes*⁸.

À ces récits s'en ajoutent d'autres, liés soit à des étiologies, soit à des objets de légende. Et ici on peut encore distinguer les

---

5. Qui ne doit pas faire négliger l'épisode de la fabrication de l'éphod (8, 24-27), lequel fait en quelque sorte inclusion avec les épisodes d'offrande à l'Ange (6, 17 sq.) et d'affaires d'autels, renforçant aux yeux d'un des derniers rédacteurs du cycle le caractère de champion du culte en Gédéon, même si un autre rédacteur a pu marquer sa désapprobation (8, 27b).
6. Cf. ci-dessus, chap. v.
7. Cf. ci-dessus, chap. xi et xiii.
8. Cf. ci-dessus, chap. xi et xiii.

étiologies et les objets de légende intrinsèquement religieux de ceux qui ne le sont pas.

Si le récit de la destruction du sanctuaire d'Ophra peut être lu de façon profane comme nous venons de le rappeler, l'étiologie du nom de Yerubbaal (6, 32), ainsi que le dicton (6, 31), tout en intégrant le nom de Baal, ne contribuent nullement à sacraliser un récit, du moins pas dans le sens de l'intelligence exclusive propre à la religion d'Israël.

Quant à la capture et l'exécution des chefs et rois madianites (7, 25-8, 21) comme au châtiment des cités qui refusèrent leur aide à Gédéon (8, 14-17) — tous récits qui relèvent manifestement de l'étiologie et de l'objet de légende —, il est clair qu'il n'y a rien ici à invoquer dans le sens de la sacralité ou de la sacralisation : malgré l'artifice de l'étiologie ou de l'objet de légende, ces récits restent dans la cohérence du rôle guerrier de Gédéon auquel est reconnue toute initiative en la matière sans qu'il soit besoin d'une intervention divine ou surnaturelle.

Par conséquent, quelle que soit la force d'orientation de lecture de l'ultime rédaction du cycle, dans un sens manifestement sacral [9], ce que nous pouvons considérer comme la part profane du cycle est trop important pour être simplement intégré à une orientation ultérieure qui seule lui donnerait son sens en lui assurant son existence ou sa survivance. Non seulement par son matériau mais déjà, à notre sens, par une synthèse de récits, le cycle de Gédéon a connu un stade rédactionnel ou un moment d'intelligence impliquant une intention historiographique réelle. Contentons-nous pour l'instant de le noter. Nous aurons évidemment à y revenir.

À l'opposé, se présente comme une évidence le matériau sacral à la reconnaissance duquel contribuent à la fois le cadre du cycle, l'ensemble du livre des Juges dans lequel il s'insère et, naturellement, le corpus biblique lui-même. Pour ce matériau nous avons déjà distingué ce qui est essentiellement sacral et ne pourrait subsister autrement, de ce qui a été plus ou moins artificiellement — additionnellement — sacralisé.

Dans ce dernier cas, les récits et données divers entrent assez facilement dans l'ordre du matériau profane. Ainsi la préparation

---

9. Qui nous obligera à évaluer au plus juste la valeur et la nécessité de cette « tendance » quant à l'historiographie, cf. ci-dessous, chap. XXIII.

de la destruction du sanctuaire de Baal (6, 25-27a), la scène de la
sélection des trois cents (7, 2-7), l'une ou l'autre étiologie (7, 32 ;
8, 27) sont pour ainsi dire *au service* d'épisodes qui tiennent ou
s'expliquent sans intervention sacrale. Nous trouvons là une sorte
de mécanisme de sacralisation qui vise à intégrer des données de
caractère profane à une historiographie d'intention sacrale, laquelle n'est pas nécessairement assimilable à celle que révèle le
cadre.

Disons qu'à leur façon, ces parties de récits sacralisantes
confirment sinon un projet historiographique antérieur, du moins
un ensemble déjà cohérent de données susceptibles d'être inté-
grées à un tel projet, voire l'appelant.

Ce sont naturellement, les récits et divers matériaux véritablement intégrateurs du sacré, bien qu'ils soient loin d'être les plus
nombreux, qui posent les questions les plus difficiles à la lecture
historienne, surtout lorsque tel ou tel d'entre eux occupe une
position clé dans l'intelligence même du destin de Gédéon, et
donc dans la constitution de ce chapitre de l'histoire d'Israël
véhiculé par le livre des Juges.

Les trois principaux récits de ce type sont le récit de vocation
(6, 11-16), le récit de l'offrande à l'Ange de YHWH qui lui est lié
(6, 17-24), et le récit de l'épisode de la toison (6, 36-40), récits
ayant en commun de ne pouvoir subir réduction ou suppression de
leur part surnaturelle sans perdre leur composante essentielle et
leur signification : ils seraient proprement anéantis. Mais tous les
trois n'obéissent pas aux mêmes lois de composition et d'intégration au cycle.

Le récit de vocation est évidemment le plus important. Dans
l'état ultime de la rédaction du cycle, il est celui qui, après le cadre
mais en termes totalement différents[10]*, porte* l'ensemble de l'action de
Gédéon, la fondant et la justifiant par avance. Car à la différence
de ce qu'indique l'introduction (6, 1), il n'y est non seulement pas
question du péché d'Israël méritant châtiment, mais plutôt d'une
oppression incompréhensible selon Gédéon lui-même (6, 13). Par
rapport à l'esprit général du cycle donné par le cadre, ce récit
marque une nette distance : la sacralité ici impliquée est différente
et ne peut aboutir qu'à une autre interprétation de l'histoire de

---

10. À notre avis, on ne saurait trop insister sur la différence d'interprétation
entre ce cadre et le contenu de ce récit quant à l'intelligence de l'histoire de
Gédéon.

Gédéon. Par conséquent, même dans cet ordre sacral, nous serons obligés de distinguer, du point de vue d'une historiographie considérée comme d'essence religieuse, des différences révélant, d'une façon ou d'une autre, au moins deux projets différents.

À ce récit de vocation est organiquement lié aujourd'hui, par la demande d'un signe, selon une loi de construction propre au récit de vocation, le récit de l'offrande à l'Ange de YHWH (6, 17-24). Là, tout est nécessairement sacral. Mais ainsi distingué du récit de vocation, celui-là laisse à nu la difficulté à percevoir sa raison d'être. Son étiologie de conclusion (6, 24), trop extrinsèque, ne fait qu'ajouter à la difficulté, même si elle introduit bien à la conception d'un Gédéon religieux. De toute façon, comme nous l'avons montré [11], un tel récit, lu dans le prolongement direct du récit de vocation, ne peut que troubler un peu plus et notamment par sa sacralité essentielle, la justification historiographique de ce qui le précède immédiatement comme de lui-même.

Le récit de la toison quant à lui (6, 36-40), s'il renvoie, comme nous l'avons vu [12], à la vocation guerrière de Gédéon, élargit le problème du sacré dans cette histoire, à ceci près qu'il paraît moins indispensable que le récit de vocation, qu'il a donc quelque chose de gratuit et qu'on ne saurait trop l'intégrer au cycle. Il garde donc, davantage que le récit de vocation ou même que le récit de l'offrande à l'Ange de YHWH, quelque chose d'extérieur que renforce la désignation d'El ou Élohim.

Cependant, par rapport au rappel de l'investissement de Gédéon par l'esprit de YHWH (6, 34) avant la convocation des tribus pour la guerre, nous avons vu [13] que, selon la loi du récit de vocation, il pouvait tenir là le rôle de la demande de signe et de confirmation, tout cela relevant naturellement d'un stade rédactionnel tardif dont témoigne l'intégration d'un récit en « El-Élohim » à un contexte plutôt yahvisant.

Ainsi, indépendamment du cadre dont nous venons de rappeler que par rapport à lui, tel ou tel récit du corps de cycle marquait une certaine différence, le principe de synthèse et donc d'intelligence des récits manifestait une diversité de possibilités.

Disons, en résumé, que la théorie gunkélienne de la légende nous ayant d'abord suffisamment sensibilisé au récit populaire, à

11. Cf. ci-dessus, chap. IV.
12. Cf. ci-dessus, chap. X.
13. Cf. ci-dessus, chap. IX.

ses conditions de production et donc à sa fonction étiologique [14], nous ne nous étonnons pas plus longtemps du rôle étiologique largement tenu par tel ou tel épisode de ce cycle. En ce sens, ce que nous considérons comme des récits mixtes, d'origine profane plus ou moins artificiellement sacralisés, confirme largement cette théorie qui évoque ou autorise autant la légende *(Sage)* que le récit sacré *(Legende)*. Tout ce qui concerne les autels et sanctuaires d'Ophra, telle ou telle tribu ou cité, entre aisément dans cette reconnaissance étiologico-légendaire, isolant plus ou moins le récit et donc relativisant son intégration à l'intérieur de l'ensemble qu'implique l'historiographie.

Il n'est évidemment pas possible d'en parler à ce stade de production. Sous quelle forme se présentaient ces légendes de sanctuaires ? Sans doute véhiculées par le canal exclusif de l'oralité, étaient-elles déjà constituées en cycles de récits. Même si quelques rouleaux ou tablettes permettaient de parler d'une première tradition écrite, celle-ci ne devait pas dépasser le seul souci conservatoire [15]. Dans l'état actuel des données du cycle, nous n'avons affaire là qu'à du matériau assez brut, certainement ancien, mais à propos duquel il n'est pas question de parler d'histoire ou d'historiographie.

Ce sont évidemment les faits plus banals, plus « normaux », qui retiennent l'attention de l'historien [16]. L'attaque du camp madianite est ici au cœur de ce qu'il peut concevoir. Attirant un certain nombre d'étiologies (de lieux-dits en particulier), et sans pour autant attenter à sa cohérence, cet épisode entre dans une véritable synthèse de données qui, de la préparation de la surprise à ses ultimes effets (la fabrication de l'éphod d'Ophra notamment), conduit le lecteur dans un enchaînement correct d'événements exclusivement plausibles ou vraisemblables.

---

14. Que ce soit à propos d'une cité (v.g. Ophra), d'un momument (v.g. le Pressoir de Zéeb) ou d'un sanctuaire (v.g. celui d'Ophra)...

15. Ce qui réduit l'écriture à un rôle de stockage. Sans exclure cette fonction comme première, on ne peut faire très longtemps fond sur elle, l'écriture devant très vite engendrer une série de processus mentaux, psychologiques et intellectuels qui l'arrachent à l'exclusivité d'une telle fonction : cf. J. GOODY, *La Raison graphique,* Paris, éd. de Minuit, 1979, p. 85-107.

16. Pour nous couvrir du côté du risque de reproche de positivisme, rappelons le propos du chrétien historien H.-I. MARROU faisant coïncider la naissance de l'histoire (sous Hérodote) avec la prise de distance par rapport au monde des dieux... C'est ce que nous avons tenu à établir dès le début de notre travail pour légitimer une prise en considération du cycle de Gédéon dans la perspective d'une réalité et d'une conscience historiographiques.

Nous avions vu que cette partie du cycle de Gédéon pouvait être assez facilement dégagée de toute référence religieuse, merveilleuse ou extraordinaire. N'obéissant par ailleurs à aucune des lois du conte, n'en laissant percevoir aucun motif, lois et motifs qui le rendraient à un imaginaire pur et conscient, lié à des noms de personnes et de lieux historiques en Israël, il autorise à reconnaître, ne serait-ce que par déduction négative, autre chose que du conte, de la nouvelle ou du roman. L'enchaînement des épisodes sous mode de causes et d'effets, le réalisme des faits, le souci d'intelligence du comportement des divers protagonistes dans leur cohérence et leur vraisemblance, sans oublier le souci de continuité dans le temps, assignent à ces épisodes une « authenticité » dans laquelle l'historien peut se reconnaître et reconnaître un souci historiographique.

Restent les faits proprement sacrés ou sacralisés. Si certains, à notre sens, font partie du processus d'évolution qui conduit la légende *(Sage)* vers le récit sacré *(Legende),* d'autres relèvent d'une conception religieuse qui intègre des manifestations théophaniques en un temps historique. Ces derniers, ainsi que certaines additions religieuses ou sacrales, nous l'avons vu, relevaient d'une autre intention : expliquer ou tout au moins fonder en YHWH des épisodes qui avaient sans doute existé d'abord sans ce fondement. Une telle intention, explicitement religieuse et justifiant des interventions divines difficilement intégrables à un monde humain normal, témoignent pourtant par là d'un sens historique authentique. Le récit de vocation et, dans une certaine mesure, l'épisode de la toison, relèvent de ce sens.

Mais plus nettement encore en relève ce qui nous est apparu aujourd'hui comme des parties de récit manifestement additionnelles, dont l'absence de précision en fait de circonstances, de conditions et de lieux, dit assez l'intention, tout en respectant le caractère prosaïque des événements qu'ils voulaient ainsi fonder [17]. Par là, nous semble-t-il, se manifeste une autre intention ou provocation historienne, d'un autre ordre sans doute, mais que l'examen du cadre actuel du cycle ne pourra que confirmer.

---

17. L'introduction actuelle au récit de la destruction de l'autel de Baal (6, 25-26) et la préparation à la sélection des trois cents (7, 2-7)

CHAPITRE XXIII

DE LA FONCTION DU CADRE

Même si l'on peut discuter du choix de la clôture du cycle de Gédéon et se demander en particulier si l'histoire qui suit, celle d'Abimélek, lui appartient ou non, ne serait-ce qu'en vertu du principe onomastique[1], la reconnaissance d'un jeu de formules d'encadrement[2] justifie suffisamment à notre sens les limites que nous avons proposées. Mais ces formules d'encadrement ne sont pas que de signification externe. Aussi artificielles qu'elles paraissent, elles n'indiquent pas moins clairement une *totalité,* un ensemble en quelque sorte exigible par l'intérêt du lecteur qui entend disposer d'une unité de sens. Par ailleurs, celle-ci s'impose au nom du simple principe existentiel, puisqu'elle va d'un commencement nécessaire à cette fin contraignante parce qu'inévitable qu'est la mort. À ce titre, le cycle de Gédéon, véritable itinéraire terrestre du héros à partir du moment où il entre en histoire pour un peuple jusqu'à l'évocation de son tombeau, est exemplaire.

Établir le constat de cette totalité, c'est déjà dire le principe qui s'oppose par nature aux sources et documents épars qui constituent pourtant l'objet premier de son application. Autrement dit, par le fait même de ce cadre, nous sommes autorisés à reconnaître l'intention délibérée d'un rédacteur aussi tardif soit-il, voire ultime, de nous proposer un donné d'abord indiscutable. Que le cycle par là constitué s'inscrive dans un ensemble plus large, lequel ensemble relèvera d'un autre ensemble, ne peut que confirmer le procédé et le processus qui arrachent les données désormais encadrées à ce donné brut et épars des sources et documents. C'est en ce sens que le cycle de Gédéon existe en premier lieu et qu'il s'impose à nous, non plus seulement comme un cycle de récits plus ou moins adroitement mis en chaîne, encore moins

---

1. Cf. ci-dessus, chap. VI.
2. Aussi différent qu'il soit de celui des autres cycles de l'ensemble 3, 7-16, 31.

comme une collection ou un recueil de légendes, mais bien comme une séquence d'histoire qui porte en elle le jeu contraignant des causes et des effets en s'intégrant à une série d'ensembles de plus en plus larges qui la confirment dans son caractère même [3].

Par là, le cycle de Gédéon s'oppose au seul intérêt familial ou tribal caractéristique notamment des cycles et récits de la Genèse [4]. Il fait partie de la « grande histoire », de celle qui concerne un peuple en tant que tel et au service duquel le héros se trouve quasi exclusivement mis. Il s'agit bien de délivrer Israël [5], non de raconter les « vaillances et farces » d'un héros, fût-il l'ancêtre éponyme ou le symbole de ce peuple.

C'est pourquoi ce que nous considérons comme le cadre du cycle, les formules d'introduction et de conclusion aux stéréotypes plus ou moins développés et particularisés, est loin d'apparaître comme un donné négligeable, aussi artificiel qu'il soit. C'est par là, en effet, comme nous l'avons vu, que le cycle de Gédéon s'intègre à l'ensemble 3, 7-16, 31 et par conséquent à une vision générale qui l'arrache à sa seule spécificité tout en la respectant. C'est par là aussi que le livre des Juges et le cycle de Gédéon appartiennent le plus explicitement à cette œuvre religieuse qu'est la Bible.

À partir de là, deux attitudes sont possibles. Ou bien l'on considère que le cycle de Gédéon (comme l'ensemble du livre des Juges) est trop dominé par le souci d'*édifier* le croyant et donc trop orienté par ce souci religieux ; dès lors le cycle de Gédéon ne peut que conduire à nier définitivement ce que nous cherchons à montrer depuis le commencement de ce travail, une authentique expression historiographique. Ou bien, quelle que soit la considération que l'on puisse accorder à ce souci en tant que souci essentiellement religieux, on accepte de voir là le *moyen par lequel*

---

3. C'est-à-dire dans l'ensemble 3, 7-16, 31, puis dans celui du livre des Juges, puis dans la transition du livre de Josué au 1er livre de Samuel, etc. ; et il n'est pas jusqu'à la chronologie « fantaisiste » de ce cycle comme de toutes celles du livre des Juges qui ne jouent en faveur d'une telle intelligence des choses.

4. Ce qu'affirmait explicitement GUNKEL dès le début de son introduction à son commentaire de la Genèse : *Genesis*[3], Introduction I, 4 et *Une théorie de la légende,* p. 256 sq. Certes, le livre de la Genèse entre à son tour dans la série d'ensembles que nous venons d'évoquer (et à ce titre se trouve intégré à la vision historienne caractéristique de l'Ancien Testament) ; mais son caractère originel fait ressortir, aussi provisoirement que ce soit, ce caractère légendaire familial qui lui est propre.

5. Ce qui est explicitement assuré par le cadre (6, 1-10 et 8, 28 sq.) mais aussi tout au long du cycle, alors que l'attaque de l'ennemi ne concerne qu'une faible partie du peuple, symbolisant en l'occurrence tout Israël (6, 14.36 sq., etc.).

une histoire a pu être non seulement conservée, mais nécessairement présentée de façon sensée[6].

Dans le premier cas, on marque une sorte de tension entre la quête de sources historiques et la reconnaissance plus ou moins fataliste d'un projet à intention exclusivement religieuse ou théologique, auquel des données historiques plus ou moins éparses et authentiques ne donneraient qu'une caution secondaire et peut-être négligeable. L'historien devrait se contenter de glaner quelques informations en se désintéressant de ce qui fait l'essentiel du texte actuel.

À notre sens, une telle conception des choses témoigne paradoxalement sinon d'une mauvaise, du moins d'une insuffisante intelligence du projet historien, réduit en l'occurrence à ce qu'il a finalement d'impossible, l'expression totale et définitive de la vérité du passé exclusivement perçue dans des faits[7].

---

6. Car il s'agit bien d'*écrire* l'histoire et pas seulement de *conserver* le plus exactement possible les faits. En ce sens, l'histoire, redisons-le, est la mise en liens de corrélations de données qui apparaissent le plus souvent comme indépendantes. Se pose là la question de l'objet de l'histoire. Si celui-ci « est une réalité qui a cessé d'être » (R. ARON, *Dimensions de la conscience historique*[2], Paris, Plon, 1964/1985, 2ᵉ éd., p. 100), cette « réalité appartient-elle exclusivement aux éléments ou les ensembles sont-ils également réels ? » Or « la connaissance historique n'a pas pour objet une collection arbitrairement composée, des faits seuls réels, mais des ensembles articulés, intelligibles ». (Id., p. 101, *passim*.) Se place ici le débat sur ce ou ces rédacteurs ultimes. L'analyse, dans sa dynamique, nous a fait prendre quelque distance par rapport au schéma issu de l'exégèse classique du Pentateuque reconnaissant dans le cycle de Gédéon comme dans le livre des Juges « une compilation yahviste, puis une autre élohiste, réunies en un seul livre avant la découverte du Deutéronome en 622 ». (J. DELORME et J. BRIEND, « Les premiers livres prophétiques » in H. CAZELLES, *Introduction à la Bible*, t. II, *Introduction critique à l'Ancien Testament*, Paris, Desclée, 1973, p. 273.) À plusieurs reprises, en effet, le lecteur a dû s'en rendre compte, la distinction par trop marquée entre J et E nous a paru insuffisante, voire inutile dans le repérage et la détermination des textes, même si, ici ou là (par ex. pour l'épisode de la toison), elle pouvait fournir un repère. Plus urgente est évidemment la prise en compte de ces rédactions ultimes, définitivement symbolisées dans le cadre du cycle et dans le caractère artificiel de ce cadre et que, peu ou prou, on place sous la responsabilité deutéronomiste (cf. ci-dessous, n. 9 et 13).

7. Mais d'une vérité qui s'avérerait très vite soit inatteignable dans son objectivité, soit insignifiante dans sa richesse indéfinie. Or « les faits historiques ne s'organisent pas par périodes et par peuples, mais par notions ; ils n'ont pas à être replacés en leur temps, mais sous leur concept. Alors, du même coup, les faits n'ont plus d'individualité que relativement à ce concept [...] ; concrètement, répétons-le, "les faits n'existent pas" : par conséquent leur individualité est chose relative, à la manière de l'échelle des cartes de géographie ». (P. VEYNE, *L'Inventaire des différences*. Leçon inaugurale au Collège de France, Paris, Le Seuil, 1976, p. 49.) Ceci nous empêche de nous satisfaire de ce genre de formule par ailleurs légitime et compréhensible : « On ne peut attendre du

Qu'on nous entende bien : il ne s'agit nullement de mettre en doute cette exigence de vérité qui fait l'histoire et l'historien par opposition au conteur populaire de légende, voire à tous les tenants d'idéologies qui mettent le passé à leur service. S'il est clair pour nous que l'histoire n'est ni légende, ni mythe, ni conte, qu'elle s'oppose rigoureusement à ces genres, il n'est pas moins clair que dans son projet de « raconter le passé », d'en garder mémoire, d'en dire la complexité et donc d'en rendre intelligiblement compte, l'histoire a besoin non seulement de témoignages sûrs, mais également d'une *intention provocatrice* qui ne s'identifie pas nécessairement à son objet, époque, règne, individu, etc.

Nous voulons dire par là que la figure de Gédéon, pour dépasser le stade légendaire ou celui du cycle de légende, doit relever à la fois d'*un donné informatif suffisamment critique* et d'*un projet plus ou moins extérieur à elle qui l'intègre à un ensemble qui la dépasse nécessairement*[8].

Dans cette perspective, le cadre actuel, qui introduit et conclut le cycle, quels que soient sa nature et en particulier son caractère tardif, en disant immédiatement au lecteur les motifs proches et lointains de l'invasion madianite et de la mission de Gédéon, donnent un sens à un cycle qui, de ce fait, ne pourra pas être considéré comme relevant exclusivement de la légende, de la collection de légendes ou *a fortiori* du conte. Au nom de YHWH, d'Israël, du péché et de la souffrance de ce peuple comme au nom de la providence divine, le cycle de Gédéon reçoit un sens que ne

---

livre des Juges qu'une histoire fragmentaire. Avant la royauté, les Israélites n'avaient pas d'unité bien ferme. Chaque groupe eut son histoire, et les souvenirs laissés par cette époque ne pouvaient être les mêmes pour tous. Quand on les rassembla, on voulut faire une synthèse religieuse plutôt qu'historique. Nous avons une série de vues partielles, organisées en vue d'un enseignement théologique. » (J. DELORME et J. BRIEND, *op. cit.,* p. 273, cf. ci-dessus, n. 6.) Notre réserve porte sur l'expression « histoire fragmentaire » parce qu'elle nous paraît confondre histoire et historiographie, historique et historien. Toute « histoire » est fragmentaire et ne peut que l'être, tout étant affaire de degré, la totalité ou l'impression de totalité qu'elle donne étant pour une part affaire d'illusion et produit de l'historien, comme en témoigne en particulier la constitution du cadre du cycle de Gédéon.

8. C'est ce précisément en quoi nous reconnaissons au cycle de Gédéon un projet historien, plus précisément dans le lien qui s'établit entre les deux membres de la proposition. Or les termes même du cadre du cycle explicitent la volonté d'établir ce lien. S'il entend dire une perspective d'ensemble (le péché et le salut d'Israël) et la fonder sur des faits (les différentes actions de Gédéon), il entend également et réciproquement rapporter des faits qu'il place en perspective d'ensemble.

pourraient lui fournir ni le récit populaire ni même le récit sacré dans leur isolement [9].

C'est en ce sens que nous pouvons déjà affirmer que malgré des éléments aujourd'hui historiquement discutables, on pourra reconnaître dans le cycle de Gédéon comme dans l'ensemble 3, 7-16, 31 un projet authentiquement historien, même s'il nous faut toujours constater les limites de ce projet [10]. Mais ces limites peuvent alors être attribuées à une époque, à un contexte culturel et donc à des rédacteurs qui ne pourraient pas être davantage tenus pour responsables que tous autres rédacteurs de toute autre époque et de tout autre contexte culturel [11].

---

9. Ni même, rappelons-le, un fait historique isolé qui ne serait plus qu'un fait divers de quotidien de province. C'est ici qu'il faudrait placer la question de l'histoire deutéronomiste que M. Noth a particulièrement mise en valeur (cf. par ex. *Überlieferungsgeschichtliche Studien,* Die Sammelnden und Bearbeitenden Geschichtswerke im Alten Testament, Tübingen, 1967, p. 47-61) et dont W. Richter a contribué à atténuer un certain caractère radical. Rappelons que Richter voit, au terme du processus rédactionnel du livre des Juges et donc du cycle de Gédéon, deux rédactions deutéronomistes, celle qui se caractérise par les « cadres narratifs » typiques de l'ensemble 3, 12-16, 31 et celle repérée en 3, 7-11a, reconnaissant l'intervention du DtrH (primitif) en 2, 7.10-12.14-16.18-19 ; 4, 1b et 10, 6-16. C'est naturellement la première rédaction qui nous intéresse ici et qui est la plus significative du point de vue de l'élaboration historiographique (cf. Richter (1964), p. 23 sq. ; 92 ; 113 sq. Cf. aussi J. van Seters, *In Search of History,* New Haven, 1983, p. 342-346).

10. Il ne faudrait cependant pas pécher ici par excès de positivisme ! À cette exigence de totalité et de caractère national s'ajoute le double réalisme des faits rapportés et de leur enchainement. Si nous avons dû soulever dès le début de ce travail la question de la vraisemblance de certains faits, celle-ci ne doit pas empêcher de faire le constat d'un ensemble qui, par-delà certains de ces récits, se présente comme une succession normale et donc vraisemblable d'événements et d'épisodes, lesquels font effectivement passer Israël ou une part de ce peuple d'un état d'oppression étrangère à une libération. Organiser une opération contre un camp ennemi afin de le surprendre et de le défaire par la peur, poursuivre les survivants, se ménager pour ce faire des alliés, capturer et exécuter des chefs, puis rentrer vainqueur auprès des siens après avoir partagé le butin, il n'y a là somme toute que le produit normal et nécessaire de toute guerre de libération antique ou moderne. En ce sens, le cycle de Gédéon ne dépasse guère la vraisemblance et la cohérence d'un lot d'habitudes et de contraintes sans doute aussi vieilles que l'humanité. De ce fait, même si demeure l'irritante question de la différence entre un récit proprement historique et donc véridique, et un récit imaginaire mais vraisemblable dont témoigne par exemple le roman historique (cf. à ce propos l'effort de réflexion de P. Ricœur dans *Temps et récit,* 3 vol., Paris, 1983, 1984 et 1985, en particulier vol. I, p. 247-313 et III, p. 147-279) nous sommes autorisés à dénier au cycle de Gédéon son appartenance au genre conte, *a fortiori* au genre récit mythique, quelles que soient paradoxalement l'origine et la nature de certaines de ses composantes.

11. Sans tomber dans une théorie « progressissante » de l'histoire, rappelons que nombre de réflexions récentes sur l'histoire, celles de R. Aron et de P. Veyne en particulier, insistent sur l'ouverture toujours possible du champ de l'histoire

Certes, nous l'avons rappelé à plusieurs reprise, Gunkel établissait la distinction, dans le corpus biblique, entre des livres comme la Genèse, où la légende et le cycle de légendes étaient perceptibles à l'état quasi brut, et des livres où Israël témoignait d'un authentique sens historiographique. Si le livre des Juges représentait pour lui une sorte d'intermédiaire, il ne devait pas moins être, lui aussi, distingué de ces recueils « primitifs », témoignant d'une autre perspective rédactionnelle, tant il est nécessaire, comme nous l'avons rappelé, que c'est *de l'intérieur même de la Bible* que doit être établie une différence culturelle entre légende et histoire [12].

Il n'y a pas à revenir sur les caractères qui disent la constitution d'un recueil de légendes, même s'il se trouve pris aujourd'hui dans cet ensemble historien qu'est la succession continue, assurée par

---

par le renouvellement des questions posées (cf. R. Aron, « Extensions et renouvellement de la curiosité », *Dimensions de la conscience historique, op. cit.,* p. 91-99 ; P. Veyne, « Le progrès de l'histoire », *Comment on écrit l'histoire,* Paris, Le Seuil, 1971/1979, p. 139-199). En ce sens, aussi réduites que soient les données d'un champ culturel, aussi fermé que soit l'acquis de ces données, une époque, un homme, un événement restent toujours susceptibles de cet élargissement de connaissances. « Si l'histoire se donne ainsi pour tâche de conceptualiser, afin de cerner l'originalité des choses, alors, mes chers collègues, un double désespoir me saisit : tout ou presque tout est encore à faire [...] et vous ne devez pas compter sur moi pour cela. » (P. Veyne, *L'Inventaire des différences, op. cit.,* p. 45.) Le cas du livre des Juges, depuis les commentaires de Budde, Lagrange et Burney jusqu'à Richter, offre une bonne illustration de ce propos. Nous ne pouvons faire qu'allusion ici, par exemple à la théorie de la « guerre sainte » ou des « guerres de YHWH » pour faire apparaître de nouvelles implications du livre des Juges. Il serait donc intéressant de suivre ici l'évolution d'une idée jusqu'à son point d'aboutissement dans l'établissement de catégories. Ainsi Richter a-t-il pu établir la distinction entre « juges » proprement dits et « sauveurs » au point de repérer un originel « livre des sauveurs » *(Retterbuch).* Ce livre aurait été ensuite enrichi par un auteur qui aurait mis en valeur les « guerres de YHWH » ou « guerres saintes ». Si, à notre sens, la distinction entre juges et sauveurs est défendable, plus discutable — ou moins sûre — nous paraît la thèse des guerres de YHWH ou guerres saintes. On sait combien G. von Rad s'est fait le champion de la thèse de la guerre sainte en Israël (cf. notamment *Gesammelte Studien zum Alten Testament,* II, TB, 48, Munich, 1973, p. 109-153, et *Der Heilige Krieg im Alten Testament,* ATANT, 20, Zurich, 1951, 84 p.). Si une telle hypothèse ou perspective de lecture a pu être féconde, elle reste ce qu'elle est, c'est-à-dire une projection de l'extérieur d'une catégorie culturelle tardive et étrangère à la Bible, laquelle n'explicite jamais, en effet, un tel concept. Pour la critique, cf. A. de Pury, « La guerre sainte israélite : réalité historique ou fiction littéraire ? » in *EThR,* 1981, p. 5-38, et pour la bibliographie, p. 39-45.

12. « La distinction entre légende et histoire n'est pas introduite de l'extérieur dans l'Ancien Testament, mais se laisse reconnaître dans l'Ancien Testament lui-même à l'observateur attentif. » (Gunkel, *Genesis,* Introduction I, 7, et *Une théorie de la légende, op. cit.,* p. 260.)

des transitions d'un livre à l'autre, de la Genèse jusqu'à la fin du 2ᵉ livre des Rois. Le paradoxe qu'il nous faut marquer ici est que la différence entre les recueils de légendes, constitutifs du livre de la Genèse notamment, et le cycle de Gédéon, tient d'abord et peut-être en définitive à ce cadre stéréotypé dont nous avons souligné à plusieurs reprises le caractère extrinsèque, voire allogène.

Sans doute cela ne suffit-il pas à anéantir l'objection que nos propres analyses n'ont pu que renforcer, celle de la nature incontestablement légendaire, voire relevant du conte, de tel et tel récit. Mais si tout récit, même susceptible de tomber sous les coups d'une telle objection, est reçu *à l'intérieur* d'un cadre qui ne dit pas immédiatement ce caractère et surtout l'exclut, demeure premier ce qui donne son apparence historiographique, ce cadre en l'occurrence.

Certes, celui-ci est manifestement tardif et ses stéréotypes, avec les adaptations propres à chacun des cycles de l'ensemble 3, 7-16, 31, le disent suffisamment. Malgré cela, voire à cause de cela, il manifeste une double fonction, celle de donner un enseignement, édifiant justement, ce qui est le plus généralement noté, mais celle aussi de *rendre intelligibles* des événements qu'un récit ou une collection de récit ne feraient que conserver [13]. En ce sens, il n'enferme pas l'histoire dans un autre isolement.

En effet, par-delà le constat de la réalisation et donc de la réussite de la mission de Gédéon en conformité avec le récit de vocation (8, 28), la conclusion offre un jeu d'additions qui dépasse le simple refrain du retour d'Israël à son péché et à ses Baals (8, 33).

Ainsi, l'information sur ses soixante-dix fils, sur ses nombreu-

---

13. Faut-il rappeler que pour les plus récentes réflexions sur l'histoire et en particulier pour celles des historiens et philosophes auxquels nous nous référons dans les notes de ce chapitre, cette exigence d'intelligibilité, dans ses limites propres, est au fondement du projet historien ? Ceci ne nous engage pourtant pas à aller dans le sens par trop appuyé ou insistant d'un Noth par ex. en faveur d'un historien ou d'une historiographie deutéronomiste, au sens où l'on n'en pourrait parler qu'à ce stade. Si le deutéronomiste ou les deutéronomistes successifs (selon Richter, 1964) ont fait œuvre consciente d'historiens, ils n'ont pu le faire qu'au-delà d'une historiographie déjà consciente. Leur rôle, surtout dans ses plus tardives manifestations, et aussi « verrouillant » de l'ensemble qu'il paraisse aujourd'hui, n'a pu être que de surcroît, surajouté, et, à notre sens, pour cette raison même parfaitement repérable (ainsi d'ailleurs que nous l'ont montré la majorité des commentaires). Du même coup, les étapes historiographiques antérieures demeurent encore perceptibles.

ses femmes et sur sa concubine qui, résidant à Sichem, lui donna un fils du nom d'Abimélek (8, 30-31), introduisent à l'histoire quasi blasphématoire d'Abimélek et de la ville de Sichem, qui suit immédiatement le cycle de Gédéon avant l'avènement de nouveaux juges. De ce fait, Gédéon, sans en être directement responsable, se trouve placé à l'origine d'une histoire qui va à l'encontre de la leçon que donne habituellement le rédacteur de ces cadres de cycle dans l'ensemble 3, 7-16, 31. Il n'a donc rien de ce héros pur qui n'aurait eu qu'à mourir « après une heureuse vieillesse » (6, 32) : son destin se trouve encore engagé après sa mort, la rédaction précisant finalement que les Israélites ne surent pas montrer à sa maison « la gratitude méritée pour tout le bien qu'elle avait fait en Israël » (8, 35) [14].

Qui plus est, juste avant la formule conclusive du cadre, un autre jugement avait relativisé le rôle de Gédéon : en prenant l'initiative de faire un éphod et de le placer dans sa ville, il fit que « tout Israël s'y prostitua après lui » et que « ce fut un piège pour Gédéon et sa maison » (8, 27). Aussi étiologique que soit ce jugement en fonction d'une époque sévère par rapport à ce genre de culte [15], il n'en reste pas moins que nous avons affaire là, juste avant les formules conclusives du cadre du cycle, à un jugement qui arrache Gédéon à la positivité exclusive du héros de légende.

De tels constats, pour limités qu'ils soient à ce qui ouvre et clôt le cycle, disent déjà beaucoup quant à un projet historiographique s'arrachant à la naïve idéalisation de la légende : ils rappellent l'activité à la fois de *jugement* et d'*intelligence* de l'histoire [16]. De ce fait, se manifeste là une *activité critique* à la fois contre Israël, contre la maison de Gédéon et contre Gédéon lui-même. En même temps est établie une relation de cause à effet entre la

---

14. Ainsi, nous marquons nos distances d'avec une interprétation qui constaterait par trop exclusivement le caractère composite de cette conclusion. Aussi grossier ou artificiel que soit le procédé additionnel, il ne peut que relever d'une intention sensée. Certes, se marquent là, presque jusqu'à la caricature, les limites de l'établissement de la causalité en histoire ; cf. là-dessus, P. VEYNE, « Causalité et rétrodiction », *Comment on écrit l'histoire, op. cit.,* p. 97-118 ; et R. ARON, *Introduction à la philosophie de l'histoire,* Paris, Gallimard, 1948/1981, en part. « Les événements et la causalité historique », p. 195-234, n. p. 225-234.

15. Typique de l'interdit deutéronomique, selon la plupart des commentaires, ce passage ne peut donc être daté d'avant le VIIIe siècle, moment de la réforme d'Ézéchias, plus sûrement du VIe siècle, s'il ne s'agit pas de ce qu'on peut appeler un « refrain doctrinal » post-exilique.

16. Cf. P. VEYNE, « La conscience n'est pas à la racine de l'action », *Comment on écrit l'histoire, op. cit.,* p. 119-138.

fabrication de l'éphod d'Ophra, l'oubli de YHWH au bénéfice de Baal et l'ingratitude des Israélites à l'égard de Gédéon. Quelle que soit la conclusion que l'on puisse tirer quant à l'authenticité des faits enserrés dans ce cadre et introduits par lui, une intention se fait ici nettement jour, qui rompt avec le caractère hagiographique de la légende, fût-elle sacrée.

Dans ces conditions, et quelle que soit son époque de rédaction, en tout cas postérieur à l'essentiel des récits du cycle [17], ce cadre impose en deçà et par-delà les faits une *intention*. Cette intention est évidemment à accent religieux. Mais loin de suffire à faire contester l'authenticité historienne de cette intention, elle la fonde. Comme Hérodote cherchant des explications à la guerre entre Grecs et Barbares, et Thucydide à la guerre du Péloponnèse, le rédacteur du cadre du cycle de Gédéon comme pour tous les autres cycles de l'ensemble 3, 7-16, 31 fournit une explication à l'invasion madianite et à l'action de Gédéon, quitte à être en désaccord avec l'interprétation interne à un récit particulier, le récit de vocation, sinon avec celle de l'ensemble du cycle. Par là, un projet historien se trouve fondamentalement exprimé, qui non seulement cherche à faire comprendre ou à donner intelligence, mais dépasse consciemment la seule édification religieuse.

On peut, certes, discuter du bien-fondé, voire de la légitimité d'une telle référence, religieuse en l'occurrence, mais ni plus ni moins que toutes les motivations fondamentales de l'histoire. Car il y a là, dans cette référence, la condition aussi indispensable à l'histoire que l'air à la respiration des vivants ou au vol des oiseaux. De ce cadre, la figure de Gédéon ne ressort pas pure de toutes fautes, des siennes comme de celles de sa descendance, et Israël lui-même, habitué dans les cycles de la Genèse à la célébration de ses ancêtres et de lui-même, se verra condamner sans ménagement. Par-delà les faits, par-delà ce que l'historien peut en établir ou en dire, par-delà cette vérité à quoi l'histoire se trouve trop souvent réduite, il y a là, dans cette intelligence critique de ce qui est dit et ne pouvait alors l'être autrement, expression proprement historiographique, projet proprement d'historien.

---

17. Et selon nous, d'après notre chap. précédent, postérieur à une authentique unité historiographique.

CONCLUSION

Achevant ce travail sur l'élaboration historiographique, plus précisément dans le cycle biblique de Gédéon, nous avons conscience d'avoir largement usé de paradoxe, au risque consciemment couru d'être difficilement recevable. Si les recherches entreprises sur la légende biblique nous avaient formé à une certaine rigueur dans la reconnaissance des genres et de leur irréductibilité, si donc il ne saurait être question de confondre histoire, légende et conte, gardant à l'histoire sa noble spécificité, les résultats sont pourtant là : le cycle de Gédéon, choisi comme cas significatif et sûrement pas exceptionnel dans le corpus biblique, nous contraint à constater qu'un authentique projet historiographique peut fort bien intégrer de la légende, voire du conte.

Au point de départ de cette recherche se trouvait posée une question d'ordre historique : quand apparaît l'histoire ? est-elle un besoin inné de l'homme et des sociétés ? On sait la réponse qui nous était fournie, *a priori* en quelque sorte, par Gunkel :

Écrire l'histoire n'est pas un talent inné de l'esprit humain. Il est apparu dans le cours de l'histoire humaine à un stade précis de développement. Les peuples non civilisés n'écrivent pas d'histoire... [1]

La légende était conçue là comme l'histoire des peuples sans écriture, avec cette part de poésie et donc d'imaginaire qui la caractérise. Dans ces conditions, l'histoire advenait *après* la légende, le stade historien naissant plus ou moins directement et progressivement du stade légendaire.

Est-il besoin d'ajouter que les choses ne sont pas aussi simples, ni historiquement ni conceptuellement ? Aussi perspicace qu'ait été Gunkel dans l'héritage de Wellhausen et à l'origine d'une véritable pléiade d'exégètes, il ne nous est guère possible aujourd'hui de le suivre dans une vision exclusivement historique de la

---

1. Introduction I, 1, et P. GIBERT, *Une théorie de la légende, op. cit.*, p. 253.

relation entre légende et histoire, imaginaire et vérité, fût-ce sur
fond de poétique respect et considération [2] ! Et la Bible elle-même,
qui fut le terrain d'élection de ce passionné d'histoire autant que
de poésie, nous a fourni les plus sérieuses raisons de remettre en
cause une conception qui fut pourtant loin d'être stérile et à
laquelle son auteur ne cessa d'apporter pendant quinze ans au
moins corrections et nuances.

À première comme à troisième vue, en effet, l'ensemble qui
conduit le lecteur sans rupture de la Genèse à la fin du 2ᵉ livre des
Rois, et plus particulièrement le livre des Juges, se présente
comme une histoire, destinée à être lue et crue comme telle. Seule
la recherche, intermédiaire, permet, à deuxième vue et donc
provisoirement, de considérer les choses autrement, comme un
légendaire, un imaginaire et un poétique manifestement recelés.
Mais justement, à troisième vue, c'est-à-dire au retour de la
recherche, le respect de l'intention historienne doit avoir à nouveau force d'exigence de lecture et c'est dans ce respect troisième
que surgit le paradoxe de l'historiographie qui a abouti aux
considérations de nos deux derniers chapitres.

Car c'est bien à une écriture de l'histoire, à une historiographie,
que nous avons affaire dans le cycle de Gédéon, soit pris isolé-
ment, soit intégré à l'ensemble du livre des Juges, soit plus encore
compris dans l'ensemble de l'Ancien Testament et de ses livres
dits « historiques ». Chapitre indispensable de l'histoire d'Israël
qui court d'Abraham à la fin du 2ᵉ livre des Rois, il ne peut que
s'opposer de toutes les forces de sa présentation actuelle au conte,
à la parabole et même à la légende pure telle que Gunkel nous a
permis de la situer dans sa complexe réalité. Par là, il appartient
à un ensemble, à une totalité, et, à ce titre, à un projet véritablement historien.

Malgré cela, on ne saurait longtemps se cacher un autre aspect
de la réalité, celui auquel nous contraint l'interrogation critique
depuis la seconde moitié du XVIIᵉ siècle. Placée sous le signe de

---

2. Rappelons cependant qu'entre la 1ʳᵉ (1901) et la 3ᵉ édition (1910) de son
commentaire de la Genèse, Gunkel apporta une nuance à cette vision par trop
exclusivement historique − génétique − sous la forme d'une parenthèse sur « les
analogues modernes » de la légende, ce qui laisse entendre que, selon lui, même
si demeure une relation chronologique entre légende et histoire, la légende (ou
ses analogues modernes) peut subsister tardivement à côté de l'histoire.

l'exigence de cohérence et de vraisemblance [3], dans le droit fil de la philosophie cartésienne qu'allait plus immédiatement incarner pour la lecture biblique le *Traité théologico-politique* de Spinoza [4], formulée dans ses règles fondamentales par Richard Simon dans son *Histoire critique du Vieux Testament* [5], l'exégèse moderne naissante paraîtrait exclure de son champ d'acceptation un certain nombre de données bibliques qui allaient jusqu'ici de soi parce qu'elles étaient justement bibliques, c'est-à-dire religieuses et sacrées. La théorie documentaire dont R. Simon eut l'intuition et qu'un peu plus d'un demi-siècle plus tard, Jean Astruc allait contribuer à fonder sur le terrain de la Genèse [6], ouvrirait à une autre intelligence du texte biblique, par-delà les objections libertines, rationalistes et bientôt scientistes dont il était la victime.

Le XIXe siècle, dans le contexte de la découverte des cultures populaires, en Allemagne surtout, apporterait sa pierre à l'édifice de cette recherche [7]. Son application ouverte et assez rigoureuse de la théorie des genres littéraires aiderait le lecteur à reconnaître dans la Bible différents genres ainsi que des formes, des motifs et des stades rédactionnels successifs.

On sait la contribution de ces trois siècles d'exégèse critique à la révélation de richesses d'un texte qu'on croyait enfermé dans les

---

3. Cf. GUNKEL, Introduction I, 6, *passim* : « Le critère le plus clair de la légende est qu'elle rapporte fréquemment des choses qui, pour nous, sont *incroyables* [...] Ainsi beaucoup de choses sont rapportées dans la Genèse qui contredisent notre meilleur savoir [...] Des nombreuses étymologies [...], la majorité est à rejeter d'après les connaissances de notre philologie [...] D'autres traits sont impossibles selon notre conception historique moderne du monde [...], etc. » (*Une théorie de la légende*, p. 258-260.)

4. 1670 ; cf. en particulier le chap. VII.

5. 1678. Par ex. « Premièrement, il est impossible d'entendre parfaitement les Livres sacrés, à moins qu'on ne sache auparavant les différents états où le texte de ces Livres s'est trouvé selon les différents temps et les différents lieux, et si l'on n'est instruit exactement de tous les changements qui lui sont survenus. [Si ensuite on ne saurait trop se garder du culte de l'auteur unique et désigné, il faut] en troisième lieu [savoir que dans la Bible nous n'avons plus affaire qu'à] un simple abrégé des actes qui se conservaient entiers dans les archives [d'Israël et] en quatrième lieu [...] que les premiers originaux ont été perdus. » (*Histoire critique du Vieux Testament*, préface, *passim*), sachant surtout que « ceux qui font profession de critique ne doivent s'arrêter qu'à expliquer le sens littéral de leurs auteurs, et éviter tout ce qui est inutile à leur dessein » (Id., liv. III, chap. XV, p. 441.)

6. Dans ses *Conjectures sur les Mémoires originaux dont il paraît que Moïse s'est servi pour composer le Livre de la Genèse*. Avec des remarques qui appuient ou qui éclaircissent ces conjectures, Bruxelles, 1753.

7. Cf. P. GIBERT, *Une théorie de la légende, op. cit.*, p. 33-55, et « Recherche exégétique et rapport au folklore : XIXe siècle » dans *Le Monde contemporain et la Bible*, « Bible de tous les temps », 8, Paris, Beauchesne, 1985, p. 377-386.

limites de sa sacralité et d'une vérité historique par trop exclusivement entendue[8]. La fécondité méthodologique ne fut pas le moindre acquis de ces siècles qui virent les praticiens, selon la loi de toutes les sciences humaines, procéder d'abord par « bricolage » et tâtonnements puis progressivement établir, au gré de leurs avancées et dans le respect de la spécificité de chacun des domaines explorés, des méthodes et des règles qui devaient également respecter la complexité de toutes réalités et réalisations humaines[9].

Mais on ne peut non plus ignorer l'effet de cette exégèse critique. Dans un ensemble reçu jusque-là comme tel, même s'il n'avait jamais été question de nier que la Bible fût une bibliothèque aussi riche que variée et étalée dans le temps, on allait bientôt ne voir qu'un conglomérat plus ou moins artificiel de documents beaucoup plus divers et nombreux que les livres traditionnellement désignés. Intégrant des genres littéraires si opposés qu'on ne pourrait plus avoir l'intelligence de leur synthèse finale, textes et récits se verraient arrachés aux ensembles desquels on les avait jusqu'ici reçus et sans lesquels, on l'oubliait parfois, on ne les aurait jamais reçus.

Ne le nions pas : il y eut souvent violence de la part de la critique littéraire, historique, philosophique et même religieuse à l'endroit de la Bible, à tel point qu'on en arrivait parfois à se demander si ce « Livre » existait toujours en dehors de la très superficielle apparence d'unité qu'il offrait et de l'atomisation de ses données. Prise entre le « tout est vrai » croyant et le « rien n'est sûr » scientifique, la Bible faisait oublier non seulement cette unité apparente ou première, mais aussi le principe téléologique qui

---

8. Nous n'ignorons évidemment pas ces siècles de christianisme qui, des origines à Bossuet, ne se sont pas d'abord ou exclusivement préoccupés de lecture historique. Le Christ considéré comme clé des Écritures, le sens allégorique et le sens spirituel, ainsi que toutes les hiérarchies de sens établies au cours du Moyen Âge (cf. H. DE LUBAC, *Exégèse médiévale, Les quatre sens de l'Écriture,* 4 vol., Paris, Aubier, 1960 sq. ; cf. aussi *L'Écriture dans la tradition,* Paris, Aubier, 1966, p. 24-78) laissaient le plus souvent en arrière-plan le sens littéral et le sens historique. Cependant, bien avant la crise du XVIIe siècle, tant dans le monde juif que dans le monde chrétien, l'intelligence historique était loin d'être toujours absente de la lecture des Écritures ; cf. par ex. la réaction au IVe siècle de ce qu'on peut appeler l'« école d'Antioche », avec notamment Théodore de Mopsueste et Théodoret de Cyr, à l'allégorisante école d'Alexandrie, dans l'héritage d'Origène.

9. Cf. G. GUSDORF, *Introduction aux sciences humaines,* Paris, Payot, 1974, et P. GIBERT, « Exégèse biblique et sciences humaines » in *Le Corps et le corps du Christ en 1 Corinthiens,* ACFEB, Paris, Cerf, coll. « Lectio Divina » 114, 1982, p. 13-26.

avait permis de la constituer et de la transmettre au cours des vingt ou vingt-trois derniers siècles [10].

Le principe de sa vérité et de sa véracité historiques a naturellement été le plus exposé aux coups de cette critique. Notre propre analyse du cycle de Gédéon a dû le montrer puisqu'elle a été en quelque sorte dominée par la mise en question quasi continue de cette vérité et véracité.

Gunkel nous avait montré comment nous libérer de l'exclusive nécessité ou valeur de la vérité historique au nom de la vérité poétique. Mais les vérités sont-elles aussi interchangeables qu'il voulait nous le faire croire ou espérer ? On ne se console pas si aisément, avec la qualité poétique d'un fantôme ou d'un fantasme, de la révélation d'une illusion. On veut bien croire que pour « les peuples non civilisés [...] ce qu'ils vivent s'enchante [...] de couleurs [et que] ce n'est que sous forme poétique, dans le chant et la légende, qu'ils sont capables de rapporter des données historiques » [11]. Mais on sait que ces « données » ne sont que périphériques, tout au plus ethnologiques ou sociologiques, non historiques justement dans la matérialité des faits ou la réalité des personnes relatées.

Insatisfait, au terme de cette quête critique de trois siècles qui a abouti à une aussi radicale négation de l'histoire et pas seulement de l'historicité, l'esprit humain est obligé de repartir. Si, en l'occurrence, sa question n'est pas celle de la nature de l'histoire, la question fondamentale redevient ou devient : qu'est-ce que l'écriture de l'histoire ? ou : qu'est-ce que l'historiographie ?

La démarche suivie dans l'étude du cycle de Gédéon partait naturellement d'une conception de l'histoire qu'on pouvait considérer spontanément comme acquise. « Science du passé humain [...], investigation des êtres ou des choses qui n'existent plus » [12], « reconstitution, par et pour les vivants, de la vie des morts [...], la science historique commence en réagissant contre les transfigurations imaginatives du passé » [13]. De fait, nous avions attaché un grand prix à une approche qui, avec Hérodote, prenait ses distances d'avec le monde des dieux, le tout, rappelons-le,

---

10. Cf. P. BEAUCHAMP, *L'un et l'autre Testament,* Paris, Le Seuil, 1976, p. 15-16 et 136-199.
11. Introduction I, 1 et *Une théorie de la légende,* p. 253.
12. R. ARON, *Introduction à la philosophie de l'histoire, op. cit.,* p. 171.
13. ID., *Dimensions de la conscience historique,* Paris, Plon, 1964/1985, p. 12.

joint à l'idée rappelée par Gunkel, que l'histoire suppose l'écriture
et tout ce qu'implique dans l'Antiquité cette pratique, notamment
une organisation étatique [14].

En tout cela une chose allait de soi, la vérité de l'histoire par
opposition à des genres opposés ou voisins auxquels on ne pouvait
en reconnaître un même degré, voire la moindre trace. Mais
qu'est-ce que la vérité ?

En fait, la critique historique depuis le XVIIe siècle et, parallèlement, la critique exégétique, l'utilisaient surtout comme un critère
d'appréciation et de jugement. Il y avait ce qui était spontanément,
naturellement ou manifestement vrai et ce qui ne l'était pas [15].
Réalité objective reconnaissable, fondée sur des critères de vraisemblance et de cohérence, elle ne tarderait pas, en matière
d'histoire, d'être assurée par la multiplicité et la confrontation des
documents.

La difficulté d'une telle conception des choses est qu'elle
exclurait bientôt de la garantie de vérité de grands pans du passé,
celui de l'Antiquité, celui de toutes les civilisations à mythes et
légendes et, jusqu'à une date récente, celui des cultures à oralité [16].
Le domaine biblique aurait particulièrement à souffrir de cet état
de choses. Ne pouvant que très rarement et de façon infime être
soumis à la confrontation de documents externes, il était
condamné à se voir dénier sinon toute vérité historique, du moins
toute garantie d'atteindre jamais avec certitude à cette vérité. Et
il reste vrai qu'en dehors du cycle de Gédéon, aucun document
« madianite », égyptien ou mésopotamien, aucune trace archéolo-
gique, ne nous atteste les actions ni même l'existence du personnage. Quant au recours aux différentes traditions, psalmiques ou
prophétiques, qui peuvent y faire allusion, nous avons vu ce qu'il
fallait en penser par rapport à cette source que seraient en principe
les chapitres 6 à 8 du livre des Juges [17].

Nous serions définitivement au rouet si une distinction n'était

---

14. GUNKEL, *Genesis,* Introduction I, 1 et P. GIBERT, *Une théorie de la légende,*
op. cit., p. 253-254.

15. Il y aurait à dresser un véritable compendium caractéristique de la pensée
du XVIIe siècle sur la vérité et le vrai, qui réunirait Descartes, Leibniz, Spinoza,
Malebranche et même Bossuet. Citons seulement ce dernier parce qu'il fut
justement l'adversaire acharné de R. Simon : « Le vrai est ce qui est; le faux est
ce qui n'est point. » (*Logique,* I, XIV.)

16. C'est contre le mépris ou l'oubli de ces dernières que se justifie magnifi-
quement l'ouvrage de P. JOUTARD, *Ces voix qui nous viennent du passé,* Paris,
Hachette, 1983.

17. Cf. ci-dessus, chap. XXIII.

possible, aujourd'hui davantage qu'hier, entre *réalité de la vérité* et *intention de vérité*. Et c'est sur cette distinction que s'est effectuée une grande part de notre démonstration. Alors que dans la mouvance de Gunkel, le critère d'incroyable était fondamental [18], nous avons en quelque sorte relativisé ou limité la portée d'un tel critère au point de renverser la problématique de son utilisateur.

Un fait, un événement, un personnage peuvent être, certes, incroyables, mais pour diverses raisons. La plus simple, la plus immédiate, est celle qui apparente ces faits, événements et personnages au fabuleux pur. Un Gédéon à quatre bras, une bataille remportée parce qu'un cheval ailé lui serait tombé du ciel, sont *immédiatement* incroyables. Et dans l'ensemble du cycle, l'apparition d'un Ange de YHWH et le dialogue avec YHWH lui-même à propos d'une toison sèche ou humide, appartiennent à ce titre, comme nous l'avons dit, aux événements difficilement acceptables par l'historien.

Mais il est un autre critère qui, s'appuyant sur le *Testis unus, testis nullus,* évacue tout fait, tout personnage pour lequel on ne peut invoquer plusieurs documents ou sources d'information et d'attestation. On sait combien le champ biblique tombe sous le coup de cet irrecevable, rares étant les recoupements réalisables à partir de sources égyptiennes, mésopotamiennes, grecques ou romaines.

Par conséquent, que ce soit au nom du fabuleux, du merveilleux ou de l'absence de témoignage externe, notre cycle de Gédéon a toute chance d'être récusé au tribunal de l'historicité. Mais en même temps, la théorie des genres littéraires impliquant leur variété et relativité par rapport à un contexte, et plus encore les évidences rédactionnelles rappelées par la *Redaktionsgeschichte,* forcent à voir autrement les choses. Que par son unité actuelle, par le cadre qui manifeste immédiatement aux yeux du lecteur cette unité, et par son intégration à divers ensembles qui se veulent historiens, le cycle de Gédéon veuille appartenir à l'histoire ne fait aucun doute.

Ainsi, à partir de la distinction entre *réalité de la vérité* et *intention de vérité*, l'histoire peut et doit également apparaître comme *le fruit d'une volonté, d'une intention claire* qui se démarque de celle qui peut présider au conte ou à l'écriture du roman, *quelle que soit par ailleurs la nature du matériau utilisé.*

---

18. Cf. Introduction I, 6, et P. GIBERT, *Une théorie de la légende, op. cit.,* p. 258.

Mais notre recherche s'étant placée sous le signe de l'historio-graphie, nous ne saurions trop insister maintenant sur cet aspect essentiel de l'histoire : non d'abord, comme on le croit souvent, pour des raisons de stockage de l'information que la seule oralité ne pourrait assurer ou fragiliserait, mais pour des avantages inhé-rents à la fonction d'écriture dont l'histoire a besoin.

Car le jeu d'écriture se situe bien au-delà de l'oralité du souve-nir ou du seul souci de conservation du récit. Plus profondément, il *joue* de souvenirs et de récits pour leur faire répondre à d'autres exigences de l'esprit qu'il fait se manifester [19]. Le cycle de Gédéon est, à ce titre encore, exemplaire.

Alors que l'activité d'oralité mobilise une grande partie des énergies mentales pour la mémorisation, pour la fidélité de la transmission qu'il est devenu un cliché de célébrer et dont les procédés et les lois ont été depuis longtemps établis, on ne perçoit pas toujours la libération que présente pour l'esprit la possibilité d'écriture.

« À plat » sous les yeux du lecteur, reçu pour ainsi dire sans effort, le texte est appelé à être immédiatement jugé. Du fait d'abord de l'existence de traditions et documents parallèles sus-ceptibles de présenter des différences révélatrices de défauts ou de qualités, il appelle des additions. Dès ce stade de correction, *a fortiori* après, il provoque la réflexion des insuffisances et obscuri-tés pouvant apparaître dans son contenu de signification comme dans sa destination et sa fonction, et naturellement dans son origine [20].

Dans le cas de l'histoire qui est notre objet, apparaissent ici ses différentes fonctions : le sens de la complexité, le refus du manichéisme, le souci de couvrir le temps et celui d'intelligibilité,

---

19. Rappelons une fois de plus l'ouvrage de J. Goody qui a soutenu une large part de notre recherche et que nous considérons comme fondamental, *La Raison graphique, op. cit.* Les réflexions qui suivent en dépendent entièrement. À cet égard nous ne pouvons que constater notre désaccord avec des propos du type de celui de G. Mendenhall sur l'écriture dans l'Ancien Orient : « On utilise l'écriture pour garder et non pour créer, comme le fait notre monde cultivé *(scholarly)* actuel. » (*Essays in Honour Albright,* New York, 1961, p. 34 ; cité par H. Cazelles dans « Pentateuque », *DBS,* 7, col. 763.) Fort heureusement et judicieusement, H. Ca-zelles contredit cette citation en écrivant quelques lignes plus bas : « Du fait qu'une tradition passe de l'oral à l'écrit, elle s'insère dans l'histoire des formes littéraires et en emprunte le moule pour devenir écrit. » Ce qui revient à dire que l'oral devient insaisissable et n'est pas seulement « stocké ».

20. Comme premier témoin de cette prise de conscience, citons J. Astruc et sa perception des différents documents de la Genèse, cf. ci-dessus, n. 6.

toutes choses que seule l'écriture peut, en définitive et librement, satisfaire. Une synthèse, un sens de la somme ou de la totalité, en un mot de l'unité des informations de tous ordres, naîtront de cette exigence proprement historienne qui ne peut être corrélativement qu'historiographique.

Notre cycle de Gédéon, dès les premières constitutions d'ensembles dans lesquels est perceptible le projet historiographique, est bien le produit de ces opérations spécifiquement post-oralisantes. Et nous avons, quant à nous, reconnu une première cohérence historienne autour de la surprise du camp madianite qui, à ce titre devait déjà relever d'une activité fondamentalement scripturaire [21].

Ainsi, progressivement, se manifeste dans l'esprit du lecteur une idée de perfection qui s'éprouve principalement dans l'*adéquation du texte à ce qu'il révèle de lui-même*. Ce qui revient à poser la question : le contenu de ce texte coïncide-t-il avec l'expression explicite de son intention ?

Nous avons vu que, dans le cas du cycle de Gédéon, la vision du péché d'Israël exprimée par l'introduction et qui marque l'intention rédactionnelle dernière, était loin de coïncider avec ce que révélaient, d'une part, le récit de vocation et, d'autre part, l'action de Gédéon. Or, quel que soit le contexte culturel où elle le fait, cette idée de perfection dans l'adéquation du texte à ce qu'il révèle de lui-même, surgit toujours un moment ou l'autre, l'esprit humain étant épris de cohérence.

Mais justement, comme le chapitre précédent nous a permis de le rappeler, vient cet autre moment de la synthèse, déjà loin des premières rédactions, celui où l'idée, une intention nouvelle, en quoi certains reconnaîtront une action idéologique, travailleront les textes. Soumis à une autre vérité qui, tout en rejoignant la vérité déjà acquise du souvenir conservé et transmis, voudra leur donner un sens définitif, les textes entreront dans un nouveau processus d'intégration. Le jeu ou les différents jeux deutéronomiques dont l'élaboration du cadre est ce qu'il y a de plus manifeste, témoignent de cet ultime stade de la volonté − de l'intention − historiographique [22].

Notre recherche ayant largement fait fond sur la prise de

---

21. Cf. ci-dessus, chap. XXIV.
22. Cf. ci-dessus, chap. XXV et notes *passim*.

conscience de genres littéraires impropres au récit historique, n'aboutissons-nous pas ici à une conclusion qui ne peut qu'anéantir la portée de ces distinctions qui nous ont fait nettement opposer conte et histoire certes, mais aussi légende et histoire ? Et pouvons-nous plus longtemps nous appuyer sur la distinction entre intention historienne et faits historiques ? En bref, notre conclusion ne nous accule-t-elle pas à avouer qu'en fin de compte, l'histoire peut s'écrire avec n'importe quoi, conte et légende y compris ?

Au risque d'étonner ou même de scandaliser, notre réponse ne peut être, dans un premier temps tout au moins, qu'affirmative[23]. Empressons-nous d'ajouter qu'une telle réponse dépend d'abord et pour l'immédiat de la nature même de notre champ d'étude, le cycle de Gédéon, dans le cadre plus vaste de la Bible et de la part archiviste ou mémoriale qu'elle constitue.

Mais justement, est-ce la bonne méthode ou du moins la méthode définitive que de partir de la distinction des genres littéraires ? Aussi naturelle ou spontanée soit-elle dans l'esprit humain comme dans les cultures[24], n'est-elle pas *seconde* par rapport à un donné, à des besoins et fonctions auxquels l'histoire doit répondre ?

Qu'est-ce que l'histoire, en effet ? ou plus exactement, de quoi relève-t-elle ? Non tant immédiatement de la vérité, par opposition à des genres littéraires qui ne s'y attachent pas de la même façon ou selon le même ordre, que de la *volonté de vérité.* Mais on sait qu'en deçà ou au-delà de la conscience des genres littéraires, une chose est de vouloir la vérité, dans un récit de vérité vraie, autre chose est de le pouvoir, d'en avoir les moyens[25].

---

23. Faut-il ici se mettre à l'abri de quelque prédécesseur ou autorité ? « Pour tout lecteur pourvu d'esprit critique, un livre d'histoire apparaît sous un aspect très différent de ce qu'il semble être [...] Par-dessous la surface rassurante du récit, le lecteur, à partir de ce dont parle l'historien, de l'importance qu'il semble accorder à tel ou tel genre de faits [...] sait inférer la nature des sources utilisées, ainsi que leurs lacunes, et cette reconstitution finit par devenir un véritable réflexe... [...]. Il sait surtout que, d'une page à l'autre, l'historien change de temps sans prévenir, selon le tempo des sources, que tout livre d'histoire est en ce sens un tissu d'incohérences et qu'il ne peut en être autrement ; cet état de choses est assurément insupportable pour un esprit logique et suffit à prouver que l'histoire n'est pas logique, mais il n'y a pas de remède et il ne peut y en avoir. » (P. Veyne, *Comment on écrit l'histoire,* Paris, Le Seuil, 1971/1979, p. 22-23.)

24. Cf. K. Koch, *Was ist Formgeschichte ?,* Neunkirchen, 1964/1967, p. 4 sq.

25. Que l'histoire ne soit « rien qu'un récit véridique » (P. Veyne, *op. cit.,* p. 13) n'est donc nullement atteint par le constat de la présence de récits légendaires ou plus ou moins fabuleux dans un ensemble qui se veut historien. Toute la question

Qu'Israël ait voulu l'histoire, qu'en cela il ait clairement fait la distinction entre ce qui en était et ce qui n'en était pas, ressort, pour qui sait le reconnaître, de la Bible elle-même, surtout de l'évolution culturelle (et religieuse) dont elle témoigne. Mais l'obstacle auquel on se heurte ici est celui qui, paradoxalement, confirme définitivement le sens historien d'Israël, celui de ses ultimes synthèses, celles en particulier qui fondent l'ensemble qui va du début du livre de la Genèse à la fin du 2ᵉ livre des Rois dans une vision unique et exclusive, historienne précisément.

Le processus se situe à des époques où jouent deux phénomènes antagonistes, celui d'une vision historique soutenue par une conception théologique, et celui d'une quasi-impossibilité de vérifier les informations ou documents du passé le plus ancien, ceux des origines en particulier, que cette vision veut — et doit — intégrer. À quoi il faut certainement ajouter le fait qu'une telle vision n'avait pas les exigences épistémologiques dont nous nous réclamons.

C'est pourquoi il est fondamental dans ce genre de réflexion de prendre en compte les différents stades culturels ayant présidé à l'élaboration d'un livre ou d'un cycle [26].

Mais ici la recherche se heurte à de nouveaux problèmes, ceux de la datation de ces stades et de l'élaboration d'un livre ou d'un cycle.

Certes, au long de notre parcours, le lecteur a pu se rendre compte que nous lui fournissions, incidemment le plus souvent, quelques indications de dates. Si nous marquions certaines distances par rapport à l'«évidence» d'une oralité primitive pour la seule raison que celle-ci est proprement insaisissable, nous

---

est précisément dans les moyens conceptuels aussi bien que matériels dont on dispose pour confirmer ou démontrer cette vérité, cette véracité.

26. Rappelons que ce fut une des revendications les plus fortement exigées par Spinoza. C'est autant par fidélité à l'esprit du philosophe que par invitation de M. Lemaire que nous tentons de « dater » les grands moments de rédaction du cycle de Gédéon. C'est dire du même coup la prudence, pour ne pas dire la timidité, avec laquelle nous proposons les paragraphes qui suivent. À un moment où la traditionnelle distribution des différents documents du Pentateuque est aussi radicalement remise en question, alors que nous avons dû prendre nos distances par rapport à la reconnaissance de J et de E dans le cycle de Gédéon par les exégètes de la fin du XIXᵉ siècle et du début du XXᵉ, il ne nous paraît pas urgent de proposer un calendrier détaillé de ces rédactions. C'est donc à titre d'hypothèse susceptible d'être totalement reprise que nous nous sommes décidé à cet essai, peu encouragé en cela, faut-il le préciser ? par M. A. Caquot et le P. Langlamet...

n'avancions à vrai dire que la date des différentes couches deutéronomiques, lesquelles sont à situer au terme du processus rédactionnel. Autrement dit, seuls les derniers stades de la rédaction du
cycle de Gédéon pouvaient, à notre sens, être prudemment situés
et ce, avec des écarts de deux ou trois siècles !

En effet, d'un premier stade deutéronomiste du temps d'Ézéchias (au VIIIᵉ siècle), puis de l'époque de Josias (au VIᵉ siècle), aux
ultimes rédactions des Vᵉ ou IVᵉ siècle, ces écarts sont tels qu'ils
impliquent des options très variées dans l'utilisation même des
résultats de l'analyse. Si le cadre du cycle de Gédéon, typique de
l'ensemble 3, 7-16, 31 du livre des Juges, relève trop manifestement d'une époque tardive, les différentes additions que nous
avons relevées en lui et qui le distinguent des autres cadres de cet
ensemble, disent un autre stade d'élaboration, d'un deutérono-
misme encore plus tardif.

Qui plus est, le récit de vocation, dont la nature même témoigne
d'une théologie elle aussi tardive, s'avérant composite et témoignant d'une perception très différente de celle de l'introduction
des malheurs d'Israël, force à voir une époque à la fois antérieure
aux données du cadre et tardive par rapport au reste des données
du cycle.

Enfin, si nous oublions ici les différents sommaires, additions,
étiologies et restes de récits dont la datation peut relever d'une
époque très ancienne comme d'un souci très récent de cohérence
rédactionnelle, reste l'essentiel du cycle, c'est-à-dire ce qui donne
le fondement à sa constitution même, quelles que soient les
élaborations tardives.

Faut-il, selon la tradition folklorique, s'en tenir au seul héros,
Gédéon, étant éliminé un trop hypothétique ou inatteignable autre
héros, Yerubbaal, ou fixer son attention sur les traditions locales,
celles d'Ophra en l'occurrence ? Dans l'un et l'autre cas, nous
remonterions à ces formes plus ou moins primitives de récits où
le souci étiologique égale le plaisir du conte et dont la véracité
serait pour partie invérifiable, pour partie inexistante.

En résumé, nous aurions d'abord affaire dans le cycle de
Gédéon à un noyau de récits populaires dont les épisodes relèveraient, soit respectivement, soit à la fois, de la légende héroïque
et de la légende cultuelle (en raison de la référence à Ophra). Un
tel noyau de récits pourrait remonter à l'époque pré-royale.

Les épisodes évoquant la guerre contre des ennemis extérieurs
témoigneraient d'une époque de sentiment national affirmé. Le

sanctuaire d'Ophra et les tribus évoquées fixant les choses dans le Nord, c'est à cette aire, non seulement sociale mais aussi politique et religieuse qu'il faut rattacher sans doute ces épisodes. Pour cela, on pourrait invoquer l'époque de Saül. Mais la mention des Madianites, et non des Philistins typiques des guerres du premier roi, jointe à celle d'ennemis encore plus incertains, Amaleq et les fils de l'Orient, invitant à une interprétation symbolique, pourrait ramener à un moment de difficultés du royaume du Nord avec des ennemis venant du nord ou de l'est. Dans ces conditions, une première élaboration de cette histoire relèverait d'une époque antérieure à la chute de Samarie en 721. Et la critique de l'éphod révélant un jugement typique d'un autre lieu, celui des réformes religieuses propres au royaume du Sud, sous Ézéchias ou sous Josias, permettrait de penser qu'il s'agissait d'une tradition propre au royaume du Nord et donc rédigée postérieurement au schisme de 931.

Passant au Sud, l'ensemble de ces récits recevrait les différentes relectures deutéronomistes qui le « yahviseraient » de façon définitivement orthodoxe, non sans que certains propos généraux n'entrent en contradiction avec des données antérieures, ainsi que nous l'avons plusieurs fois relevé.

Mais quelles que soient l'origine, la nature et la valeur de ces différentes données comme des différents processus qui ont abouti à l'état actuel du cycle de Gédéon, entre à son tour en jeu ce qui n'est pas seulement matériau d'histoire, faits et personnages, mais ce que nous pouvons appeler les *motivations*. La question : pourquoi écrit-on l'histoire ? amène aussi à se demander : *qui écrit l'histoire ?*

Certes, on pourrait nous objecter que, dès le stade légendaire, *a fortiori* au moment de la première synthèse historiographique, il y a motivation : généralement nationale ou nationaliste, sacrale et étiologique. Mais ce type de motivation, à ce stade tout au moins, reste limité, assez étroitement circonscrit à ce qui permet de produire et de conserver le souvenir et le récit.

Avec la claire conscience ou volonté de l'histoire, nous pensons que la culture implique des motivations plus larges, dominant le matériau qu'elle utilisera et intégrera justement à une large compréhension. Un historien « yahvisant » ou « deutéronomisant » déborde les motivations du sanctuaire d'Ophra ou du clan de Manassé lorsqu'il récupère les matériaux qu'il utilise pour constituer le cycle de Gédéon. C'est *un chapitre de l'histoire d'Israël* qu'il entend écrire, d'un Israël dont il a une idée précise, foncièrement religieuse et plus exactement théologique, bien au-delà de la piété d'un sanctuaire ou du sentiment héroïco-familial d'un clan [27].

Les faits acquis sont alors *transformés,* à un moment où , sans doute déjà invérifiables, ils sont crus vrais, non plus simplement pour être conservés et racontés, mais mis au service d'une intention, théologique en l'occurrence.

Dans cette perspective nouvelle, s'il n'y a pas pour nous de véritable contradiction entre les récits de destruction et de construction d'autels, l'épisode de la toison et la victoire sur les Madianites − un même Gédéon a pu accomplir tous ces actes −, il y en a par contre une manifeste entre un récit de vocation où le même Gédéon conteste le pouvoir de protection de YHWH au nom des malheurs qui accablent son peuple, et le cadre du cycle qui rend Israël responsable de ces mêmes malheurs. La contradiction ne relève pas ici d'un défaut d'information lié à la matérialité des faits rapportés, mais bel et bien de la différence de deux motivations. Dès lors, pour l'appréciation de l'historiographie, l'analyse et la réflexion doivent porter au moins autant sur ces motivations, leurs auteurs ou leur contexte, que sur les faits.

Sans doute, rétorquera-t-on, y a-t-il là tous les risques et tous les effets d'une idéologisation de l'histoire, idéologisation qui la nie autant que le fait l'esprit de légende ou d'épopée. Certes. Mais à la réflexion, ne faut-il pas se poser une double question : sans ces motivations, le donné « objectif » que nous pouvons recueillir dans cette historiographie, nous aurait-il été transmis ? et peut-il y avoir une transmission, une écriture de l'histoire qui se passerait de motivations ?

À la première question, il est facile de souscrire sans réserve, l'Antiquité et la Bible en particulier nous contraignant à des données non seulement limitées, mais pour une large part figées dans des textes et des monuments dont nous n'avons plus ou presque plus de points de comparaison. Force nous est donc de nous satisfaire de ce que le cycle de Gédéon nous transmet, avec tous les doutes qu'il impose à l'analyse, au risque de devoir n'en retenir que des informations périphériques, de type ethnographique, sociologique ou d'histoire des religions...

---

27. Piété et sentiment familial pour lesquels suffisent, nous l'avons largement vu avec Gunkel, le récit sacré et la légende.

La seconde question est évidemment plus délicate, l'historiographie moderne ayant depuis longtemps pris conscience de ce risque et dénonçant en s'en faisant parfois une tâche d'honneur, les manipulations de l'histoire dont notre époque est encore le théâtre en certaines cultures ou nations...

Cependant, on ne devrait pas aller trop loin dans le sens de cette défiance. À condition d'être conscientes, les motivations constitueront toujours la provocation non seulement à l'écriture de l'histoire, mais à la recherche qui la précède témoignant de cet intérêt largement énigmatique de l'homme pour son passé et des exigences d'une communauté, nationale surtout, dans l'élaboration de sa propre identité.

Sans doute ne saurions-nous nier les apports de l'historiographie moderne qui, de ce fait, laisse loin derrière elle ces formes antiques de l'histoire sur lesquelles, au nom de notre exigence de vérité et d'objectivité, nous ne pouvons plus faire fond. Mais est-ce une raison suffisante pour rejeter un héritage sous prétexte que ses motivations ne seraient plus les nôtres et nous apparaîtraient par trop grossières[28]?

Le document demeure, tel qu'il est, avec ses faiblesses, d'abord cachées puis mises à jour. Il relève et témoigne d'époques qui, de toute façon, ne nous sont pas autrement atteignables. Mais si les faits et les personnages sont invérifiables, si même en certains cas ils peuvent s'avérer imaginaires et au mieux incertains, de tels constats nous paraissent loin de suffire à dénier un projet historien manifeste. C'est pourquoi, toute analyse et réflexion faites, il nous semble impossible de dénier à la Bible et à un Israël antérieur à la Grèce d'Hérodote un tel projet.

Ce faisant, nous ne faisons que le recueillir au terme d'une longue histoire de l'exégèse qui, après avoir mis au jour tout ce qui éloignait le donné biblique d'une véritable historiographie, nous force aujourd'hui à y revenir. Sans doute ne pourrons-nous jamais conclure à l'existence de Gédéon comme à celle de Napoléon ni à la certitude de la guerre contre les Madianites comme à celle de la Seconde Guerre mondiale... Réciproquement, l'état actuel du cycle nous empêchera de conclure au caractère purement imaginaire de Gédéon et de ses actions comme nous le faisons pour le Chat Botté... Mais on ne nous empêchera pas de convenir que la

---

28. Cf. les rappels à la prudence déjà évoqués de M. I. FINLEY, *Sur l'histoire ancienne,* Paris, éd. de la Découverte, 1987, p. 97 sq.

Bible nous offre, comme en un microcosme, une véritable histoire de l'histoire, depuis son avènement au stade légendaire jusqu'à un plein épanouissement.

Le livre des Juges et le cycle de Gédéon sont sans doute à situer dans une sorte d'étape intermédiaire. Recueillant des récits manifestement encore légendaires mais les reprenant dans un cadre, voire une chronologie de type historique [29], ils nous acheminent vers ce qui sera l'un des sommets sinon le sommet de l'historiographie biblique, les livres de Samuel [30]. Après quoi, les livres des Rois, dans leur démarquage explicite de livres d'Annales [31], nous diront une autre intention d'écriture de l'histoire, tout aussi judiciaire, mais sélectionnante en fonction d'une théologie précise du péché et du châtiment. Les livres d'Esdras et de Néhémie, la relecture des livres de Samuel et des Rois que seront les livres des Chroniques, les livres des Maccabées enfin, nous diront la marche d'Israël à travers à la fois l'histoire et l'historiographie, posant en même temps la question de sa nature, de ses motivations et de ses évolutions.

Israël révèle ainsi plusieurs stades historiographiques. Notre culture a privilégié, en partie contre elle, une autre conception de l'histoire, celle de la Grèce. Pourtant, pendant des siècles et en particulier pendant le Moyen Âge, l'Occident n'a pu faire autrement que de se situer dans la mouvance biblique pour sa propre intelligence de soi et du monde, qu'il s'agisse de déterminer les grands âges de l'histoire de l'humanité, de situer l'histoire même de notre Hexagone ou d'établir des modèles aux vies des personnages illustres, rois et seigneurs, prêtres, moines ou simples bons chrétiens [32]. Si nous n'en sommes plus à chercher de tels modèles et repères qui ne pourraient qu'être anachroniques, n'y a-t-il pas toujours là les sources mêmes du sens historique de l'Occident ? Devons-nous rester plus longtemps exclusivement sûrs qu'Hérodote et Thucydide sont bien les pères de l'histoire, de notre écriture de l'histoire ?

Sans doute ne s'agit-il pas de demander que Gédéon entre à

---

29. Nous nous sommes peu attardé sur la très curieuse chronologie (phénomène plutôt exceptionnel dans le corpus biblique) du livre des Juges, qui débordait notre sujet. C'est lieu ici d'en dire la significative portée comme confirmation de ce souci de « véridique » ; cf. Soggin, p. 13-18.

30. Cf. A. Caquot, « Samuel (Livres de) », *DBS*, en particulier la conclusion.

31. Cf. 1 R 11, 41 ; 14, 19.29 ; 15, 7, etc.

32. Cf. B. Guenée, *Histoire et culture historique dans l'Occident médiéval*, Paris, Aubier, 1980.

côté de Périclès dans nos livres et manuels d'histoire. D'un strict point de vue d'appréciation historienne, Gédéon restera négligeable dans le cours de l'Antiquité, comme Israël restera toujours modeste entre Assur, Babylone, l'Égypte et la Perse... Mais est-ce aux faits seuls que se mesure l'importance d'une histoire, *a fortiori* d'une historiographie ? Ne pouvons-nous pas rêver ou imaginer que dans une honnête réévaluation de nos sources, dans une histoire de l'historiographie occidentale, la Bible des rédacteurs du cycle de Gédéon jusqu'à ceux des livres des Maccabées, prenne ou reprenne la place qu'elle n'aurait jamais dû se voir refusée, l'une des plus importantes, étant donné la force d'une inspiration aussi bien reçue que donnée ?

BIBLIOGRAPHIE

*Cette bibliographie inclut, par ordre alphabétique d'auteurs, tous les ouvrages et articles de revues qui ont été nécessaires à notre recherche. Elle ne reprend pas la bibliographie donnée à la fin d'*Une théorie de la légende (p. 369-374).

AB-THOMAS D.R., « The Ephah of Meal in Judges 6, 19 », *JTS,* 1940, p. 175-177.

ADAM J.-M., *Le Récit,* Paris, 1984, 125 p.

AGULHON M. *et al., Essais d'ego-historique,* Paris, Gallimard, coll. « Bibliothèque des Histoires », Paris, 1987, 371 p.

ALONSO SCHOEKEL L., « Heros Gedeon », *VD* 32, 1954, p. 1-20.

ALTMAN A., « The Development of the Office of "Judges" in Pre-Monarchic Israël », *Proceedings of the 7th World Congress of Jewish Studies,* 1981, p. 11-21.

ARON R., *Introduction à la philosophie de l'histoire.* Essai sur les limites de l'objectivité historique, Paris, 1981, 589 p.

ID., *Dimensions de la conscience historique,* Paris, Plon, 1964/1985, 288 p.

AUZOU G., *La Force de l'Esprit.* Étude du livre des Juges, Paris, L'Orante, 1966.

BARNES W. E., « Judges 7.3 », *JTS,* 1915, p. 392-394.

BARTHELEMY D., *Critique textuelle de l'Ancien Testament,* t. I, *Josué, Juges, Ruth,* Fribourg, 1982.

BAUER L., « Einige Stellen des Alten Testaments... Richter 7, 6 », *Theol. Stud. & Kritik.* 100, 1927-28, p. 431-432.

BEAUCHAMP P., *Le Récit, la lettre et le corps,* Paris, Cerf, coll. « Cogitatio Fidei » 114, 1982, 257 p.

BEECHER W.J., « The Literary Form of the Biblical History of the Judges », *JBL,* 1884, p. 3-28.

BERNHARDT K.H., « Ashera in Ugarit und im Alten Testament », *Mitteilungen des Instituts für Orient Forschung,* 1967, p. 163-174.

BEYERLIN W., « Geschichte und heilsgeschichtliche Traditionsbildung im Alten Testament. Ein Beitrag zur Traditionsgeschichte von Richter 6-8 », *VT* 13, 1983, p. 1-25.

BLOCH M., *Apologie pour l'histoire,* Paris, Plon, 1974, 167 p.

BODINE W. R., *The Greek Text of Judges.* Recensional Developments. HSM, 23, Chico, CA, 1980, 204 p.

BOEHME W., « Die älteste Darstellung in Richt. 6, 11-24 und 13, 2-24 und ihre Verwandtschaft mit der Jahveurkunde des Pentateuch », *ZAW,* 1885, p. 251-274.

BOLING R. G., « Some Conflate Readings in Joshua-Judges », *VT,* 16, 1966, p. 293-298.

ID., *Judges,* introduction, traduction et commentaire de R.G. Boling, *AB,* 6A, 1975, 338 p.

BOOGAART T.A., « Stone for Stone : Retribution in the Story of Abimelech and Shechem », *JSOT,* 32, 1985, p. 45-46.

BOTTERO J., *Mésopotamie.* L'écriture, la raison et les dieux, Paris, Gallimard, coll. « Bibliothèque des Histoires », 1987, 367 p.

BOURDE G. et MARTIN H., *Les Écoles historiques,* Paris, Le Seuil, 1983, 343 p.

BOUREAU A., *La Légende dorée.* Le système narratif de Jacques de Voragine, Paris, Cerf, 1984, 283 p.

BRAUDEL F., *Écrits sur l'histoire,* Paris, Flammarion, 1969, 315 p.

BRUEGGMANN W., « Social Criticism and Social Vision in he Deuteronomic Formula of the Judges », *Die Botschaft und die Boten,* 1981, p. 101-114.

BRUNO A., *Die Bücher Josua, Richter, Ruth.* Eine rythmische Untersuchung, Stockholm, 1955.

ID., *Alttestamentliche Texträtsel und strophische Analyse.* Paralipomena zu den Büchern Genesis-Exodus, Josua, Richter, Samuel, Könige, Stockholm, 1965, 231 p.

BUDDE K., *Richter und Josua,* ZAW, 1987, p. 93-166.

ID., *Die Eroberung Ost-Manasse's im Zeitalter Josua's. Nachtrag zu « Richter und Josua »,* ZAW, 1888, p. 148.

ID., *Die Bücher Richter und Samuel, ihre Quellen und ihr Aufbau,* Giessen, 1890, 276 p.

ID., *Das Buch der Richter,* KHCAT vol. II, Fribourg-en-Brisgau, Leipzig et Tübingen, 1897, 147 p.

BURNEY C.F., *The Book of Jusges,* with Introduction and Notes, London, 1903 et 1918, 528 p.

BURNEY C.P., « The Topography of Gideon's Rout of the Midianiten », Studien - *J. Wellhausen Beihefte* ZAW 27, 1914, p. 87-99.

CAQUOT A., « Les songes et leur interprétation selon Canaan et Israël », in *Les Songes et leur interprétation*, Paris, Le Seuil, SO 2, 1959, p. 99-124.

ID., « La guerre dans l'ancien Israël », *REJ*, t. IV (CXXIV), juill.-déc. 1965, p. 257-269.

ID., « Samuel (Livres de) », *DBS*, t. XI, 1990.

CAZELLES H., « Juges (Le livre des) », *DBS*, t. IV, 1949, col. 1394-1414.

ID., « Pentateuque », *DBS*, t. VII, 1966, col. 708-858.

ID., *Autour de l'Exode* (Études), Paris, 1987, 438 p.

ID., « Die Biblische Geschichtsschreibung im Licht der Altorientalischen Geschichtsschreibung », 1988, p. 43-55.

CERTEAU M. DE, *L'Écriture de l'histoire*, Paris, Gallimard, coll. « Bibliothèque des Histoires », 1975.

ID., *Histoire et psychanalyse entre science et fiction*, Paris, Gallimard, 1987, 214 p.

CONDAMIN A., « Les trois cents soldats de Gédéon qui ont lapé l'eau (Jud. 7, 5-6) », *RSR*, 1922, p. 218-220.

CONDER C.R., « Notes on Antiquities of the Book of Judges », *PEQ*, Londres, 1899, p. 162.

COOK S.A., « The Theophanies of Gideon and Manoah », *JTS*, 1927, p. 368-383.

COOKE G.A., *Judges, CB*, Cambridge, 1913.

CRUESEMANN F., *Der Widerstand gegen das Königtum*. Die antiköniglichen Texte des Alten Testamentes und der Kampf um den frühen israelitischen Staat, WMANT, 49, Neunkirchen 1978, 257 p.

CUNDALL A.E., « Judges. An Apology for the Monarchy? », *ExpT*, 81, 1969-1970, p. 178-181.

DAUBE D., « Gideon's Few », *JJS*, 1956, p. 155-161.

ID., « The Exodus Pattern in the Bible », *All Souls Studies*, 2, Londres, 1963.

ID., « One from among your brethren shall you set over you », *JBL*, 90, 1971, p. 480-481.

ID., *Sons and Strangers*, Tn of Boston University, 1984, 48 p.

DAVIES G.H., « Judges 8, 22-23 », *VT*, 13, 1963, p. 151-157.

DAY J., « Asherah in the Hebrew Bible and Northwest Semitic Literature », *JBL*, 105, 1986, p. 385-408.

DESNOYERS L., *Histoire du peuple hébreu*, Des Juges à la captivité, t. I, *La période des Juges*, Paris, Picard éd., 1922, 430 p.

DETERLIN W., « Gattung und Herkunft des Rahmens im Richterbuch », *Tradition und Situation,* 1963, p. 1-29.

DIETRICH F., « Beiträge zur biblischen Geographie », 5. Jogbah oder Jogheba im St. Gad. Arch. Wiss. Erforsch. A.T., 1, 1870, p. 346-349.

DIETRICH W., *Prophetie und Geschichte.* Eine redaktionsgeschichtliche Untersuchung zum deuteronomistichen Geschichtswerk, Göttingen, 1972, 158 p.

DOSSE F., *L'Histoire en miettes.* Des « Annales » à la « nouvelle histoire », Paris, La Découverte, 1987, 269 p.

DRIVER G.R., *The Book of Judges. Expositor,* 1911-B, p. 385-404, 518-530, 1912-A, p. 24-38, 120-136.

ID., « Problems in Judges Newly Discussed », ALUOS, 4, 1962-1963, p. 6-25.

DUMBRELL W.J., « In those days there was no king in Israël ; every man did what was right in his own eyes. The Purpose of the Book of Judges Reconsidered », *JSOT,* 25, 1983, p. 23-33.

DUS J., « Die "sufeten Israels" », *Arch. Or.,* 31, 1963, p. 444-469.

EHRLICH A.B., *Randglossen zur hebraïschen Bibel.* Textkritisches, Sprachliches und Sachliches, vol. III, *Josua, Richter, I u. II Samuelis,* 1910, p. 67-161.

EHRLICH E.L., *Der Traum im Alten Testament,* BZAW, 73, Berlin, 1953.

EISSFELDT O., *Die Quellen des Richterbuches* in synoptischer Anordnung ins Deutsche übersetzt samt einer in Einleitung und Noten gegebenen Begründung, Leipzig, 1925, 182 p.

ID., « The Hebrew Kingdom », *CAH,* II, 2, 1975[3], p. 553-560.

EMERTON J. A., « Gideon and Jerubbaal », *JThSt,* NS. 27, 1976, p. 289-312.

ID., « The "Second Bull" in Judges 6, 25-28 », *ErIsr,* 14, 1978, p. 52-55.

ESKHULT M., « ha Kaf in Jud 8, 6. 15 », *Orientalia S,* 1984-1986, p. 83-108 et 117-121.

FERRO M., *L'Histoire sous surveillance,* Paris, Gallimard, 1985, 216 p.

FINLEY M.I., *Sur l'histoire ancienne.* La matière, la forme et la méthode, trad. de l'anglais par J. Cartier, Paris, La Découverte, 1987, 214 p.

FOHRER G., *Geschichte der israelitischen Religion,* Berlin, 1969, 435 p.

FREEDMAN D.N., « Yahweh of Samaria and his Asherah », *BA,* 50, 1987, p. 241-249.

FRITZ V., « Abimelech und Sichem in Jdc IX », *VT,* 32, 1982, p. 129-144.

GALL A., Frhr. VON, « Eine Spur von Regenzauber », (Stud 6, 36), *ZAW,* 1903, p. 149-150.

GARELLI P. et NIKIPROWETZKY V., *Le Proche-Orient asiatique.* Les empires mésopotamiens et Israël, Paris, PUF, « Nouvelle Clio », 2 bis, 1974, 392 p.

GARSTANG J., *Joshua, Judges. The Foundations of Bible History,* Londres, 1931, 423 p.

GAUTIER, N. *et al.,* « Passion du passé, les "fabricants" d'histoire, leurs rêves et leurs batailles », *Autrement,* n° 88, Paris, 1987.

GOODING D.W., « The Composition of the Book of Judges », *ErIsr,* 16, 1982, p. 70-79.

GOODY J., *La Raison graphique.* La domestication de la pensée sauvage, Paris, éd. de Minuit, 1979, 275 p.

ID., *La Logique de l'écriture.* Aux origines des sociétés humaines, Paris, Armand Colin, 1986, 198 p.

GOTTWALD N.K., *The Tribes of Yahweh,* A Sociology of the Religion of Liberated Israel, 1250-1050 B.C.E., New York, 1979, 916 p.

GRAY J., *Joshua, Judges and Ruth,* J. Gray éd., *The Century Bible,* nouvelle édition, Londres, 1967.

GRESSMANN H., *Die Anfänge Israels (Von 2. Mose bis Richter und Ruth),* traduction, commentaire et introduction de H.G., Göttingen, 1922, 284 p.

GRETHER O., « Die Bezeichnung "Richter" für die charismatischen Helden der vorstaatlichen Zeit », *ZAW,* 1939, p. 110-121.

GUILLAUME A., « A Note on Judges 6, 25-26. 28 », *JTS,* 1949, p. 52-53.

GUNN D.M., « Narratives Patterns and Oral Tradition in Judges and Samuel », *VT,* 24, 1974, p. 286-317.

GUTBROD K., *Das Buch von Lande Gottes.* Josua und Richter ausgelegt, Stuttgart, 1984⁴.

HAAG H., « Die Zeit der Richter », *Bibel & Leben,* 4, 1963, p. 31-38.

ID., « Gideon Jerubbaal, Abimelek », *ZAW,* 79, 1967, p. 305-314.

HALEVY J., « Juges 6, 37 », *J. Asiat.* 1903-B, p. 525-526.

HALPERIN J. *et al., Mémoire et Histoire.* Données et débats. Colloque des intellectuels juifs, Paris, 1986.

HARTOG F., *Le Miroir d'Hérodote.* Essai sur la représentation de l'autre, Paris, Gallimard, coll. « Bibliothèque des Histoires », 1980, 390 p.

HEADLEY J.M., « The Khirbet el-Qom Inscription », *VT,* 37, 1987, p. 50-62 (cf. p. 180-213).

HERTZBERG H.W., *Die Bücher Josua, Richter, Ruth,* traduits et commentés par H.W.H., *ATD,* 9, Göttingen, 1953, 283 p.

HOELSCHER G., *Geschichtsschreibung in Israel.* Untersuchungen zum Yahvisten und Elohisten, Lund, 1952.

HOFFMANN G., « Kleinigkeiten » (3), *ZAW,* 1882, p. 175.

HOFFNER H.A., « Propaganda and Political Justification in Hittite Historiography », in *Unity and Diversity, Essays in the History, Literature and Religion of the Ancient Near East,* Baltimore/Londres, 1975, p. 49-62.

HOLLENBERG J., « Zur Textkritik des Buches Josua und des Buches der Richter », *ZAW,* 1881, p. 97-105.

ISHIDA T., « The Leaders of the Tribal Leagues "Israel" in the Pre-Monarchic Period », *RB,* 80, 1973, p. 514-530.

JENNI E., « Vom Zeugnis des Richterbuches », *TZ,* 1956, p. 257-274.

ID., « Zwei Jahrzehnte Forschung an den Büchern Josua bis Könige », *TR,* 27, 1961, p. 1-34 et 97-146.

JEREMIAS J., *Theophanie.* Die Geschichte einer alttestamentlichen Gattung, Neunkirchen, 1977², 231 p.

JOUTARD P., *Ces voix qui nous viennent du passé,* Paris, Hachette, 1983, 268 p.

JUERGENH., « Zobel, Abel-Mehola (Jud 7, 22) », *ZDPV,* 82, 1966, p. 83-108.

KATZENSTEIN H.J., « Some Remarks Concerning the Succession to the Rulership in Ancient Israel (The Period until the Davidic Dynasty) », *Proceed. of the 7th World Congress of Jewish Studies,* 1981, p. 29-39.

KEIL C., *Biblischer Commentar über die prophetischen Geschichtsbücher des Alten Testament,* I, *Josua, Richter und Ruth,* Leipzig, 1874, 405 p.

KELLER C.A., « Üeber einige alttestamentlichen Heiligtumslegenden », I, *ZAW,* 67, 1955, p. 154-162.

KOEHLER L., « Emendationen. f) Idc 8, 16. Vom A.T. — K. Marti », *ZAW,* 41, 1925, p. 176.

KRAMER S.N., *L'histoire commence à Sumer,* Paris, 1975, Arthaud, 258 p.

KUEBEL P., « Epiphanie und Altarbau », *ZAW,* 83, 1971, p. 225-231.

KUTSCH E., « Gideons Berufung und Altarbau Jdc 6, 11-24 », *TLZ,* 1956, p. 75-84.

LAGRANGE M.-J., « Introduction au livre des Juges », *RB*, 1902, p. 5-30.

ID., *Le Livre des Juges*, Paris, Gabalda, EB, 1903, 338 p.

LEEVEN J., « (On) Judges 8, 14 », *JRAS*, 1948, p. 61-62.

LEGASSE S., « Le cycle de Gédéon (Juges 6-8) commenté par les Pères de l'Église », *BLE*, 86, 1985, p. 163-197.

LE GOFF J., *Faire de l'histoire*, Paris, Gallimard, coll. « Bibliothèque des Histoires », 1974, 3 vol.

LEMAIRE A., « Les inscriptions de Khirbet-el-Qom et l'Ashéra de YHWJ », *RB*, 84, 1977, p. 595-608.

ID., « Who or what was Yahweh's Asherah ? », *Biblical Archeology Review*, nov.-déc. 1984, p. 50.

LEMCHE N.P., « The Judges » — Once More, *Bibl. Notizen*, 20, 1983, p. 47-55.

ID., « Israel in the Period of the Judges. The Tribal League in Recent Research », *Stud. Theol.*, 38, 1984, p. 1-28.

ID., *Early Israel*, Anthropological and Historical Studies on the Israelite Society Before the Monarchy, *VTS*, XXXVII, Leyde, 1985, 496 p.

LILLEY J.P.U., « A Literary Appreciation of the Book of Judges », *Tyndale Bull.*, 18, 1967, p. 94-102.

LINDARS B., « Gideons and Kingship », *JTS*, NS 16, 1965, p. 315-326.

ID., *The Israelite Tribes in Judges*. Studies in the Historical Books of the O.T., *VTS*, 30, 1979, p. 95-1212.

LONG B.O., *The Problem of Etiological Narrative in the Old Testament*, BZAW, 108, Berlin, 1968.

LOUIS K.R.G., « The Book of Judges », *Literary Interpretations of Biblical Narratives*, t. I, 1974, p. 141-162.

MAC KENZIE D.A., « The Judge in Israel », *VT*, 17, 1967, p. 118-121.

MADL H., *Wenn ihr den Bund haltet : Josua-Richter-Ruth*, Stuttgarter Kleiner Kommentar, A.T., 5, Stuttgart, 1975, 60 p.

MAIER W.A., *Asherah : Extra Biblical Evidence*, HSM, 37, Atlanta, 1986.

MALAMAT A., « The War of Gideon and Midian. A Military Approach », *PEQ*, 1953, p. 61-65.

ID., « The Period of the Judges » in B. MAZAR, *The World History of the Jewish People*, vol. III, Londres, 1971, p. 121-163.

ID., « Charismatic Leadership in the Book of Judges », *Études sémitiques. Actes du XXIXᵉ Congrès intern. des orientalistes*, 1975, p. 30-34.

MARGALIT B., « The Episode of the Fleece (Judges 6 : 36-40) in the Light of Ugaritic », *Shnaton*, 5-6, 1982, p. LV-LXII.

MARROU H.-I., *De la connaissance historique*, Paris, Le Seuil, 1954, 299 p.

MARTIN J.D., *The Book of Judges*, commentaire de J.D. Martin, *CB*, 1975, 234 p.

MAYES A.D.H., *Israel in the Period of the Judges*, *SBT*, 2/29, Londres, 1974, 156 p.

MESLIN M., *Pour une science des religions*, Paris, Le Seuil, 1979, 270 p.

ID., *Le Merveilleux, l'imaginaire et les croyances en Occident*, Paris, Bordas, 1984.

ID., *L'Expérience humaine du divin*, Paris, Cerf, 1988.

MEZ A., « Nochmals Ri. 7, 5-6 », *ZAW*, 1901, p. 198-200.

MILGROM J., « The Ideological and Historical Importance of the Office of Judge in Deuteronomy », I.L. Seeligman, Vol. III, 1983, p. 129-139.

MITTMANN S., « Die Steige des Sonnengottes (Ri 8, 13) », *ZDPV*, 81, 1965, p. 80-87.

MOMIGLIANO A., *Problèmes d'historiographie ancienne et moderne*, Paris, Gallimard, coll. « Bibliothèque des Histoires », 1983, 483 p.

MOORE G.F., *A Critical and Exegetical Commentary on Judges*, ICC, Édimbourg, 1895, 476 p.

MOWINCKEL S., *Tetrateuch-Pentateuch-Hexateuch. Die Berichte über die Landnahme in den drei altisraelitischen Geschichtswerken*, Beihefte *ZAW*, 90, Berlin, 1964.

MYERS J.M., *The Book of Judges*, introduction et exégèse, commentaire par P.P. ELLIOTT, IB, 2, 1953, p. 675-826.

NAGELE P.J., « Sichems Zerstörung durch Abimelech », *JPOS*, 1932, p. 152-161.

NETELER B., *Das Buch der Richter der Vulgata und des hebräischen Textes übersetzt und erklärt*, Münster, 1900, 134 p.

NOETSCHER F., « Das Buch der Richter », *Echter-Bibel, Das A.T. Josua/ Richter*, Würzburg, 1950, 83 p.

NOTH M., « Das Amt des "Richters Israels" », *Festschrift für A. Bertholet*, 1950, p. 404-417.

ID., *Die Welt des Alten Testaments*. Einführung in die Grenzgebiete der Alttestamentlichen Wissenschaft, Berlin, 1962, 355 p.

ID., *Überlieferungsgeschichtliche Studien*. Die Sammelnden und Bearbeiten-den Geschichtswerke im Alten Testament, Tübingen, 1967, 224 p.

NOWACK W., *Richter-Ruth*, *HKAT*, 1/4, Göttingen, 1902, 201 p.

ODED B., « Joghehah und Rujm el-Jebeha », *PEQ*, 103, 1971, p. 33-34.

OETTLI S., « Das Deuteronomium und die Bücher Josua und Richter mit einer Karte Palästinas », *Kurzgeffaster Kom. A. & N.T.*, A : *A.T.*, Munich, 1893, 302 p.

ORLINSKY H.M., « The Tribal System of Israel and Related Groups in the Period of the Judges », *OrAnt*, 1, 1962, p. 11-20 ; Ou : *Studies and Essays—A.A.Neuman*, 1962, p. 375-387.

PAYNE E.J., « The Midianite Arc in Joshua and Judges. Midian, Moab and Edom », *JSOT* (SS), 24, 1983, p. 163-172.

PENNA A., « Gedeone e Abimeleke », *BeO*, 2, 1960, p. 86-89 et 136-147.

PETRIE H., « The Ear-Rings of His Prey », Judges 8, 24 – « All the Lords of the Philistines » Judges 8, 24 ; 16, 27, *Side Notes on the Bible*, 1933, p. 25-30.

PIEPENBRING C., « La religion des Hébreux à l'époque des Juges », *RHR*, 1893-A, p. 1-36.

POLZIN R., *Moses and the Deuteronomist*, A Literary Study of the Deuteronomic History, première partie : *Deuteronomy, Joshua, Judges*, New York, 1980, 226 p.

POPE M.H., *El in the Ugaritic Texts, VTS*, Leyde, 1955, 116 p.

PRETZL O., « Septuagintaprobleme im Buch der Richter », *Bibl.*, 1926, p. 233-269 et 353-383.

PURY A. DE, *Promesse divine et légende culturelle dans le cycle de Jacob*, Paris, Gabalda, EB, 1975.

ID., « La guerre sainte israélite », *ETR*, 1, 1981, p. 5-38.

RAD G. VON, *Der Heilige Krieg im Alten Testament*, ATANT, 20, Zurich, 1951.

RAMSEY G. W., « Speech-Forms in Hebrew Law and Prophetic Oracles », *IBL*, 96, 1977, p. 45-58.

ID., *The Quest for the Historical Israel*, Atlanta, 1981.

RENDTORFF R., *Das Überlieferungsgeschichtliche Problem des Pentateuch*, Berlin, De Gruyter, 1977.

REVENTLOW H., *Liturgie und prophetisches Ich*, Gütersloh, 1963, p. 47-51.

REVIV H., « Early Elements and Late Terminology in the Descriptions of Non-Israelite Cities in the Bible », *IEJ*, 27, 1977, p. 189-196.

RICHTER W., *Traditionsgeschichtliche Untersuchungen zum Richterbuch.* BBB, 18, Bonn, 1963.

ID., *Die Bearbeitungen des « Richterbuches » in der deuteronomischen Epoche*, BBB, 21, 1964.

ID., « Zu den "Richtern Israels" », *ZAW*, 77, 1965, p. 40-72.

ID., *Die sogenannten vorprophetischen Berufungsberichte.* Eine literaturwissenschaftliche Studie zu 1 Sam 9, 1-10, 16, Ex 3f und Ri 6, 11b-17, FRLANT, 101, Göttingen, 1970, 203 p.

RICŒUR P., *Temps et Récit,* 3 vol., Paris, Le Seuil, 1983, 1984 et 1985.

ROBERTSON E., « The Period of the Judges : A Mystery Period in the History of Israel », *BJRL,* 1946-1947, p. 91-114.

ROBINSON A., « Process Analysis Applied to the Early Tradition of Israel : a Preliminary Essay », *ZAW,* 94, 1982, p. 549-566.

ROESEL H., « Studien zur Topographie der Kriege in den Büchern Josua und Richter », *ZDPV,* 91, 1975, p. 159-190, 1976, p. 10-46.

ID., « Die "Richter Israels" », *BZ,* NP 25, p. 180-203.

ID., « Überlegungen zu "Abimelech und Sichem in Jdc IX" », *VI,* 33, 1983, p. 500-503.

ROSE M., *Deuteronomist und Jahwist.* Untersuchungen zu den Berührungspunkten beiden Literaturwerke, ATANT, 67, Zurich, 1981.

ID., « La croissance du corpus historiographique de la Bible. Une proposition », *Revue de théologie et de philosophie,* 118, 1986, p. 217-236.

ROST L., *Das kleine Credo und andere Studien zum Alten Testament,* Heidelberg, 1965.

ROUX G., *La Mésopotamie.* Essai d'histoire politique, économique et culturelle, Paris, Le Seuil, 1985, 477 p.

ROZENBERG M.S., « The Sôftᵉtim in the Bible », *ErIsr,* 12, 1975, p. 77-86.

RUDOLPH W., « Textkritische Anmerkungen zum Richterbuch », *Festschrift O. Eissfeldt,* 1947, p. 199-212.

SCHLAURI I., « Wolfgang Richters Beitrag zur Redaktionsgeschichte des Richterbuches », *Bibl,* 54, 1973, p. 367-403.

SCHMID H., « Die Herrschaft Abimelechs (Jdc 9) », *Judaïca,* 26, 1970, p. 1-11.

SCHMIDT L., *Menschlicher Erfolg und Jahwes Initiative.* Studien zu Tradition, Interpretation und Historie in Üeberlieferungen von Gideon, Saul und David, WMANT, 38, 1970, 246 p.

SCHREINER J., *Septuaginta-Massora des Buches der Richter.* Eine textkritische Studie, AnBibl, 7, Rome, 1957, 137 p.

SCHULTE H., *Die Entstehung der Geschichtsschreibung im Alten Israel,* BZAW, 128, Berlin, 1972, 232 p.

SCHULTZ A., *Das Buch der Richter und das Buch Ruth,* HSAT, 2/4-5, Bonn, 126, 129 p.

SCHUNCK K.D., « Die Richter Israels und ihr Amt », Vol. du congrès, Genève, 1965, *VTS*, 15, 1966, p. 252-262.

SETERS J. VAN, *In Search of History,* Historiography in the Ancient World and the Origins of Biblical History, Yale, 1983, 399 p.

SIMPSON C.A., *The Composition of the Book of Judges,* Oxford, 1957, 197 p.

SMELIK K.A.D., *Historische Dokumente aus dem alten Israel,* Göttingen, 1987, p. 137-145.

SMEND R., « J E in den geschichtlichen Büchern des A.T. Das vordeuteronomischen Richterbuch », édité par H. Holzinger, *ZAW,* 1921, p. 182-192.

ID., *Jahwekrieg und Stämmebund,* FRLANT, 85, Göttingen 1963, p. 33-35.

ID., « Das Gesetz und die Völker. Ein Beitrag zur deuteronomischen Redaktionsgeschichte. Probleme biblischer Theologie », *Gerhard von Rad zum 70. Geburtstag,* 1971, p. 494-509.

SOGGIN J.A., *Le Livre des Juges,* Genève, Labor et Fides, 1987.

SOKOLOV M., « The Book of Judges in Medieval Muslim and Jewish Historiography », *JANESCU,* 11, 1979, p. 113-130.

SPIECKERMANN H., *Juda unter Assur in der Sargodinenzeit,* FRLANT, 129, Göttingen, 1983.

STADE B., « Zur Entstehungsgeschichte des vordeuteronimischen Richterbuches », *ZAW,* 1881, p. 339-343.

ID., « Zu Ri. 7, 5-6 », *ZAW,* 1896, p. 183-186.

STOEBE H.J., *Das erste Buch Samuelis,* KAT, Gütersloh, 1973, 544 p.

STUART A.M., « Lapping of the Water », *PEFQS,* 1895, p. 345.

SZALUTA J., *La Psychohistoire,* Paris, PUF, 1987, 127 p.

TADMOR H. et WEINFELD M., *History, Historiography and Interpretation.* Studies in Biblical and Cuneiform Literatures, Jérusalem et Leyde, 1984, 192 p.

TARGANORA DE SAENZ-BADILLOS J., « Le texte grec du livre des Juges présenté par les manuscrits », *Mélanges D. Barthélemy,* OBO, 38, 1981, p. 531-552.

TAUEBLER E.I., « Die Spruch-Verse über Sebulon », Monat. Ges. und Wiss. Judentums, 83, 1939, p. 9-46.

ID., *Biblische Studien. Die Epoche der Richter,* édité par H.-J. Zobel, Tübingen, 1958, 320 p.

THOMPSON H.C., « Shophet and Mishpat in the Book of Judges », TGUOS, vol. XIX, 1961-1962, p. 74-85.

THOMPSON T. L., *The Historicity of the Patriarchal Narratives*. The Quest for the Historical Abraham, BZAW, 133, Berlin 1974, 392 p.

THUILLIER G. et TULARD J., *La Méthode en histoire*, Paris, PUF, 1986, 127 p.

TODOROV T., *Poétique de la prose*, Paris, 1978.

TOLKOWSKI S., « Gideon's Fleece », *JPOS*, 1923, p. 197-199.

ID., « Gideon's 300 (Judges 7 & 8) », *JPOS*, 1925, p. 69-74.

TRUMPER V.L., « The Choosing of Gideon's 300. Judges 7, 5-6 », *JPOS*, 1926, p. 108-109.

VAUX R. DE, *Histoire ancienne d'Israël*, t. II, *Période des Juges*, Paris, Gabalda, EB, 159 p.

VEIJOLA T., *Das Königtum in der Beurteilung der deuteronomistischen Historiographie*. Eine redaktionsgeschichtliche Untersuchung, AASF, Sér. B, t. CXCVIII, Helsinki, 1977, 147 p.

VERNES M., « De la place faite aux légendes locales par les livres historiques de la Bible (Juges, Samuel, Rois) », École pratique des hautes études en sciences religieuses, *Annuaire* 1897-98, p. 1-33.

VEYNE P., *Comment on écrit l'histoire*, Paris, Le Seuil, 1971/1984, 247 p.

ID., *L'Inventaire des différences*, Paris, Le Seuil, 1976, 62 p.

VINCENT A., *Le Livre des Juges*, BJ, Paris, Cerf, 1958, 141 p.

VOLLBORN W., « Die Richter Israels », in *Sammlung und Sendung. Festschrift H. Rendtorff*, Berlin, 1958, p. 21-31.

ID., « Die Chronologie des Richterbuches », *Festschrift F. Baumgärtel*. Erlanger Forsch., série A, vol. X, 1959, p. 192-196.

WAGNER S.H., « The Dating of the Period of the Judges », *VT*, 28, 1978, p. 455-463.

WARNER S.M., « The Period of the Judges within the Structure of Early Israel », *HUCA*, 47, 1976, p. 57-59.

WEBB G.B., *The Book of the Judges*. An integrated Reading, JSOT Press, Sheffield, 1987.

WEINFELD M., « The Period of the Conquest and of the Judges as seen by the Earlier and the Later Sources », *VT*, 17, 1967, p. 93-113.

ID., « Judge and Officer in Ancient Israel and in Ancient Near East », *Proceedings of the Sixth World Congress of Jewish Studies*, I, 1977, p. 75-89.

WEISMAN Z., « Charismatic Leaders in the Era of the Judges », *ZAW*, 89, 1977, p. 399-411.

WHITELAM K.W., « The Just King : Monarchical Judicial Authority in Ancient Israel », *JSOT* (SS), 12, Sheffield, JSOT Press, 1979, 320 p.

WHITLEY C.F., « The Sources of the Gideon Stories », *VT*, 1957, p. 157-164.

WIENER H.M., « The composition of Judges II 11 to I Kings II 46 », Leipzig, 1929, 40 p.

WIESE K., *Zur Literarkritik des Buches der Richter.* Studien zu Ezechiel und dem Buch der Richter, par S. Sprank et K. Wiese, BWANT, 3/4, Stuttgart, 1926, 61 p.

WILSON R.R., « Enforcing the Covenant : The Mechanisms of Judicial Authority in Early Israel », *The Quest for the Kingdom of God*, G.E. Mendenhall, 1983, p. 59-75.

WINCKLER H., « Die Quellenszusammensetzung der Gideonerzählungen », Alater. Forsch., 1, 1983, p. 42-62.

ZAKOWITCH Y., « The Sacrifice of Gideon (Jud 6, 11-24) and the Sacrifice of Manoah (Jud 13) », *Schnaton*, I, 1975, p. xxv, 151-154.

ZAPLETAL V. et NIKEL O.P., *Das Buch der Richter*, EHAT, 7/1, Münster, 1923, 311 p.

ZIMMERLI W., « Die Spendung von Schmuck für ein Kultobjekt », *Mélanges H. Cazelles*, 1981, p. 513-528.

ZIMMERMAN F., « Reconstructions in Judges 7, 25-8, 25 », *JBL*, 1952, p. 11-115.

SIGLES ET ABRÉVIATIONS

AASF	Acta Academiae Scientiarum Fennicae, Helsinki.
AASOR	*Annual of the American Schools of Oriental Research,* Philadelphie, Pennsylvanie.
AB	The Anchor Bible, Garden City, New York.
Alater Forsch.	
ALUOS	*Annual of the Leeds University Oriental Society,* Leeds.
AnBibl	Analecta Biblica, Rome.
Arch. Or.	
ASOR	American Schools of Oriental Research.
ATANT	Abhandlungen sur Theologie des Alten und Neuen Testaments, Zurich.
ATD	Das Alte Testament Deutsch, Göttingen.
BA	*The Biblical Archaelogist,* Philadelphie, Pennsylvanie.
BASOR	*Bulletin of the American Schools of Oriental Research,* Philadelphie, Pennsylvanie.
BBB	Bonner Biblische Beiträge, Bonn.
BBLAK	*Beiträge zur biblischen Landes- und Altertumskunde* (= ZVPV 68), 1951.
BDBAT	*Beihefte zu den Dielheimer Blätter zum Alten Testament.*
BeO	*Bibbia e Oriente,* Brescia.
BHH	*Biblisch-Historisches Handwörterbuch,* Göttingen, 1962 sq.
Bibl	*Biblica,* Rome.
Bibl. Notizen	
BiblOr	*Biblica et Orientalia,* Rome.
BJ	*La Bible de Jérusalem,* Paris-Jérusalem.

BJRL	*Bulletin of the John Rylands Library,* Manchester.
BLE	*Bulletin de littérature ecclésiastique,* Paris.
BP	*La Bible de « La Pléiade ».*
BWANT	Beiträge zur Wissenschaft vom Alten und Neuen Testament, Stuttgart.
BZ	*Biblische Zeitschrift,* Paderborn.
BZAW	Beihefte zur ZAW, Berlin.
CAH	*Cambridge Ancient History,* Cambridge, 1970 sq.
Bibl. Zeit.	
CB	The Cambridge Bible for Schools and Colleges.
CBQ	*The Catholic Biblical Quarterly,* Washington DC.
DBS	Dictionnaire de la Bible, Supplément, Paris.
EHAT	Exegetisches Handbuch zum Alten Testament, Münster.
ErIsr	*Eres Isra'el.*
EB	Études bibliques, Paris, Gabalda.
EThR	*Études théologiques et religieuses,* Montpellier.
ExpT	*The Expository Times,* Édimbourg.
FRLANT	Forschungen zur Religion und Literatur des Alten und Neuen Testaments, Göttingen.
HAT	Handbuch zum Alten Testament, Tübingen.
HKAT	Handkommentar zum Alten Testament, Göttingen.
HSAT	Die Heilige Schrift des Alten Testaments, Bonn (édition catholique), Tübingen (édition protestante).
HSM	Harvard Semitic Monographs, Cambridge (Mass).
HUCA	*Hebrew Union College Annual,* Cincinnati.
IB	*The Interpreter's Bible,* Nashville et New York.
ICC	*The International Critical Commentary,* Édimbourg.
IEJ	*Israel Exploration Journal,* Jérusalem.

IOS	*Israel Oriental Studies*, Tel-Aviv.
JANESCU	*Journal of the Ancient Near Eastern Society of Columbia University*, New York.
JAOS	*Journal of the American Oriental Society*, New Haven (Conn.)
JBL	*The Journal of Biblical Literature*, Chicago.
JJS	*Journal of Jewish Studies*, Londres.
JNES	*Journal of Near Eastern Studies*, Chicago.
JPOS	*Journal of the Palestine Oriental Society*, Jérusalem.
JQR	*Jewish Quaterly Review*, Philadelphie.
JRAS	*Journal of the Royal Asiatic Society*, Londres.
JSS	*Journal of Semitic Studies*, Manchester.
JSOT	*Journal for the Study of the Old Testament*, Sheffield.
JSOT(SS)	*Journal for the Study of the Old Testament* (Supplement Series), Sheffield.
JTS	*Journal of Theological Studies*, Oxford.
KAT	
KHCAT	Kurzer Hand-Commentar zum A.T., Tübingen.
Monat. Ges und Wiss. Judentums	
NCB	The New Century Bible, Londres.
OBO	Orbis Biblicus et Orientalis, Fribourg (CH), Göttingen.
OrAnt	
Orientalia S.	
PEFQS	*Palestine Exploration Fund Quarterly Statement*, Londres.
PEQ	*Palestine Exploration Quarterly*, Londres.
RB	*Revue biblique*, Paris-Jérusalem.
REJ	*Revue des études juives*, Paris.
RHPR	*Revue d'histoire et de philosophie religieuses*, Strasbourg.
RHR	*Revue d'histoire des religions*, Paris.
RSR	*Recherches de sciences religieuses*, Paris.

SBT	Studies in Biblical Theology, Londres
Shnaton	
SO	Sources Orientales, Le Seuil, Paris.
Stud. Theol.	
TB	
TGUOS	
THAT	*Theologisches Handwörterbuch zum A.T.*, Munich, 1971-1976.
TLZ	*Theologische Literaturzeitung*, Leipzig.
TR	*Theologische Rundschau*, Tübingen.
TSK	*Theologie Studies und Kritik.*
Tyndale Bull.	
TZ	*Theologische Zeitschrift*, Bâle
VT	*Vetus Testamentum*, Leyde.
VTS	Suppléments à *Vetus Testamentum.*
WO	*Die Welt des Orients*, Göttingen.
WMANT	Wissenschaftliche Monographien zum Alten und Neuen Testament, Neunkirchen.
ZAW	*Zeitschrift für die alttestamentliche Wissenschaft*, Berlin.
ZDPV	*Zeitschrift des deutschen Palästinavereins*, Tübingen.
ZTK	*Zeitschrift für Theologie und Kirche*, Tübingen.

INDEX DES RÉFÉRENCES BIBLIQUES

*Le chiffre qui suit la référence biblique renvoie à la page. La mention « n »
signifie que la référence se trouve dans une note en bas de page.*

TABLE DES MATIÈRES

Deuxième partie
L'ÉLABORATION HISTORIOGRAPHIQUE

Achevé d'imprimer le 2 février 1990
dans les ateliers de Normandie Impression S.A.
à Alençon (Orne)
N° imprimeur : 892442
N° éditeur : 8873
Dépôt légal : février 1990